D1215289

Derniers feux sur Sunset

Du même auteur

Des anges dans la neige
Éditions de l'Olivier, 1997
« Replay », Éditions de l'Olivier, 2016

Speed Queen
Éditions de l'Olivier, 1998
Points, n° P637

Le Nom des morts
Éditions de l'Olivier, 1999
Points, n° P811

Un monde ailleurs
Éditions de l'Olivier, 2000
Points, n° P1142

Un mal qui répand la terreur
Éditions de l'Olivier, 2001

Nos plus beaux souvenirs
Éditions de l'Olivier, 2005
Points, n° P1552

Le Pays des ténèbres
Éditions de l'Olivier, 2006

Chanson pour l'absente
Éditions de l'Olivier, 2010

Emily
Éditions de l'Olivier, 2012
Points, n° P3032

Les Joueurs
Éditions de l'Olivier, 2013
Points, n° P3255

STEWART O'NAN

Derniers feux sur Sunset

traduit de l'anglais (États-Unis)
par Marc Amfreville

ÉDITIONS DE L'OLIVIER

Le traducteur tient à remercier le réalisateur Arnaud Desplechin qui, en de nombreux points du récit, l'a aidé à trouver le vocabulaire cinématographique précis correspondant à celui du texte original.

L'édition originale de cet ouvrage
a paru chez Viking en 2015,
sous le titre : *West of Sunset.*

ISBN 978.2.8236.0528.0

À Trudy, une fois de plus.

« Il n’y a pas de deuxième acte dans les vies américaines. »

F. SCOTT FITZGERALD

« Rien n’était impossible : tout ne faisait que commencer. »

F. SCOTT FITZGERALD

Chimney Rock

Ce printemps-là, il se réfugia dans les Smokies et s'installa dans un petit hôtel qui avait connu des jours meilleurs, proche de la clinique où elle résidait. Une pneumonie durant la période de Noël avait provoqué une recrudescence spectaculaire de sa tuberculose, et il s'en remettait à peine. Le bon air de la montagne était censé l'aider à guérir. Pendant la journée, il restait en peignoir et il écrivait, buvant du Coca-Cola pour se donner de l'énergie, attendant la tombée du jour pour passer au gin – une petite victoire –, sirotant son verre dans la pénombre de la véranda, tandis que des couples se promenaient parmi les lucioles qui avaient envahi le terrain de golf. Aux abords de la ville, le Highland Hospital surplombait la ligne de crête : un palais gothique dont les flèches transperçaient les nuages, digne résidence d'une princesse ensorcelée. Il n'avait pas les moyens de le lui offrir, de même qu'il n'avait pas pu payer les cliniques privées qu'ils avaient essayées auparavant, mais il avait fait valoir son dénuement matériel et obtenu de haute lutte un rabais des administrateurs, suppliant son agent de lui trouver de l'argent – une forme de crédit particulièrement onéreuse puisqu'on lui avançait des sommes conséquentes contre des histoires qu'il n'avait pas encore imaginées.

Il n'avait guère le choix. À Pratt, elle était trop livrée à elle-même. Elle s'était étranglée avec une taie d'oreiller préalablement déchirée, et elle avait bien failli réussir, comme en témoignait la marque livide qui lui barrait la trachée-artère. Une nuit, alors qu'elle était sanglée sur son lit, l'archange Michel lui était apparu, nimbé de lumière, et lui avait dit que le monde allait être détruit si elle ne parvenait pas à amener les sept nations à se repentir. De ce jour, elle s'était habillée en blanc et mise à apprendre la Bible par cœur. Dans les tableaux qu'elle peignait, les damnés sans visage se tordaient au milieu des flammes.

Au Highland Hospital, son nouveau médecin était un adepte des régimes et de l'exercice physique. Pas de cigarettes ni de sucreries. Chaque jour, les patients devaient parcourir la distance qu'on leur avait prescrite, de robustes infirmières les encourageant à marcher, tels des entraîneurs sportifs. Elle avait perdu du poids, sa peau s'était tendue sur les pommettes, l'arête de son nez était devenue tranchante, comme au cours de cette affreuse année à Paris où elle s'était forcée à maigrir dans la perspective de reprendre la danse classique. Pourtant elle n'était pas en phase maniaque, pas d'agitation frénétique comme à l'époque où ses genoux étaient couverts de bleus et où les os de ses pieds craquaient sous les efforts intensifs. Après son traitement à l'insuline, elle se montrait apaisée, rendue passive par une absence totale d'énergie. À la place des damnés, elle peignait aujourd'hui des fleurs, d'énormes corolles chiffonnées qui paraissaient tout aussi malfaisantes. Elle arrivait à dormir, disait-elle, ce que d'ailleurs il lui enviait. Elle réussissait de nouveau à écrire également, des lignes bien droites qui couvraient la page comme des vagues, au lieu de cette bousculade de signes confus et couchés qu'il en était venu à redouter.

Oh, mon bêta, chaque jour, je pense à la peau chaude et douce de la mer et à la façon dont le soleil a usé nos yeux jusqu'à ce que je ne te voie plus et que tu ne me voies plus. Tu étais fâché et tu m'as enfermée alors que je voulais toujours plus de lumière. Sans doute n'étais-je pas faite pour être une salamandre, mais seulement cette créature qu'ils enveloppent dans des draps et nourrissent quand la cloche sonne. Je suis désolée de t'avoir fait perdre toutes ces villes, avec leurs boulevards si élégants et le halo de leurs réverbères qui nous recouvrait dans la nuit.

Ils communiquaient presque uniquement par lettres. Bien que l'hôpital fût visible depuis le perron de la bibliothèque municipale, il n'allait que rarement la voir, ce qui rendait les changements de Zelda d'autant plus perceptibles. Le Dr Carroll limitait les visites, les allouant au compte-gouttes, comme un privilège, selon un système strict de récompenses. Le week-end, ils avaient le droit de passer ensemble quelques heures imprévues : ils se promenaient dans le parc et quittaient même parfois la montagne pour aller déjeuner au restaurant ou dans un coin tranquille de la salle à manger de l'hôtel, puis, à bord de son petit bolide, ils remontaient sans se presser la route sinueuse bordée de rhododendrons, au sommet de laquelle on pouvait admirer le lent coucher de soleil ; mais pendant la semaine, elle devait se consacrer entièrement à la tâche difficile de se remettre. Tels des paysans, les patients se levaient avant l'aube. À neuf heures, ils jouaient au tennis, à onze heures, ils peignaient. L'idée était de l'enrégimenter en permanence, ce qu'il comprenait, s'étant lui-même discipliné pour écrire, les autres aspects de sa vie ayant perdu tout semblant d'ordre.

À quarante ans, après une longue série de revers qu'il attribuait à la malchance, il se retrouvait sans domicile fixe. Scottie étant en pension, rien ne l'obligeait plus à conserver une maison – un soulagement, parce que cela signifiait moins de frais, sauf qu'aujourd'hui ils n'avaient plus de lieu où revenir, leurs biens les plus précieux étaient condamnés à moisir dans un entrepôt. Il avait rogné sur tous les postes budgétaires, et pourtant il ne pouvait absolument pas payer l'hôpital et l'éducation de Scottie. Toutefois – à cause de son sens de l'honneur ou par simple illusion – il refusait de fuir ses responsabilités. Cela aurait été trop facile. Chaque mois, la mère de Zelda le suppliait de laisser sa fille rentrer chez elle à Montgomery. Elle n'y était pas prête, et ne le serait sans doute jamais. Ce qu'il espérait, c'était que le Dr Carroll l'aiderait à guérir suffisamment pour que lui-même puisse partir à Hollywood où il gagnerait assez d'argent afin de rembourser ses dettes et peut-être s'offrir le temps qu'il lui fallait pour écrire le roman promis à Max.

On lui avait témoigné de l'intérêt à la Metro Goldwyn Mayer, on parlait de mille dollars par semaine, mais pour l'instant, Ober n'était pas parvenu à obtenir une promesse ferme. Il lui fallait dire la vérité à Scott, les studios s'inquiétaient de sa réputation d'alcoolique – totalement de sa faute, c'était lui qui avait publié son mea culpa dans *Esquire*. Durant tout le mois de mars, il avait harcelé son agent pour qu'il obtienne un engagement, lui assurant qu'il n'avait pas bu une goutte, alors que le dernier tiroir de son bureau regorgeait de cadavres de bouteilles.

Avec Zelda, rien n'allait de soi. Pour leur anniversaire de mariage, on leur permit d'aller une journée en excursion à Chimney Rock. Il lui fallait jouer à la fois les rôles d'époux et de chaperon, il était chargé de noter sa façon de se comporter, de parler et ses prises de médicaments – autant d'observations qu'il enregistrait presque involontairement, mais qu'il était réticent à partager, comme si, après tant d'années de captivité, il voulait voir subsister un lambeau d'intimité entre eux. C'était un samedi particulièrement clément, les cornouillers étaient festonnés de rose, le parking des visiteurs encombré de familles endimanchées qui avaient apporté des paniers pique-nique. Le Dr Carroll conduisit lui-même Zelda à la réception et la confia à Scott, comme un père trop aimant.

À vingt ans, avec son visage de bébé et son corps si menu, elle avait l'air d'une petite fille. Grande sportive et danseuse, c'était une jeune femme notoirement volage, à l'énergie et à l'intrépidité irrésistibles. Aujourd'hui, alors qu'elle allait en avoir trente-sept, elle était fermée et hagarde, presque ratatinée, le sourire dévasté par une dent cassée. Une aide-soignante pleine de bonnes intentions l'avait peignée pour l'occasion, emprisonnant sa tignasse blond doré dans une résille en tricot noire, qui reposait sur son épaule, tel un chat – une coiffure qu'il avait vue sur des vendeuses et des serveuses, mais qu'elle n'aurait jamais choisie, en particulier parce qu'elle rendait ses traits plus aigus encore, la faisant ressembler à un épervier. Sa robe légère, couleur carmin, était depuis toujours l'une de ses préférées, même si au fur et à mesure de lavages énergiques, elle s'était décolorée et déformée et pendait désormais sur elle à la manière d'un peignoir ; ses clavicules s'étaient légèrement affaissées, et elle portait une simple écharpe de laine, en guise de foulard, pour cacher sa gorge. Quand il se pencha pour la saluer, elle approcha son visage du sien, et ses lèvres lui effleurèrent la joue.

« Merci, dit-elle en reculant, comme s'il venait de lui accorder une faveur.

– Bon anniversaire.

– Oh, mon bécasseau. Bon anniversaire. » Il s'étonnait toujours d'entendre le doux accent chantonnant du Sud s'échapper de la bouche de cette inconnue flétrie, comme si, cachée quelque part à l'intérieur de ce corps méconnaissable, sa Zelda, si fraîche, si sauvageonne, n'avait pas cessé d'exister.

Le médecin les félicita. « Cela fait combien d'années de mariage ?

– Dix-sept, répondit-elle en jetant un coup d'œil en direction de Scott pour qu'il confirme son calcul.

– Dix-sept », répéta-t-il en hochant la tête, peu sûr qu'il y avait là de quoi pavoiser. Le chiffre était aussi illusoire que leur mariage lui-même. Celle qui était sa femme avait passé autant de temps en clinique qu'à l'extérieur et, à certains moments particulièrement agités, la question de savoir si elle était folle depuis le début et s'il n'était pas lui-même attiré par cette folie le perturbait profondément.

« Profitez-en bien, dit le psychiatre.

– Nous n'y manquerons pas », assura Zelda, et elle prit la main de Scott, la serrant très fort, tandis qu'ils traversaient l'immense hall d'entrée et sortaient dans la lumière du jour, pour ne la lâcher que lorsqu'il ouvrit la portière afin de l'aider à monter en voiture, tel un laquais.

Sur son siège, il avait posé un cadeau acheté à la boutique de souvenirs de l'hôtel.

« Mon bécasseau, vraiment, il ne fallait pas. »

Tout en refermant la portière, il prit soin de la verrouiller sans bruit. « Ce n'est rien… un petit clin d'œil.

– Et moi qui ne t'ai rien acheté. » Impatiente, elle déchira le papier pour découvrir une boîte plate de bonbons. « Si c'est bien ce que je pense… Démon que tu es. Tu sais que je ne peux pas résister aux pralines aux cacahuètes.

– Aux noix de pécan, tu veux dire.

– C'est une attention délicieuse, mon chéri, mais je ne crois pas que ce soit permis.

– Je promets de ne rien dire.

– Tu vas devoir m'aider, alors.

– À faire disparaître les preuves du crime ?

– Exactement. »

Ils étaient si vite devenus des conspirateurs, on aurait dit que c'était là leur propension naturelle. Ensemble, en un autre temps, ils s'étaient rendus célèbres pour leurs transgressions à la mode, le genre à faire la une des magazines et des journaux à scandale, et, peut-être parce qu'il avait connu une chute moins spectaculaire et infiniment moins douloureuse, à des moments comme celui-ci il se sentait piqué par l'aiguillon de la culpabilité, comme si, alors qu'il savait la chose impossible, il aurait dû la sauver.

En quittant l'hôpital, il eut l'impression qu'ils s'échappaient. Même s'il savait que c'était exactement l'attitude qu'il lui fallait éviter d'adopter, dès qu'ils avaient franchi les grilles, il aimait faire comme s'ils étaient n'importe quel autre couple en escapade. Sa conduite automobile faisait l'objet d'un déni similaire. À Princeton, il avait été témoin d'un accident mortel, et plus d'une fois, alors qu'il filait tard dans la nuit sur les routes sombres de Long Island ou de la Riviera, conduit par des amis à tout le moins éméchés, il avait craint pour sa vie, si bien que, ivre ou non, il se montrait toujours excessivement prudent et roulait si lentement qu'il mettait les autres en danger. Et là, au lieu de préserver leur anonymat nouvellement acquis, il réussit à s'attirer les foudres de tous ceux qu'il condamnait à le suivre au ralenti.

Un conducteur leva les deux mains en le doublant, comme pour lui demander ce qu'il fabriquait.

« Range ta voiture au garage, vieux débris ! » lui lança un jeune crétin.

Scott leur fit signe de passer.

À son côté, plissant les paupières comme un marin, son écharpe soulevée par le vent, Zelda avait posé un coude sur la portière de la décapotable et montrait du doigt les torrents bouillonnants et les poiriers en bourgeons. Il accepta de se laisser distraire une seconde pour murmurer son admiration, puis jeta un coup d'œil vers la poignée, toujours verrouillée. Un jour, sur une falaise au-dessus du cap Ferrat, elle avait ouvert la portière dans un virage et elle était descendue de voiture avant même qu'il ait pu freiner. Elle avait ri comme une enfant qui vient de faire une mauvaise plaisanterie. Elle était simplement fâchée à cause d'une remarque qu'il avait faite à Sara et Gerald sur Marion Davies, ou du moins, c'est ce dont il croyait se souvenir. À sa plus grande honte, il n'était pas capable de retrouver avec précision à quel moment elle avait perdu le contrôle d'elle-même, ou combien de temps il avait mis à en prendre conscience. Aujourd'hui, il l'observait attentivement, sachant, pour en avoir déjà fait la douloureuse expérience, qu'elle était capable de bondir à tout instant pour s'emparer du volant.

Elle se laissa aller en arrière et ferma les yeux, profitant du soleil. Sur son cou, dépassant légèrement de l'écharpe qui voletait, il entrevit une égratignure récente, de la couleur d'une gelée de framboise. Elle se rendit compte qu'il la regardait, et lui tira malicieusement la langue, puis elle tint à se retourner pour lui faire face.

Parvenus en ville, ils durent marquer l'arrêt à l'unique feu tricolore.

« Tu as l'air fatigué, dit-elle.

– Je le suis.

– Mais tu ne bois pas.

– Je ne dors pas.

– Viens donc passer une semaine avec moi. Cela te fera un bien fou.

– Il faut bien que quelqu'un travaille dans cette famille.

– Ne fais pas le bécasseau, gros bêta. Maman peut nous aider.

– Je préfère que Maman s'occupe de ses affaires. »

Laissant Tryon derrière eux, ils partirent vers le nord et gravirent de nouveau la montagne, l'air montant des vallons verdoyants soudain frais et humide. Ils virent un métayer qui labourait un champ pentu avec une mule à l'oreille coupée, une bande de dindons sauvages effarouchés et une marmotte qui s'enfuit à leur approche, chacune de ces diversions rendant les choses plus faciles et contribuant à les rapprocher, comme si, à l'avenir, ils allaient garder de ce jour le souvenir d'un joyeux intermède.

Parce qu'il ne voulait pas risquer de la bouleverser sans raison, il retardait au maximum le moment où il lui parlerait de Hollywood. Comme pour toute annonce délicate, il s'agissait de trouver l'instant approprié. Par lâcheté, ou par optimisme, il se disait que les choses seraient plus faciles quand elle serait de retour à la maison. Cette journée était un pas de plus à franchir dans cette direction et, tout en restant attentif au moindre signe de perturbation, pour l'heure, il était content.

Tout aussi épineuse était la question de savoir quand aborder le sujet du retour possible de Scottie après ses examens. La dernière fois qu'ils s'étaient retrouvés ensemble, à Virginia Beach, Zelda n'allait pas bien et Scottie s'était montrée irritable et cassante, jusqu'à une dispute rageuse sur les planches de la plage, qu'il avait sottement essayé d'arbitrer. Depuis lors, il avait dû pousser leur fille à écrire à sa mère, s'excusant des circonstances malheureuses et tentant de lui insuffler un sens du devoir qu'il n'avait jamais lui-même ressenti envers sa propre mère. Leur réconciliation était devenue pour lui un sujet de préoccupation, bien qu'il n'eût aucune idée de la façon de la provoquer. Une si grande part de sa vie était désormais dévolue à la négociation de compromis, et cela n'avait jamais été son fort.

Ils arrivèrent au sommet et entamèrent la descente de l'autre versant. Au long de la route sinueuse, ce n'étaient que montagnes russes et virages en épingle à cheveux surplombant d'impressionnants précipices. En contrebas, ils apercevaient, partageant la vallée en deux moitiés bien nettes, l'étroite bande bleue du lac Lure. Ils poursuivirent leur chemin, Zelda absorbée dans la contemplation du paysage. Un cercle de faucons amorça un virage et survola à l'oblique les affleurements rocheux. Il s'appliquait à maintenir la voiture du bon côté de la ligne, quand, soudain, un car de tourisme rouge surgit juste derrière eux, se rapprochant de plus en plus jusqu'à emplir complètement son rétroviseur. Le chauffeur remuait le bras derrière son pare-brise, du geste qu'on fait pour chasser une mouche agressive.

Zelda se tortilla sur son siège. « Je crois qu'il voudrait que tu te rabattes pour le laisser passer.

– Il n'y a pas la place. »

Il accéléra légèrement, convaincu d'être dans son bon droit. Il ne se laisserait pas contraindre à faire quelque chose de stupide. Il se pencha sur son volant, concentré, redoutant de regarder derrière lui. Il allait trop vite pour obliquer vers un des points de vue panoramiques et, tandis que le car les pourchassait au fil des virages, les freins vibrants, il se demanda, puisque les passagers étaient des touristes, pourquoi ils se montraient tellement pressés.

Au bas de la montagne, la route redevint plus droite, avec un bas-côté. Le car lui fit des appels de phare. Mais il continua à refuser de céder.

« Arrête-toi là, proposa-t-elle en désignant une épicerie vieillotte à quelques dizaines de mètres. Je t'en prie, mon chéri. »

Il freina et s'engagea sur le parking en terre battue, dérapant un peu et soulevant un nuage de poussière, qui retomba lentement lorsque le car les dépassa en vrombissant et en klaxonnant furieusement.

Il agita le dos de sa main dans sa direction, un geste d'insulte qu'ils avaient appris à Rome. « On devrait lui retirer son permis. »

La manière dont elle rit le choqua : un rire trop bruyant, trop gai, tête renversée en arrière, qui lui parut faux, avec quelque chose d'ostentatoire. Un symptôme typique.

« Qu'est-ce qui t'amuse ?

– Tu te rappelles, à Westport ? Tu disais ça tous les jours. On aurait dû retirer le permis à tous les conducteurs. Et ensuite, que s'est-il passé ? »

On lui avait retiré le sien pour avoir précipité leur Marmon dans un lac, au cours d'une virée un peu trop arrosée avec Ring. Lequel Ring était saoul comme une grive. Tout cela semblait s'être produit à une autre époque. Il était alors un autre homme, insouciant, sous le charme.

« Merci de me le rappeler.

– Je suis désolée, mon bécasseau. Tu prends si facilement la mouche.

– Trop facilement.

– Oh, ne te fâche pas ! »

Il n'était pas fâché, pas contre elle en tout cas. C'était humiliant de constater à quel point la colère le transformait en imbécile, et il résolut, comme toujours, de ne pas se laisser dominer par un sentiment de frustration – une décision qui lui parut plus justifiée encore quand, après s'être excusé, il fit demi-tour devant la porte ouverte de la cabane en rondins et se rendit compte qu'il s'agissait d'un bar, l'obscurité traversée par la lumière d'un néon était une invite à y entrer. De nouveau sur la route, aucun des deux n'en parla.

À Chimney Rock, le soleil avait poussé des foules de touristes à sortir. Sur un des côtés du parking, quatre cars étaient alignés à la queue leu leu, ce qui rendait impossible la découverte du coupable. Il dénicha un coin d'ombre à l'autre extrémité, se rangea capot contre la barrière, comme s'il avait voulu cacher sa voiture. Elle attendit qu'il en fît le tour, le laissa ouvrir la portière et l'aider à descendre.

Parmi ces touristes en salopette et combinaison qui envahissaient les chemins, ils paraissaient étrangement endimanchés, comme s'ils s'étaient habillés pour aller au théâtre ou au concert, et pourtant, quand ils eurent dépassé les cerisiers et que la grande colonne se dressa dans le ciel au-dessus d'eux, avec ses pierres empilées aussi instables que des cubes d'enfant, ils s'arrêtèrent et mirent leurs mains en visière comme tout le monde. L'immense rocher était isolé, des volées de marches en escaladaient la face arrière. Tout en haut, juste sous le sommet, une passerelle, dont la silhouette noire se découpait contre les légers nuages, enjambait l'ultime précipice. Les minuscules êtres humains qui gravissaient en nombre cet échafaudage lui firent penser à une fourmilière. L'idée de les rejoindre l'atterrait et, pour s'en protéger, il se dit qu'il était temps de déjeuner.

Mais elle se dirigeait déjà vers les escaliers.

« Tu n'as pas faim ?

– Viens donc », lança-t-elle en manière de défi, et avant qu'il ait pu argumenter elle s'était déjà mise en chemin, fendant la foule des curieux et escaladant les premières marches à vive allure, la résille qui emprisonnait ses cheveux bondissant derrière elle comme la queue d'un cheval.

Il la suivit, s'efforçant de ne pas la perdre de vue, mais le régime du médecin avait fait son effet. Il n'était pas non plus au mieux de sa forme. Il passait trop de temps à son bureau, fumait trop ; dès le second virage, elle avait disparu de sa vue. Il devina que, par jeu, elle filerait d'une traite jusqu'en haut du rocher. Plus il montait, déjà essoufflé, plus il se rassurait en pensant qu'elle était redevenue la Zelda espiègle d'antan. Il transpirait et retira sa veste, ainsi que sa cravate. Un jour, chez Macy's pendant la période de Noël, Scottie lui avait échappé entre les rayons : il éprouvait aujourd'hui le même sentiment de panique impuissante. Il poursuivit son chemin, s'accrochant à la rampe pour se hisser, prenant des pauses à chaque palier ; là, il fixait le ciel et espérait l'apercevoir, se moquant de lui depuis la passerelle. Sa peur, diffuse mais bien réelle, était de ne pas la retrouver en arrivant au sommet, une foule s'étant rassemblée à l'endroit où elle aurait enjambé le parapet et sauté dans le vide.

Une fois la passerelle franchie, il la repéra immédiatement, sa robe rouge claquant au vent comme un drapeau. Elle se tenait à l'extrémité du rocher, plaquée contre la barrière, et elle admirait la vallée parmi la foule de touristes. Quand il se glissa à son côté, elle posa la main sur la sienne. Maintenant qu'il s'était arrêté, il suait abondamment, des gouttes de sueur perlaient à ses sourcils.

« Tu vieillis, mon bécasseau.

– Tu as toujours été plus rapide que moi.

– Tu devrais vraiment prendre mieux soin de toi. Je suppose que c'est en partie de ma faute. C'est moi qui suis censée m'occuper de mon mari, n'est-ce pas ? Je crains de m'être montrée bien décevante sur ce point.

– Je peux parfaitement m'occuper de moi.

– Pas si bien que ça.

– Nous sommes censés prendre soin l'un de l'autre.

– Je ne veux pas que tu sois obligé de t'occuper de moi. Je veux seulement rentrer à la maison.

– Je le sais.

– J'ai été sage, n'est-ce pas ?

– C'est vrai.

– Je m'applique tellement, et puis les choses commencent à se dérégler et je n'y peux rien. Je voudrais tant y arriver.

– Je sais que tu fais tout ce que tu peux.

– C'est vrai ?

– Mais bien sûr. C'est moi le roi des choses qui se dérèglent.

– Et moi, ta reine.

– Assurément », répondit-il, parce que même si le trône restait vacant depuis plusieurs années, et que le château, comme le royaume lui-même, s'était effondré, elle l'était toujours. Malgré tout ce qu'ils avaient gâché, jamais il ne contesteraient qu'ils étaient faits l'un pour l'autre.

En revenant vers la passerelle, ils croisèrent un groupe d'élèves qui, agenouillés devant des feuilles de papier, faisaient des croquis au fusain. Le rocher était serti de fossiles – trilobites et squelettes de poissons –, autant de preuves que toute cette montagne s'était un jour trouvée sous la mer.

« Comme ils sont beaux ! » roucoula-t-elle, et il s'agaça aussitôt de ce parti pris sentimental. Alors qu'elle passait d'un enfant à l'autre, comme une institutrice, en adressant des compliments à chacun, il songea qu'il devrait se montrer plus compréhensif. Chaque monde ne finissait-il pas par être un monde englouti, et chaque trace, un trésor ? En tant qu'écrivain, il pouvait le ressentir de manière esthétique, mais là, dans la vraie vie, il ne parvenait pas à s'en convaincre. Ce qui était perdu était perdu.

La descente lui parut plus lente encore, puis, dans le vacarme de la cafétéria, ils durent attendre pour se faire servir. Le plat du jour était un goulasch accompagné de nouilles. Il déclara que la cuisine n'était pas franchement meilleure qu'à l'hôpital, pensant qu'elle allait le contredire. Elle ne répondit pas et continua à mâcher d'un air absent, comme si elle n'avait rien entendu. Il se pencha au-dessus de son assiette et agita sa fourchette pour attirer son attention. Mais même alors, elle mit quelques secondes à sortir de sa torpeur.

« Désolée, mon chéri. Je suis seulement épuisée. »

Il était si accoutumé à guetter chaque signe. Il comprit. Il se sentait lui aussi fatigué.

Quand ils regagnèrent la voiture, le soleil s'était déplacé. Les pralines aux noix de pécan avaient fondu et s'étaient transformées en une mélasse poisseuse qui épousait les contours de la boîte.

« Ça va redurcir, dit-il. Et alors, tu pourras le casser en morceaux.

– De toute façon, je n'y ai pas droit. »

Une fois de plus, quand ils laissèrent la foule et le parking bondé derrière eux, il eut l'impression qu'ils étaient en fuite. Ils longèrent la cabane en rondins devant laquelle s'étaient garées de nombreuses voitures, puis empruntèrent de nouveau, et à leur allure, la route en lacets jusqu'au sommet. Quand ils l'atteignirent, ils admirèrent le paysage et profitèrent du silence exceptionnel en partageant une cigarette interdite. En contrebas, au creux de la vallée, le lac Lure étincelait sous les rayons du soleil. Quelques nuages épars drapaient les pentes montagneuses d'ombres obscures et cela lui rappela la Suisse.

« Tu te souviens de notre chalet à Gstaad ?

– Là où Scottie s'était ouvert le menton. »

Il avait pensé au lustre en bois de cerf, à l'immense cheminée maculée de suie et à l'édredon sur leur lit, mais maintenant il revoyait aussi l'escalier de bois ciré, Scottie qui essayait de le grimper dans sa grenouillère, la marche qu'elle avait manquée, et le bruit mat d'un os qui se cogne. Ils étaient restés abasourdis, comme au son d'une alarme. Étrangement, le passé leur était à la fois ouvert et fermé, mais de cela, elle s'était souvenue. Si souvent, elle ne parvenait pas à fouiller sa mémoire.

« Je me demandais justement, dit-il, est-ce que ça te plairait que Scottie nous rejoigne pour quelques jours avant de partir à son camp de vacances ? »

Elle baissa la tête et dessina une ligne dans la poussière avec la pointe de sa chaussure. « Elle ne veut pas me voir.

– Mais si, bien sûr. Je crois que ce serait une occasion rêvée. Ensuite, elle ne le pourra plus avant un bon bout de temps.

– Il ne faut pas que tu la forces.

– Elle veut te voir, je t'assure. Si tu crois que tu en es capable. Moi, je pense que oui.

– J'aimerais beaucoup en tout cas.

– C'est bien ce que je me disais.

– Je voudrais pouvoir te dire que ça lui ferait du bien de me voir.

– Je comprends », répondit-il en la fixant du regard pour entériner leur accord. Elle pouvait se montrer si raisonnable. Pendant un instant, il songea à l'embrasser sur la joue, mais – ce jour-là, particulièrement – il craignit qu'elle n'interprète mal son geste. Ils s'absorbèrent une fois de plus dans la contemplation du panorama, puis, après qu'elle eut tiré une dernière bouffée de sa cigarette et l'eut jetée par terre pour qu'il l'écrase, ils firent demi-tour et se dirigèrent vers la voiture.

Alors qu'ils redescendaient l'autre versant, il dit : « Je me demande si les marmottes aiment les pralines aux noix de pécan.

– Celles du Sud, oui. Je ne peux pas parler pour vous, les Yankees.

– Je suis sûr qu'elles préfèrent les pralines aux cacahuètes.

– Oh, mon bécasseau, quelle délicieuse journée nous avons passée ! Je ne veux pas rentrer.

– Je sais.

– Dix-sept ans, songea-t-elle à haute voix, ça ne paraît pas si long…

– Non, tu as raison », répondit-il, alors qu'il aurait pu arguer du contraire.

En même temps, il sentait le jour décroître et ce moment partagé ensemble approcher de sa fin. Les visites étaient toujours difficiles, mais ces sorties représentaient une véritable torture, sans doute même plus quand elles se déroulaient bien. À la fin, c'était à lui qu'il appartenait de la ramener dans son cloître. Il y avait là une sorte de reddition qui blessait son sens de l'honneur : il aurait dû au contraire se battre pour elle. En traversant la ville brûlante au fond de la vallée, et tout au long de la route sinueuse qui en remontait, au lieu de se sentir soulagé, il eut l'impression de conspirer à sa propre défaite, d'être un traître à leur cause commune.

Il fit enregistrer son retour au bureau d'accueil. Le médecin était occupé avec d'autres familles, et une infirmière vint lui reprendre Zelda, leur demandant d'un ton enjoué si la journée s'était bien passée.

« Très bien, dit Scott.

– C'est notre anniversaire de mariage, ajouta Zelda.

– Je le sais, répondit l'infirmière. Joyeux anniversaire.

– Merci. Joyeux anniversaire à toi, mon bécasseau.

– Bon anniversaire, dit-il à son tour, l'étreignant chastement avant de la laisser partir.

– Mon pauvre chéri. Ne fais pas cette tête. On se voit le week-end prochain. Je serai sage, je te le promets.

– Je vais parler à Scottie.

– Oui, s'il te plaît. À bientôt, mon amour. » Elle lui envoya un baiser et l'infirmière l'entraîna vers les portes de l'aile réservée aux femmes. De nouveau il se retrouva seul.

Il se dirigea avec lassitude vers la voiture, comme vidé de toute énergie. Ses pralines étaient restées sur le siège arrière, témoignant de son petit effort pour lui faire plaisir. Plus tard, dans la véranda assombrie, il s'en ferait un dîner.

Le lundi, quand il vit le médecin, il annonça à celui-ci que Zelda s'était bien comportée. Ils s'étaient parfaitement entendus. Sa mémoire paraissait active, son discours cohérent et ses pensées claires. Il ne parla pas de la cigarette ni des pralines, ni de l'impétuosité avec laquelle elle avait escaladé les marches, ni même de son visage inexpressif quand elle mangeait son goulasch. Le psychiatre sembla satisfait et convint que voir Scottie ferait du bien à sa patiente, mais ensuite, alors que Scott avait réussi à plaider la cause de leur fille, Zelda agressa sa partenaire de tennis et, d'un coup de raquette, lui fendit le nez. On la plaça alors dans le service fermé. Scottie partit à son camp de vacances comme prévu, et quand Ober appela pour dire que la Metro

Goldwyn Mayer voulait le rencontrer à New York, il prit le premier train au départ d'Asheville. Pendant deux jours complets, il ne but pas la moindre goutte d'alcool, aussi éprouvant que cela fût, et il réussit l'entretien. Six mois payés mille dollars la semaine. Il aurait voulu annoncer la nouvelle à Zelda de vive voix, mais elle était maintenue à l'isolement. Le médecin lui interdit de la voir, ce qu'il considéra à la fois comme un affront et un répit. Il attendit jusqu'à la dernière minute – en fait, jusqu'à ce qu'il eût fait ses valises et quitté la ville – et rédigea sa lettre depuis l'hôtel Roosevelt à La Nouvelle-Orléans, juste en face de Union Station.

Mon cher cœur, écrivit-il. *Je t'en prie, pardonne-moi. Il faut que je parte chercher fortune pour nous. J'aimerais qu'il y ait une autre solution. Continue à travailler et essaie de te montrer sage. Je ferai de même de mon côté.*

Le lendemain, avec un billet acheté par la MGM, il prenait l'Argonaute en direction de l'Ouest.

Le Poumon d'acier

Le voyage en train dura trois jours, avec des arrêts à El Paso, Tucson et Yuma. Il s'était juré de renoncer même à la bière, et le tangage et le grondement incessant des roues s'infiltrèrent en lui comme une maladie. Il écrivit à Scottie, à Ober et à Max, lut, fuma et dormit. Au petit déjeuner, il vit Palm Springs ondoyer sous ses yeux, tel un mirage. Après les étendues mornes et salées du désert, la Sierra représenta un répit bienvenu, la lente escalade des versants abrupts, puis la traversée à grande vitesse des vallées aux ranchs poussiéreux, des orangeraies, des banlieues verdoyantes, avec leurs motels pour travailleurs agricoles et leurs rangées innombrables de bungalows en stuc. Quand ils pénétrèrent dans la ville, un train de marchandises qui filait vers l'est dans un fracas métallique fit trembler la voiture, et bientôt ils traversèrent les rues bondées de Los Angeles, le sifflet de la locomotive lançant son avertissement à chaque carrefour. Il fouillait l'horizon des immeubles pour apercevoir le célèbre mausolée en ivoire de la mairie quand soudain, comme s'ils étaient tombés en panne de courant, ils ralentirent et s'engagèrent sur les voies de garage, s'avançant à grand bruit entre les wagons et les locomotives auxiliaires immobilisés, en direction du grand dôme sombre de la gare ; puis, après s'être glissé entre les feux de signalisation orangés et les piliers encrassés de suie, dans un dernier couinement assourdissant, le train s'arrêta en vacillant pesamment.

Il était déjà venu à deux reprises à Los Angeles, mais à chaque fois dans un rôle très différent. La première, il était entré triomphant dans la ville, prodige auréolé de gloire, accompagné de sa garçonne, signant des autographes, posant avec Zelda devant les photographes alors qu'ils débarquaient du train. La deuxième, après l'Effondrement, elle était en convalescence à Montgomery et il était descendu à Pasadena pour éviter les journalistes. Ce jour-là, quand il posa le pied sur le quai, il n'y avait personne pour l'accueillir. Il rassembla ses bagages, héla un taxi et disparut dans la circulation.

Comme en quarantaine, les studios l'avaient installé à Santa Monica, tout au bout de la ligne de tramway, au Miramar, un grand manoir en bord de mer qui avait survécu au magnat de la finance qui se l'était fait construire. Le nouveau propriétaire avait découpé la propriété en appartements, les couloirs étaient nus et humides, le seul signe de vie était le claquement de la grille de l'ascenseur. Par habitude, il donna un trop gros pourboire au liftier, puis il verrouilla sa porte et rangea ses affaires, une tâche qui, une fois menée à bien, avait toujours quelque chose de déprimant. Venir de si loin pour se retrouver dans une chambre pareille… Depuis la fenêtre cintrée de la tourelle, il contempla les eaux bleues du Pacifique s'écrasant sous la jetée dans un bouillonnement d'écume. Ce mercredi, la plage était noire de monde, envahie par une jungle de parasols à rayures. Le soleil impitoyable qui harcelait les baigneurs, les palmiers d'un vert criard le long du boulevard et les collines fauves qui s'abaissaient jusqu'à la mer lui firent penser à Cannes et à ces années de folle errance qui à présent lui revenaient tel un rêve délirant.

Dans l'après-midi, pour prendre ses repères, il alla en tramway jusqu'à Hollywood, un trajet interminable qui le laissa en sueur et déshydraté. Les autres passagers étaient pour la plupart des Mexicains en manches de chemise et salopette, et il se sentit ridicule dans son costume. En son absence, la ville avait poussé comme un champignon, son modeste réseau de rues désormais transformé en un labyrinthe de nouvelles avenues et artères à plusieurs voies. Sur Wilshire Boulevard, décoré de fanions et de guirlandes, les parkings des concessionnaires d'automobiles s'étendaient sur des kilomètres, les pare-chocs et les pare-brise rutilants étincelaient sous le soleil. Avec le produit de la vente de son roadster, il s'acheta un coupé Ford d'occasion, une voiture solide bien qu'assez peu élégante, et il ne tarda pas à se perdre.

En quête d'un endroit où se restaurer, il s'aventura parmi les foules apathiques aux visages rougis qui rentraient avec leur attirail de plage, et il songea à Scottie et aux jours de farniente si agréables passés avec elle à Saint-Tropez. Il se dirigea vers le sud sur Ocean Boulevard en longeant les palissades, puis emprunta la passerelle suspendue qui descendait comme un toboggan jusqu'à la jetée. Il passa devant un magasin de vins et spiritueux où la radio retransmettait un match de base-ball, et repassa devant après avoir mangé une sole sans saveur.

Il avait oublié combien le coucher de soleil pouvait s'éterniser sur le Pacifique et comment, dès qu'il disparaissait à l'horizon, la nuit tombait d'un coup, tel un rideau de scène. Sur la jetée, les lumières de la grande roue tournaient joyeusement. Par sa vitre ouverte, il entendait de petits cris et le son flûté d'un orgue à vapeur. Plus loin, au-delà du port de plaisance et de sa digue protectrice, sur la baie elle-même, le *Rex*, un navire-casino, était amarré, des lanternes chinoises accrochées à ses mâts sans voile faisaient signe aux vagues et aux rouleaux. Une nuit, à la suite d'un pari, il avait sauté par-dessus bord en smoking. En refaisant surface, étourdi par le choc de l'eau, il avait vu Zelda dans sa robe de soie blanche s'élancer du bastingage comme un ange dans une aube de tulle. Mais elle n'avait pas sauté, elle avait plongé.

« J'ai gagné, avait-elle dit en faisant du surplace. C'est quoi, le prix ? »

Il ne s'en souvenait pas ; c'était d'ailleurs sans importance. Elle allait toujours un cran plus loin que lui ou, du moins, c'est ce qu'il se disait. Aujourd'hui, une dizaine d'années plus tard, il ne pouvait toujours pas croire qu'elle avait craqué, même si, très vite, son frère Anthony avait apporté la preuve brutale qu'il partageait avec Zelda le triste héritage des Sayre. Exilé dans une clinique psychiatrique de Mobile, il s'était précipité dans le vide depuis la haute fenêtre de sa chambre, plutôt que de pourrir dans un hôpital. Malgré les aspirations personnelles de chacun, leur vie à tous restait déterminée par la famille. Les Grecs ne l'ignoraient pas : jamais on ne pouvait oublier son propre sang. Il était d'ailleurs possible que d'autres choses aussi ne puissent être mises à distance… et pourtant, il était là.

Mon cher cœur, lui écrivit-il en peignoir de bain. *Me voici enfin arrivé à l'extrémité bénie de ce continent. Je me sens bien, suis remis du voyage et prêt à affronter Goldwyn et Mayer et la troisième tête, quelle qu'elle soit, du Cerbère qui garde les portes.*

Comme un nouvel élève redoutant son premier jour de classe, il craignait d'être en retard et se réveilla dans cette chambre si peu familière à trois heures trente du matin, puis à quatre heures et quart, en entendant les oiseaux chanter dans les arbres. Il emplit son attaché-case de blocs-notes vierges et de crayons neufs, se mit tôt en chemin et arriva bien avant l'heure indiquée. Une imposante colonnade de piliers corinthiens décorait la façade des studios, qui n'était, comme tout le reste ici, qu'une monumentale imposture faite de lattes enduites de plâtre. Son passe l'attendait à la loge du gardien, en tout cas il y en avait un au nom d'un certain Mr Francis Fitzgerald. Lors de sa dernière visite, il était l'invité du jeune producteur vedette des studios, Irving Thalberg, qui l'avait fait promener dans sa Rolls par son chauffeur, comme un animal de compagnie venant de remporter un concours. Mais aujourd'hui Thalberg était mort, et les meilleures intentions de la MGM enterrées avec lui : Francis Fitzgerald devait se débrouiller seul pour trouver une place de parking.

Il laissa sa Ford derrière l'atelier de peinture et remonta Main Street entre les plateaux de tournage, pareils à d'immenses hangars, se glissant parmi le flot d'électriciens, de machinistes et de figurants costumés en cow-boys. À l'angle de la 5e Avenue, un troupeau de danseuses de hula hoop géantes et vêtues de soutiens-gorge en fausse fibre de coco papotaient et faisaient des bulles avec leur chewing-gum, le temps qu'un accessoiriste traverse en poussant un sarcophage doré sur roulettes, puis elles poursuivirent leur chemin, dans le froufrou de leurs pagnes végétaux qui se déplumaient peu à peu. Existait-il au monde quelque chose de plus triste que ces starlettes et leur camaraderie fraternelle, leurs rêves de gloire partagés aussi crûment dévoilés ? Lui était un vieux de la vieille, il savait davantage dissimuler ses ambitions et ses peurs. Inquiet, il ne savait pas s'il avait eu raison de revenir, mais ce business de la production cinématographique, aussi creux qu'il puisse paraître, satisfaisait par avance l'homme qui en lui avait gardé le goût de la comédie musicale. Il y avait là une entreprise dont la tâche était de distraire, ainsi qu'un plateau qui l'attendait : il lui fallait seulement écrire un livret acceptable et quelques chansons faciles à retenir. Il devait absolument se convaincre qu'il en était toujours capable.

L'ancien immeuble des scénaristes, un pain de sucre en stuc, couleur de foie haché, avait été remplacé par un mausolée en béton coulé aussi vaste qu'un lycée, auquel on avait injustement donné le nom de Thalberg. Le hall d'entrée était aussi froid que celui d'un théâtre. Dans un souci vraisemblable d'honnêteté, le tableau accroché près de l'ascenseur n'indiquait le nom d'aucun scénariste : rien que ceux des producteurs au troisième étage.

Eddie Knopf, qui l'avait reçu à New York pour l'entretien d'embauche, avait son bureau au deuxième, et son nom s'étalait en lettres dorées sur la porte en verre dépoli. Rien à voir avec l'immense salle remplie de jeunes scénaristes où il disposait d'une simple table de travail. Ober lui avait clairement expliqué que Knopf restait son seul défenseur, sans doute en souvenir du bon vieux temps, et alors qu'il lui en était reconnaissant, Scott ressentit ce changement dans leurs positions respectives comme une erreur de casting.

D'une main, il lissa ses cheveux et de l'autre frappa à la porte, avant de reculer d'un pas comme un représentant de commerce.

« Entrez ! »

Il ouvrit et passa la tête à l'intérieur, s'attendant sans doute à ce qu'on le chasse.

« Scott ! » lança Eddie en se levant pour bondir à sa rencontre, main tendue. Il n'avait d'ailleurs que celle-là, une grenade ayant emporté l'autre pendant la bataille des Flandres, sa manche repliée et fermée par une épingle de nourrice pour dissimuler le moignon. C'était un grand bonhomme aux épaules carrées et, sans veste, en chemise et bretelles, il paraissait encore plus costaud. Il portait une fine moustache à la Clark Gable et une cravate peinte à la main, bordeaux, avec un iris blanc. « Très chouette de vous voir, vous avez l'air très en forme. Venez, asseyez-vous. Vous êtes un peu en avance. Ils vous plaisent, les nouveaux locaux ? Plutôt classe, non ? Vous allez voir, chacun a sa fenêtre. » Son bureau était encombré de manuscrits et il travaillait manifestement sur l'un d'eux, au crayon bleu. Il venait de commander un café et un beignet et proposa à Scott de lui faire apporter la même chose.

« J'ai pris mon petit déjeuner à l'hôtel, je vous remercie.

– Quand êtes-vous arrivé ? Tout va bien ? Le Miramar vous convient ? Ils servent une superbe salade au crabe, si vous ne l'avez pas encore goûtée. Vous êtes là pile au bon moment. On devrait recevoir la dernière mouture à la fin de la semaine.

– Oh ! » s'exclama Scott, parce qu'il avait compté sur un scénario déjà terminé. Le film devait s'appeler *Vive les étudiants*. Ils avaient fait venir Scott pour dynamiser un peu les dialogues parce qu'il connaissait bien la vie de campus. Aucune importance qu'il ait quarante ans et qu'il n'ait jamais réussi à décrocher un diplôme.

« Lundi ou mardi, au plus tard. Mercredi, vraiment, dernier délai. Ne vous inquiétez pas, vous aurez largement le temps, pro comme vous l'êtes. En fait, je pense déjà à vous pour un autre projet qui commence à peine à voir le jour. Dites-moi ce que vous en pensez. C'est l'histoire de trois soldats qui rentrent après la guerre dans leur petit village de Bavière, et chacun doit réapprendre à se sentir chez lui, ou même comprendre ce que ça veut dire être chez soi maintenant. Il y a une fille, et deux des types sont amoureux d'elle, sauf que l'un des deux est rentré salement mutilé. Un rôle magnifique pour Tracy. »

Scott n'estima pas opportun de révéler qu'il n'avait pas fait la guerre et que, au contraire de son interlocuteur, il n'était ni d'origine allemande ni handicapé. Il ne pensait pas qu'on lui demanderait son avis sur un synopsis dès le premier jour, ce qui montrait combien de temps il était demeuré éloigné et tout ce qu'il avait oublié. Il connaissait le roman, l'avait jugé sans intérêt et à l'eau de rose à sa sortie l'année précédente. Tandis qu'Eddie débitait la suite de l'histoire, il sourit et hocha la tête aux moments appropriés, glissant parfois quelques questions avisées pour ne pas paraître trop complaisant, si bien que, comme cela lui arrivait très souvent désormais, il se sentit complètement hypocrite et, même s'il ne pouvait s'en prendre qu'à lui-même, exploité. Alors qu'il se demandait s'il aurait un jour l'enthousiasme vénal d'Eddie, il se rappela que, pour rester assis là à l'écouter, il était payé. Il y avait de quoi être réconforté.

Malgré l'absence de texte sur lequel travailler, un bureau l'attendait. Eddie l'y conduisit en empruntant le couloir, et ils passèrent devant les noms en lettres dorées de plusieurs vieilles connaissances. Aldous Huxley, mais aussi Anita Loos, Dottie Parker et son mari, Alan Campbell étaient tous là – ou pas, d'ailleurs, puisque aucune lampe n'était allumée dans leurs bureaux et qu'il n'entendait pas d'autre machine à écrire que celle dont le cliquetis s'échappait à travers une vitre anonyme.

« Ça, c'est Oppy », dit Eddie avec un geste dédaigneux, comme si le scribouillard en question ne quittait jamais sa cellule.

Le bureau de Scott n'avait pas de nom sur la porte, et par sa fenêtre, de l'autre côté de Culver Boulevard, on apercevait un grand panneau publicitaire au beau milieu d'un terrain vague annonçant la création d'un nouveau quartier, Edendale, et dans l'ombre du panneau, en une sorte de réfutation, un chapelet de bungalows en stuc à la peinture écaillée et un drugstore de quartier, devant lequel un Indien en bois enchaîné à une gouttière paraissait monter la garde. Sur la table de travail était posée une impressionnante Royal flambant neuve que, même s'il n'utilisait pas de machine à écrire, il apprécia en connaisseur, comme un objet au dessin esthétiquement remarquable. Juste à côté, il y avait une bibliothèque, à moitié pleine, et aux murs, comme dans une galerie, les portraits encadrés des grandes stars de la MGM. Garbo et Lon Chaney, qui n'étaient connus ni l'un ni l'autre pour leur sens éblouissant de la répartie, étaient tous deux largement présents, ainsi que Buster Keaton et John Gilbert, désormais démodés, victimes de l'arrivée du film parlant. Dans un coin, une lampe à col de cygne sur une table d'angle éclairait un fauteuil en cuir capitonné, semblable à un trône.

« Qu'est-ce que je vous avais dit !

– C'est somptueux », reconnut Scott, alors que la climatisation se mettait brusquement en marche dans un tremblement. La grille d'aération sur le mur exhala une longue note grave, pareille au soupir d'une baleine.

« Ce bruit est normal. Le café et les beignets sont dans le hall, le placard avec les provisions se trouve au bout du couloir. N'hésitez pas à prendre ce qui vous fait plaisir. Installez-vous. Je passerai vous chercher pour vous emmener déjeuner.

– Merci, Eddie. » Tant par obligation que par politesse, Scott lui serra de nouveau la main. « Je ne sais comment vous dire combien je suis sensible à tout ça.

– Alors, ne dites rien. Contentez-vous de nous écrire quelque chose de génial.

– Je vais essayer.

– Ça ne fait aucun doute pour moi », conclut Eddie en pointant son index vers lui.

Une fois seul, il tripota les objets posés sur le bureau, puis inspecta la bibliothèque où il eut la surprise de découvrir, parmi les derniers succès de Kathleen Norris et d'Edna Ferber, un exemplaire de *Nostromo* à la jaquette couverte de taches de café. Le fauteuil était confortable, mais la lecture de Conrad était une entreprise trop exigeante à cette heure de la matinée ; il y renonça pour aller se poster devant la fenêtre et regarda la circulation sur le boulevard ensoleillé, l'oreille tendue vers le sifflement asthmatique de la grille d'aération. Quelques immeubles plus loin, en face d'une publicité pour un détergent, des tramways déversaient près d'un portail latéral des hordes de travailleurs en salopette et en emportaient d'autres. C'était à peu près la seule animation. De temps à autre, des voitures se garaient devant le drugstore, des clients en descendaient pour y remonter ensuite, chargés de leurs mystérieux achats, avant de poursuivre leur route. Jeune garçon, à Saint Paul, il avait coutume de surveiller ses voisins depuis la fenêtre d'angle du deuxième étage. Aujourd'hui, contrôlant sa respiration comme un tireur embusqué, il ressentait le même calme intérieur. Entre les bungalows, un facteur traversa la pelouse. Scott observa les boîtes aux lettres, pareilles à des pièges attendant leurs proies, et fut récompensé de sa patience quand un vieux Japonais sortit sur sa véranda, pieds nus et en maillot de corps, et se campa en haut des marches pour appeler, les mains en porte-voix : « Iiii-to, Iiii-to. » Peu de temps après qu'il eut tourné les talons, un chat gris émergea de la jungle de broussailles derrière le panneau publicitaire et bondit dans l'allée, s'arrêtant au dernier moment pour jeter un coup d'œil derrière lui, aussi immobile qu'une souche, comme s'il était suivi.

Un coup frappé à la porte le fit sursauter, comme pris en faute. Il s'assit précipitamment à son bureau et s'empara d'un crayon. « Oui ? »

C'était Dottie Parker, et Alan la suivait de près. Il se leva pour les saluer.

« Scott, mon cher ami. Désolé de te tomber dessus comme ça, par surprise. C'est Eddie qui nous a prévenus de ton arrivée. Bienvenue au Poumon d'acier.

– Je te remercie », dit-il, se penchant pour qu'elle puisse l'embrasser.

Elle paraissait fatiguée, elle avait des rides au coin des yeux et s'était un peu empâtée, on aurait presque dit qu'une matrone avait remplacé la jeune fée brune qu'il avait connue au cours de ses années délirantes à New York. Une ou deux fois, totalement ivres, ils s'étaient retrouvés dans le même lit, mais aujourd'hui, et peut-être cela valait-il mieux, il avait oublié les détails. Ils étaient restés amis, en partie parce qu'il admirait son esprit et son courage, en partie parce qu'ils ne reparlaient jamais de ces épisodes scabreux.

« C'est chouette de te revoir », dit Alan. Sa poignée de main, censée être virile, évoquait davantage une caricature d'hommasse. Il avait le corps svelte et les traits imposants d'un homme important. C'était un de ces curieux « mariages de Boston », pour reprendre l'expression d'Henry James. Chacun d'eux préférait les jeunes hommes, ils se querellaient sans cesse avec l'âpreté de mangoustes, et pourtant ils étaient inséparables.

« Eddie nous a dit que tu avais débarqué ici à huit heures, lança Dottie. Tu sais que tu ne peux pas faire une chose pareille.

– Nous allons tous avoir l'air de terribles fainéants en comparaison, compléta Alan.

– Et ce n'est pas le cas.

– À part les laitiers, personne ne donne le meilleur de lui-même avant dix heures du matin.

– Il parle en connaisseur, commenta Dottie. Où t'ont-ils logé ?

– Au Miramar.

– Non ! s'exclama Alan, scandalisé.

– Eh si.

– Il faut que tu refuses, affirma Dorothy. C'est loin de tout.

– Mais près de la plage.

– La plage, c'est fait pour les analphabètes, déclara Alan.

– Surtout, pour les gens qui ne peuvent pas se payer une piscine, répliqua Dottie. Nous avons une piscine dans notre résidence, et c'est moins cher que le Miramar.

– L'idée me plaît.

– Qui pourrait bien avoir envie de traverser tout le pays jusqu'à Hollywood pour s'installer à Santa Monica, je te le demande un peu ? Tu ne devrais vraiment pas accepter de loger seul là-bas. On se retrouve pour déjeuner ? On était juste passés te dire un petit bonjour. Tu sais sans doute qu'Ernest arrive demain ? »

Bon Dieu, non. « Je l'ignorais.

– On organise une soirée au bénéfice de l'Espagne chez Freddie March. Ernest va projeter son film, mais ce n'est pas une raison pour ne pas venir.

– "Pour pouvoir faire pousser le blé, récita Alan avec gravité, les paysans ont besoin d'eau."

– Le film est sinistre, mais il peut inciter les huiles à nous signer de gros chèques.

– Je crains bien que ce ne soit pas seulement l'argent qui manque à l'Espagne en ce moment.

– Comme j'aimerais que Hollywood sache construire des avions ! Remarque, ils savent à peine faire des films, ce vers quoi, pourtant, le devoir nous appelle.

– En route pour les mines de sel, conclut Alan en agitant la main d'un air mutin. Heureux de te savoir de retour. »

Scott reprit son poste à la fenêtre. Le chat avait disparu. Un roadster Cord avec une fausse blonde sur le siège passager tournait au ralenti devant le drugstore. Le paradis d'Edendale lui faisait signe. L'air murmurait à travers la grille d'aération.

C'était bien dans la manière de Dottie de l'adopter de cette façon, mais pourquoi diable avait-elle choisi d'inviter Ernest, et pourquoi l'idée même lui avait-elle produit un tel sentiment de panique ? Scott était en droit de se sentir offensé après cette attaque en règle contre lui et les riches dans la nouvelle d'Hemingway – une nouvelle outrancière et terriblement convenue, de surcroît. Ne l'étaient-elles pas toutes, aujourd'hui ? La précision et la sérénité de ses écrits de jeunesse avaient laissé place à des épopées plus ostentatoires sur des scènes plus vastes. Son dernier roman aurait pu être écrit par Steinbeck ou un de ces pâles scribouillards de *New Masses*, et néanmoins, parce qu'il avait fait de meilleures ventes que *Tendre est la nuit*, c'était lui qui était allé dire à Max que Scott avait trahi son génie. Ce jugement lui appartenait, partiellement correct mais tellement injuste, surtout venant d'Ernest, et Scott n'avait plus eu envie de le revoir.

Il lisait *Nostromo* quand la sirène de midi mugit, appelant tous les occupants du site à aller déjeuner. Les portes s'ouvrirent et le couloir s'emplit d'éclats de voix, comme si une classe entière sortait de cours. Après ce long silence, le vacarme était impressionnant. Il attendit qu'Eddie passe le chercher, songeant qu'il s'était trop souvent retrouvé seul ces derniers temps.

Eddie était accompagné d'un homme trapu et à moitié chauve, affublé d'une ample tunique hawaïenne orange en guise de chemise décontractée – Oppy : George Oppenheimer. Un vieux de la vieille, expliqua Eddie. Il était déjà là depuis un certain temps quand Fred Niblo avait tourné *Ben-Hur*. Scott ne se souvenait pas de lui.

« Bienvenue à bord, mon pote. » Oppenheimer portait un rubis à l'auriculaire, comme un bookmaker de Brooklyn. Il avait la main molle et moite et, tandis qu'ils parcouraient la petite distance qui les séparait du restaurant des studios, il dut s'éponger plusieurs fois le front avec un mouchoir froissé. Alors qu'il était tenté de lui demander quel projet le poussait à commencer à taper sur sa machine à huit heures du matin, Scott obéit à l'élémentaire courtoisie professionnelle qui voulait que l'écrivain livre lui-même cette information. Comme il l'avait escompté, Oppenheimer ne lui demanda pas d'avouer pourquoi il avait abandonné une femme malade et une jeune fille en fleur pour venir charcuter le scénario de *Vive les étudiants*.

La cantine des studios était loin d'être récente, seul l'extérieur avait été rénové. Au contraire du reste du monde, la MGM avait fait de bonnes affaires, ces dix dernières années, et, comme tout régime triomphant, n'avait pas pu résister à la tentation de se lancer dans des travaux de décoration. Si nombreux étaient les immeubles réaménagés dans le plus pur style « paquebot » que le site ressemblait à un port empli de transatlantiques amarrés.

Le premier visage familier qu'il aperçut au Lion's Den fut celui de Joan Crawford, qui en sortait, chargée d'un panier-repas. Par habitude, il joua les portiers et se vit gratifié d'un sourire et d'un hochement de tête. Autrefois, elle l'aurait reconnu, mais c'était déjà quinze ans plus tôt, au temps du muet, et elle passa sans dire un mot.

Alors que l'intérieur de la cantine avait été redécoré avec un mélange de Formica vert pâle et de chrome, sa disposition, elle, n'avait pas changé… ainsi, d'ailleurs, que son odeur : un mélange de bouillon de poule salé et d'eau de vaisselle. Dottie et Alan leur avaient réservé des places à la table des scénaristes, contre le mur du fond, un endroit parfait pour observer la table principale, celle des producteurs, en plein centre de la salle. Les manches relevées jusqu'aux coudes, cette taupe de L.B. Mayer s'exprimait sur un sujet manifestement de la plus haute importance devant un groupe qui comprenait, entre autres, George Cukor, mais Scott s'intéressa davantage à Myrna Loy, aux yeux si perçants, qui, affublée de la perruque poudrée et de l'épais maquillage d'une courtisane, retirait les morceaux d'œuf dur de sa salade.

« Comment vous traite ce cher Louis Pasteur, Oppy ? s'enquit Dottie.

– Ce type est un casse-couilles. Allez-y, moquez-vous, ce sera bientôt votre tour. Essayez donc de vendre un vieux schnoque français dans le rôle principal.

– Oppy est notre grand scénariste romantique, expliqua Alan. Quand un producteur demande : "Et où est la note sentimentale dans tout ça ?" Eh bien, on peut compter sur ce bon vieil Oppy pour la donner.

– Un garçon et une fille ont la rage de l'amour, et ils en guérissent… », ironisa Dottie.

Dottie et Alan travaillaient sur le scénario d'*Amants* pour Jeanette MacDonald et Nelson Eddy, qui devaient jouer deux partenaires de music-hall chantant et dansant à l'unisson, mais se détestant dès que le rideau tombe.

« Les idées vous viennent facilement ? s'enquit Eddie.

– Très facilement, merci, répondit Alan.

– Ce film va être un navet sans nom, dit Dottie. Et vous allez l'adorer. »

N'ayant rien à ajouter, Scott, face au spectacle de la salle entière, se laissa aller à la contemplation des stars. Tout près de Ronald Colman, Spencer Tracy était en train de mordre à belles dents dans un club sandwich à trois étages, et juste à côté de lui, pinçant ses célèbres lèvres, Katharine Hepburn soufflait sur une cuiller de soupe à la tomate. Mayer et Cukor faisaient tourner avec ostentation une cage en forme de sablier contenant des dés afin de déterminer qui réglerait l'addition. Cet endroit lui rappela un peu le Cottage, le club où il dînait à Princeton : le restaurant était ouvert à tous, mais les meilleures tables étaient tacitement réservées aux élus. Les autres n'étaient que des figurants.

Depuis qu'il avait cessé de boire, il comptait sur le sucre pour lui donner un coup de fouet en milieu de journée. Il se décida pour un sandwich jambon salade, et songeait à le compléter d'un tapioca, quand un imposant Fu Manchu vêtu d'une cape en soie rouge et d'un kimono, portant de longues tresses noires et une moustache raide de laque, tira la chaise en face de la sienne.

« Regardez-moi un peu qui la Dépression nous a ramené », fit le nouveau venu en lui tendant la main.

Scott plia sa serviette et se leva, se rendant aussitôt compte avec désespoir que ce n'était pas un acteur qui se cachait sous ce déguisement, mais Bob Benchley, le vieux camarade de Dorothy Parker, du temps de la Table ronde de l'Algonquin. Des années plus tôt, dans les pages du *New York World*, Scott les avait brocardés, lui et les autres écrivains de ce cercle littéraire, parce qu'ils ne prenaient jamais rien au sérieux. Aujourd'hui il était devenu relativement célèbre, s'attribuant invariablement le beau rôle dans ses brèves colonnes humoristiques.

« Comment vont les affaires ? demanda Scott.

– Magnifique, absolument magnifique. D'ailleurs Hem et moi devons déjeuner ensemble demain. Il voulait savoir si tu souhaitais te joindre à nous.

– Je ne sais pas si je vais pouvoir me libérer. » Il jeta un coup d'œil vers Eddie.

« Aucun problème. Nous n'aurons pas vos pages avant lundi, de toute façon.

– Parfait, répondit Benchley. Vers midi chez moi, alors. »

Ils séjournaient tous au Jardin d'Allah à Hollywood, sur Sunset Boulevard. Tout le monde habitait là : Sid Perelman, Don Stewart, Ogden Nash. Dottie savait qu'il y avait au moins deux bungalows de disponibles.

« Elle touche une commission sur les locations », dit Alan d'un air si pince-sans-rire que Scott n'était pas sûr qu'il plaisantât.

La serveuse s'approcha de Benchley, lequel, sans consulter le menu, commanda un bar meunière avec de la purée de pommes de terre et du maïs, ainsi qu'un tapioca. Scott se contenta de son sandwich, qu'il trouva sec, et regarda Fu Manchu engloutir sa commande.

« J'aimerais pouvoir rester plus longtemps, déclara Benchley, tapotant sa moustache avec sa serviette et faisant reculer sa chaise. Mais j'ai toute une dynastie à entretenir.

– La dynastie de la Queue d'or », plaisanta Alan, parce qu'on racontait que l'objet du délit était prodigieux.

« Qui infatigablement se relève et repart au combat, ajouta Dottie.

– C'est la réputation qu'elle s'est faite.

– Personnellement, je n'ai jamais rien entendu de semblable, rétorqua Benchley. Mais si un jour elle se met à se vanter, Alan, tu seras le premier prévenu. »

De retour à son bureau, tout en lisant Conrad, Scott se demandait ce qu'il fallait attendre de l'envie manifestée par Ernest de le voir, et pourtant il se sentait flatté qu'il se soit enquis de lui. Il aimait à penser qu'il était sensible au talent et que celui-ci lui inspirait un respect dénué d'envie – à moins qu'il ne se fût agi que d'une faiblesse pour le succès ? Toute sa vie, il avait été attiré par les plus grands, en espérant, s'il savait employer sa sensibilité à bon escient, qu'il pourrait un jour se faire une place parmi eux. C'était plus difficile à croire aujourd'hui, et néanmoins, s'il pouvait toujours considérer Ernest comme un ami et un rival, il n'était peut-être pas tout à fait le raté qu'il s'accusait lui-même d'être devenu. Il n'avait jamais eu le moindre doute sur les talents d'Ernest, il pensait seulement qu'il savait mal en tirer parti, et assurément, ce jugement devait être réciproque.

Malgré la climatisation, il s'assoupissait sur *Nostromo.* Il avait besoin d'un Coca et se glissa à l'extérieur par le portail latéral pour se rendre au drugstore, de l'autre côté de Culver Boulevard. Des vagues de chaleur flottaient au-dessus des voies de tramway et de la chaussée, lui rappelant des étés passés à Montgomery, les maisons aux volets clos et l'ombre profonde sous les arbres. Le soir, il boutonnait la veste grise de son uniforme, comme les autres jeunes lieutenants, et se dirigeait vers le country club, où les beautés locales choisissaient leur partenaire et dansaient en se serrant tellement contre lui sous les lampions colorés que leur parfum s'accrochait encore à ses vêtements le lendemain, lors de la revue de détail, tel un souvenir enivrant. Rester toujours ainsi l'élu des cœurs, cela avait été son rêve de jeunesse. Arpentant aujourd'hui la rue envahie de mauvaises herbes en sachant qu'au deuxième ou même au troisième étage du Poumon d'acier une femme se tenait à la vitre pour vérifier s'il allait sortir du drugstore avec une bouteille à la main, il se demanda s'il cesserait jamais de voir la vie sous un jour aussi sentimental.

Comme pour lui apporter une réponse, le chat gris qu'il avait entrevu plus tôt bondit sur le rebord de sa fenêtre et, la queue frémissante, regarda Scott passer.

« Salut, monsieur Ito. Oui, je suis d'accord, il fait trop chaud. »

Le magasin vendait du Gordon's, sa marque de gin préférée. Le prix lui parut élevé, ainsi que celui de son Coca et de la tablette de chocolat Hershey à laquelle il ne put résister. Tout était plus cher à cause de l'emplacement de la boutique, juste à côté du portail. Il paya, refusa le sac qu'on lui proposait, et retraversa la rue et les voies du tramway, sa bouteille de Coca à la main, preuve visible de son abstinence.

Le sucre lui donna le coup de fouet nécessaire pour traverser l'après-midi. Seul dans la fraîcheur du bureau, il parvint à imaginer les contours de l'histoire d'un demi de mêlée, remplaçant si maladroit qu'il fait perdre le match décisif à son équipe et devient un paria sur le campus. Il savait qu'il n'y avait là pas beaucoup de substance, c'était une nouvelle telle qu'en réclamaient les magazines grand public, mais cela lui fit du bien de se mettre au travail, et quand la sirène retentit à six heures du soir, il avait déjà rédigé quatre bonnes pages. Plus satisfaisante encore était la conscience d'avoir gagné deux cents dollars en une journée.

Il salua Eddie, Dottie, Alan et Oppy sur les marches du Poumon d'acier et remonta Main Street, à contre-courant du flot des techniciens et des figurants d'un jour qui se pressaient vers le portail. Les studios se vidaient, comme une ville qu'on évacue. Plus il avançait et moins il croisait de gens, jusqu'à ce que, après avoir tourné à gauche dans la 5e Avenue et dépassé un château d'eau, il se retrouve complètement seul. Au-dessus de la porte du plateau n° 11, une lanterne rouge pivotait sur elle-même pour éloigner tout intrus qui risquerait de venir déranger la création du rêve. À en croire le nom tracé sur l'ardoise, le metteur en scène était BEVINS, mais impossible de deviner de quelle production il s'agissait, et même si, selon toute vraisemblance, c'était le plus mièvre des mélodrames, avec pour vedettes ces acteurs qu'il venait juste de voir avaler poulet aux brocolis et pain de viande, il lui fallait reconnaître que de l'extérieur, tout cela possédait encore une magie et une fougue qu'on ne retrouvait nulle part ailleurs, si ce n'est à Broadway. Il y avait là davantage que la simple rencontre de l'argent et de la beauté, ces ingrédients si terriblement ordinaires. Feu son dernier patron, le regretté Thalberg, avait compris ce que le pragmatique L.B. Mayer ne comprendrait jamais. Indéniablement, aussi vulgaires que puissent être les films, dans les meilleurs, ainsi que dans les plus beaux fleurons de la littérature, le cœur de la vie battait. Par deux fois, il avait fait le voyage vers l'Ouest et n'avait pas réussi à capter de près ou de loin cette vibration. Aujourd'hui, devant ce plateau fermé, il décida qu'au lieu de se sentir en exil, il accepterait comme un défi le temps qu'il devait passer en Californie.

Sa voiture l'attendait et l'habitacle était étouffant. Quand il mit le contact, rien ne se produisit. Il avait de l'essence, ce n'était pas de là que venait le problème. Il tira sur le starter et enfonça résolument la pédale d'embrayage jusqu'au plancher. Rien. Il essaya de nouveau, par petits à-coups rapides, comme pour prendre le moteur par surprise – en vain. Il n'avait acheté ce maudit véhicule que la veille. Il songea au vendeur sur Wilshire Boulevard, le revit qui souriait et le jaugeait mentalement : un péquenaud venu de l'Est dans un costume de laine. Il se frotta le visage à deux mains comme pour se laver, descendit de voiture, fit claquer la portière et, déjà en nage, se dirigea à pied vers le portail d'entrée.

Le Jardin d'Allah

Dès qu'il entra, il se rendit compte qu'il était déjà venu là, à l'occasion d'une soirée déjantée, lors de son dernier voyage. C'était une version mauresque d'une résidence typique de Los Angeles, un cube formé d'appartements donnant sur un patio intérieur. La piscine, derrière le bâtiment central, avait la forme de la mer Noire, en hommage à Yalta où était née la propriétaire précédente, une actrice aux yeux fardés de khôl qui partageait la vedette avec Rudolph Valentino, réduite aujourd'hui à louer un appartement dans son propre immeuble. À l'image du nom de la résidence, les jardins ambitionnaient de ressembler à une oasis, et on n'y voyait que palmiers dattiers, eucalyptus grêles et bougainvilliers grimpants qui attiraient colibris et papillons et protégeaient le jardin du monde extérieur. Autour de la piscine, tels des bungalows pour touristes, étaient regroupées de petites villas de style colonial espagnol en stuc blanc et surmontées de toits en terre cuite. Il se rappela Tallulah Bankhead, perchée nue à l'extrémité du plongeoir, les lignes de son corps aussi pures que celles des statuettes métalliques qui ornent le capot des voitures, éclusant son Martini et tendant royalement le verre à son assistante avant d'exécuter un saut acrobatique, si pareille à Zelda qu'alors même qu'il applaudissait, il avait ressenti douloureusement l'absence de sa femme. Il ne parvenait pas à se rappeler si Benchley ou Dottie étaient là. Peut-être. Ces années lui revenaient comme des fantômes, nappées de brouillard. Il lui arrivait de se demander si certains de ces épisodes s'étaient effectivement produits.

Benchley, en complet-cravate, flânait au bord de la piscine en compagnie d'Humphrey Bogart et d'une femme aux cheveux noir de jais en costume de bain blanc une pièce, qui se révéla ne pas être sa femme – Mayo Methot, une actrice dont Scott n'avait jamais entendu parler. En maillot de bain, Bogart ressemblait à une poupée musclée, la tête trop grosse pour le corps. Il s'avança en sautillant pour saluer Scott, dont il serra énergiquement la main en lui décochant son célèbre sourire de mauvais garçon un peu détraqué.

« Eh bien, eh bien… Scott Fitzgerald. Vous ne vous souvenez pas de moi, n'est-ce pas ?

– Mais si… *La Forêt pétrifiée* », dit l'écrivain, remarquant que son haleine, bien qu'on fût techniquement le matin, exhalait déjà le parfum médicinal du genièvre. Sur la table entre leurs deux sièges étaient posés deux hauts verres à cocktail, un seau de glace et un cendrier en cristal empli de mégots.

« Le Cocoanut Grove ? tenta de lui rappeler Bogart. Dans les vestiaires ? »

Scott revit les cocotiers et l'orchestre de Gus Arnheim sur la scène, le plafond constellé de fausses étoiles. Il y a longtemps, ils s'étaient trouvés ensemble à l'Ambassador et ils dansaient au bar de l'hôtel tous les soirs. C'était au temps de la Prohibition, et au bout de quelques semaines, on les avait sommés de partir. Zelda avait alors eu l'idée de rassembler tous les meubles de leur chambre au milieu de la pièce et de planter au sommet la note impayée.

« Désolé, dit Scott.

– Vous m'avez laissé ce souvenir. » Bogart tourna la tête et désigna une cicatrice blanche à la commissure de ses lèvres à peine plus longue qu'un grain de riz.

« Apparemment, tu étais convaincu que quelqu'un t'avait fait les poches, dit Benchley.

– Je suis désolé. Je ne devais pas avoir toute ma tête.

– Aucune importance. J'étais dans le même état. Si je me rappelle bien, je ne vous avais pas épargné non plus. En plus, tout ça s'est passé il y a un bon bout de temps. Pendant pas mal d'années, je ne racontais pas autre chose quand je voulais me faire mousser un peu.

– Et c'est toujours le cas, renchérit sa petite amie d'une voix forte, manifestement éméchée. Je vous jure, il raconte cette histoire à tous les gens qu'on rencontre. "F. Scott Fitzgerald m'a fendu la lèvre."

– Il faut avouer qu'avant ça, je n'avais jamais lu le moindre de vos bouquins.

– Mais vas-y, dis-lui, et n'en parlons plus…, reprit-elle. Il considère que vous êtes tout simplement le plus grand écrivain de toute l'histoire de la littérature, etc.

– Je n'ai jamais dit une chose pareille ! protesta Bogart avant de se retourner vers eux d'un air théâtral, sourire aux lèvres. Quand Bench m'a appris que vous alliez arriver, j'ai pensé qu'il fallait absolument qu'on se revoie et que je vous dise combien j'appréciais ce que vous écrivez, c'est tout.

– Merci, répondit Scott. Je vous ai beaucoup aimé dans *La Forêt pétrifiée.*

– Vous êtes trop aimable. Mais vraiment, pour moi *Gatsby le Magnifique* est un chef-d'œuvre. "Et nous continuons à souquer, à lutter tels des bateaux contre le courant, sans cesse ramenés vers le passé." Ça, c'est de la littérature, mon vieux, ou je ne m'y connais pas. »

Il s'était trompé sur quelques mots et avait bousillé le rythme de la phrase, mais, plus flatté qu'embarrassé, Scott se garda bien de le corriger. Bogart lui proposa un verre, puis quand Benchley annonça qu'ils devaient filer, il lui promit de lui revaloir ça un de ces jours. Ils se serrèrent la main pour sceller cet engagement.

« Là, il est entre deux contrats », expliqua Benchley tandis qu'ils se dirigeaient vers les collines. Il roulait au volant d'une Packard grotesque tant elle était énorme, achetée avec l'argent du cinéma, et il conduisait trop vite au goût de Scott. Le précipice à sa droite avait de quoi vous donner le vertige. À l'horizon, de l'autre côté de la plaine brûlante de Los Angeles, l'océan formait une ligne bleu outremer. Il crut apercevoir Catalina dans le lointain. « Et Mayo, elle aussi, est toujours entre deux contrats. Quand ils s'en prennent l'un à l'autre, la dispute peut être plutôt bruyante. Elle possède un revolver. Parfois, on l'entend tirer. Mais les bons voisins sont le sel de la terre.

– Où est sa femme ?

– À Broadway. Elle ne quittera jamais New York. Elle est plus âgée, elle l'a connu alors qu'il commençait à peine à se faire un nom. Je pense que ça lui est égal. Ils forment un couple absolument charmant, et de là vient sans doute une partie du problème.

– Il aime les défis ?

– Comme tout le monde, non ? »

S'il s'agissait d'un lapsus, il ne crut pas nécessaire de s'en excuser, et dans une grande mesure il avait dit vrai. Quel homme avait envie d'une femme terne, sans passion, et vice versa ?

« Au fait, reprit Benchley. Oppy ?

– Oui.

– Ne lui prête jamais d'argent. Il irait le perdre aux courses.

– OK. Je te remercie.

– Et ne lui demande jamais son avis sur une idée. Il te la piquerait aussitôt. C'est comme ça qu'il s'est débrouillé pour survivre aussi longtemps à Hollywood.

– Pigé. »

Ernest séjournait chez des amis, Benchley n'avait pas voulu en dire plus, comme si on lui en avait fait jurer le secret. Typique, songea Scott. Ce goût des intrigues inutiles. Pendant des années, à la plus grande joie des lecteurs du groupe Condé Nast, Ernest avait sillonné le globe en satisfaisant son goût immodéré de la mise en scène, vêtu de costumes d'aventurier, tandis que Scott restait au pays, espérant remettre un peu d'ordre dans sa vie, ce pour quoi il n'était guère doué, avait-il découvert. Autrefois, ils avaient été des égaux, et heureux de l'être, mais les dernières lettres qu'il avait reçues d'Ernest paraissaient méprisantes, et même franchement agressives ; plutôt que de répondre sur un ton identique, il avait fait appel à Max qui pourrait peut-être les aider à signer un traité de paix. Rien de semblable ne s'était produit et, alors que la prétentieuse voiture de Benchley escaladait les virages, il ressentit un mélange nauséeux de peur et d'autosatisfaction, comme s'il était l'offensé dans le duel qui se préparait. Certes, l'invitation l'avait flatté, mais il craignait aussi l'embuscade.

Ils atteignirent le sommet de Laurel Canyon et redescendirent vers l'ouest en empruntant Mulholland Drive, suivant la ligne de crête sur plusieurs kilomètres jusqu'à ce que Benchley tourne pour s'engager sur un éperon bordé de rochers. La pente était abrupte, ombragée de grands pins dont le parfum sucré pénétrait dans l'habitacle. À mesure qu'ils progressaient, l'air devenait plus frais, chargé d'humidité océane. Après un dernier virage en épingle, la route s'aplanit. Ils poursuivirent leur chemin en cahotant, dépassant des sentiers semés d'ornières qui s'enfonçaient dans la forêt. Aucun panneau, aucune boîte aux lettres, aucun portail. Ils auraient aussi bien pu se trouver au cœur des Smokies, n'eût été la ligne de la mer qu'ils apercevaient par intermittence entre les arbres.

Connaissant Ernest, il s'attendait à un sinistre chalet de pierre décoré de têtes d'animaux empaillées, mais la villa qu'il découvrit au bout de la route était un cube de verre adossé au flanc de la colline et surplombant l'océan. Il s'imagina le travail qu'il avait fallu pour acheminer tous les matériaux de construction, et se représenta la maison la nuit, illuminée comme un aquarium au milieu des ténèbres. Elle était à la fois magnifique et terriblement audacieuse, résolument incongrue, une demeure que seul un propriétaire travaillant dans le monde du cinéma aurait pu concevoir. Benchley et lui durent emprunter un escalier aussi raide qu'un toboggan pour atteindre la porte, devant laquelle se tenait leur hôtesse – Marlene Dietrich, vêtue tout simplement d'un chemisier blanc et d'une jupe noire, comme n'importe quelle *Hausfrau*.

Il était si habitué à voir son visage à l'écran qu'il fut choqué de découvrir les rides qui marquaient les contours de sa bouche. Dans la vraie vie, ses paupières tombaient sur ses célèbres yeux langoureux et lui donnaient l'air d'une droguée ou d'une malade à l'agonie. Il savait que c'était injuste – son propre profil si souvent photographié s'était lui aussi distendu, sa peau avait perdu l'éclat de la jeunesse – et pourtant il se sentait déçu, comme si depuis tout ce temps, elle l'avait trompé.

« Il faut que je vous prévienne. » (Fous préfienne.) « Il ne va pas fort. Le médecin dit qu'il lui faut du repos. Lui prétend que non. Alors… »

Tous deux refusèrent poliment le verre qu'elle leur proposait, même si aussitôt, rétrospectivement, l'idée d'être servi par Marlene Dietrich lui aurait plu. Elle les conduisit jusqu'au salon d'où la vue était infinie et où Ernest, en caleçon à rayures et maillot à côtes, s'appuyait sur une unique béquille, la jambe droite enveloppée dans un nid de bandelettes grises. Il était plus gros que dans le souvenir de Scott et apparemment ne s'était depuis longtemps ni rasé ni lavé les cheveux, tous plaqués d'un côté comme s'il venait de se réveiller. Elle les annonça avec brusquerie avant de disparaître dans un coin invisible du cube de verre.

« *Mi hermano* », dit Ernest en ouvrant largement le bras, et Scott traversa la pièce à sa rencontre. À la place d'une poignée de main,

Ernest le serra contre lui et l'embrassa sur les deux joues. Il avait l'haleine chargée – une odeur fétide qui n'avait rien à voir avec l'alcool, comme s'il souffrait d'une carie. « Tu as bonne mine.

– Je mentirais en te retournant le compliment. »

Ernest se laissa tomber dans un fauteuil et posa la jambe sur un pouf. « Qu'est-ce qu'elle t'a raconté ?

– Que tu étais censé te reposer.

– Saletés de Boches. Tout ce qu'ils savent faire, c'est donner des ordres. Ce n'est qu'une petite thrombose. Ils m'ont opéré là-bas, mais ils n'ont pas réussi à retirer tout le caillot.

– L'insigne du courage ? demanda Benchley.

– Notre hôtel était attaqué par des tirs de mortier et j'ai essayé de me cacher sous un bureau. Je me suis même cogné la tête au passage. » Il écarta ses mèches de cheveux gras pour leur montrer une bosse jaune et violet. « Et voilà comment j'ai gagné la guerre.

– J'espère que tu bénéficiais au moins d'un service en chambre, plaisanta Benchley.

– Rien à manger, rien à boire, et pas de munitions. À part ça, les choses allaient comme sur des roulettes.

– C'est d'ailleurs pour ça que tu es rentré, dit Scott.

– Je préférerais de loin être encore là-bas. Tout ce combat bousillé depuis New York. Les flics nous ont coffrés à Boston. Ils ne nous ont même pas laissé aller jusqu'à Chicago. Pourtant on croyait que ça ne serait pas trop dur de convaincre l'opinion, avec les Boches impliqués dans cette guerre.

– Ce pays n'a pas très envie qu'on lui refile une guerre, dit Benchley. C'en serait une de trop, à mon avis.

– Pour commencer, le pays n'a pas l'argent nécessaire, dit Scott.

– Il va pourtant bien falloir qu'il se décide. Et le prix monte tous les jours.

– Je suis d'accord. Mais ils ne vont pas se laisser pousser au conflit par les rouges.

– Peut-être que si, dit Benchley. Il y a quand même New York et Hollywood.

– Qui passent déjà pour des rouges aux yeux du reste du pays, ajouta Scott.

– Je sais, dit Ernest. Et personne ne veut miser sur le mauvais cheval.

– Et tu dirais que c'est le mauvais cheval ?

– Non, rétorqua Ernest. Le mauvais moment, c'est tout.

– Je me demande comment il peut être trop tôt pour se déclarer antifasciste, répondit Benchley.

– La situation est difficile, expliqua Ernest. Tout ce qu'on peut espérer c'est qu'on perdra avec éclat, pour que les gens soient prêts la prochaine fois. »

Scott regarda Benchley pour s'assurer qu'il avait bien entendu. Ce dernier, les bras croisés, se mordit la lèvre.

« Quoi qu'on fasse, tout sera fini au printemps. Alors ce sera le tour d'un autre pays.

– L'Autriche, suggéra Scott.

– Bien vu, dit Ernest.

– Merci.

– C'est exactement pour ça que je voulais te parler. On m'a dit que tu allais travailler sur *Trois camarades* pour la MGM. »

Scott ne comprenait pas bien pourquoi, mais le fait qu'il en eût entendu parler aussi vite l'effraya. Il n'était pas exclu qu'Ernest ait croisé Eddie Knopf ou que celui-ci ait d'abord essayé d'autres producteurs. Peut-être tout Hollywood était-il au courant, la rumeur circulait, et lui, naturellement, malheureux innocent, avait été le dernier à qui on en ait parlé.

« Rien n'est encore décidé.

– Si ça marche, fais-moi plaisir, pense à l'Espagne.

– Je n'y manquerai pas.

– Tu sais quel est le premier film qu'a interdit Hitler ?

– *À l'Ouest rien de nouveau*, répondit Scott, qui voyait parfaitement où Ernest voulait en venir.

– Ils feront tout leur possible pour empêcher celui-ci de se tourner ou pour le détruire, expliqua Ernest. Il y a un certain Reinecke, attaché au consulat d'Allemagne, qui visionne tout avant que ça parte chez les distributeurs étrangers. Il agit en véritable censeur officiel pour toute l'Europe.

– Mais est-ce que les studios n'ont pas le dernier mot ? » Au moment même où il prononçait cette phrase, Scott se rendit compte de combien il devait paraître naïf. Comme tous les responsables qui se souciaient surtout de l'argent, quand on les menaçait, les directeurs des studios étaient les grands champions du compromis.

« Thalberg, lui, avait toujours le dernier mot, rappela Benchley.

– Tu sais comment faire passer les choses pour qu'elles ne soient pas coupées, dit Ernest. C'est tout ton génie. Savoir faire paraître légères des choses qui ne le sont pas du tout – alors que moi, j'en suis incapable. Je serais infichu d'écrire une nouvelle pour le *Saturday Evening Post*, même si ma vie en dépendait.

Mais tu n'en as jamais eu besoin, songea Scott en son for intérieur.

« Souviens-toi seulement, reprit Ernest, que beaucoup de gens vont avoir les yeux rivés sur ce que tu vas écrire.

– Voilà qui fait plaisir », répondit-il tout en sachant que, impuissant comme il l'était, on venait de lui confier une mission irréalisable.

Ils déjeunèrent sur une terrasse bruissant de chants d'oiseaux, avec un vaste panorama sur la mer. Marlene leur servit de la truite froide et de la salade, avant de disparaître dans la maison, jetant de temps à autre un coup d'œil par la fenêtre de la cuisine comme une domestique. Scott but de l'eau glacée plutôt que du vin de Moselle.

« Au régime sec, c'est bon pour ta santé ! s'exclama Ernest en levant son verre. D'ici quelques mois, je vais faire comme toi, si ça peut te consoler.

– Ça ne me console pas », rétorqua joyeusement Scott en levant le sien à son tour.

Tandis qu'ils prenaient congé au pied des marches, et que Benchley se répandait en compliments sur le repas auprès de Marlene, Ernest interrogea discrètement son invité sur Zelda.

Scott haussa les épaules. « Ni mieux ni pire.

– Je suis désolé.

– Merci. » Il ne posa aucune question sur Hadley ou sur la nouvelle Mrs Hemingway. Il se contenta d'étreindre amicalement Ernest à son tour et lui dit qu'ils allaient se revoir le soir même. Craignant de paraître familier, il se pencha pour prendre la main de Marlene, mais elle l'attira à elle comme un vieil ami. Elle sentait le lilas, et la douceur soyeuse de ses cheveux contre sa joue le fit frissonner. Dans la voiture, il eut envie de demander à Benchley s'il avait ressenti la même chose, mais il y renonça.

Il était heureux d'avoir vu Ernest parce que ce soir-là, ils eurent à peine l'occasion de se saluer. La maison de Fredric March à Beverly Hills était une imitation de manoir Tudor à colombages avec des jardins à la française et des copies de statues classiques. Là, en grignotant des petits-fours et en sirotant des cocktails servis par des domestiques philippins, ils honorèrent la pensée des braves paysans espagnols en parlant cinéma et en signant des chèques. Selon les critères de Hollywood, c'était un rassemblement étrangement ordinaire. La seule star qu'il croisa, à part leur hôte, était Gary Cooper, qui dépassait tout le reste de l'assistance d'au moins trente centimètres. Tous les autres étaient des gnomes à lunettes et au crâne déjà dégarni : scénaristes, metteurs en scène et compositeurs, pour la plupart juifs, récemment immigrés d'Europe. Dans un ultime effort pour prendre soin de leurs propres intérêts, cinq cents ans après l'Inquisition, ces réfugiés organisaient une collecte pour sauver ceux qui autrefois les avaient persécutés.

Ernest, venu sans Marlene Dietrich, était vêtu d'un impeccable complet en lin « beurre frais » qui semblait tout droit sorti des ateliers de la MGM. Il s'avança en boitillant jusqu'à la cheminée et fit un discours sur Franco, la Catalogne et la défense de Madrid, pendant qu'un projectionniste installait un écran. Détail à mettre à son crédit, il fit à l'assistance le même récit de sa blessure de guerre que celui qu'il avait débité à Scott et à Benchley, y compris l'épisode de la bosse sur la tête.

« Je crois que nous sommes prêts », dit-il en indiquant à quelqu'un au fond de la pièce que le moment était venu d'éteindre les lumières.

Le film, comme Dottie l'avait prédit, était assommant, longs plans fixes et voix off tonitruante. Ernest en avait écrit le scénario, et la répétition des mots-clés, au lieu de donner de la force au message, finissait par bercer. Grâce à un montage insistant, les espoirs de la République étaient liés à la moisson des paysans, si bien qu'à la fin, la pluie qui noircissait le sol desséché, puis traversait les fossés, chargée de boue, s'accompagnait d'accents héroïques, vaguement soviétiques à ses oreilles. Tout était ridiculement simpliste, et encore plus frustrant après ce que leur avait confié Ernest pendant le déjeuner. Cette cause gagnait-elle en noblesse parce qu'elle était perdue ? Affectivement, oui, concédait le Sudiste en lui, mais d'un point de vue pratique, absolument pas, considérait le garçon du Nord. Il espéra que ce n'était pas là ce qu'Ernest espérait qu'il fasse de *Trois camarades*, parce qu'il s'en sentait bien incapable.

« N'était-ce pas franchement impressionnant ? » demanda Dottie à l'assistance quand les lumières revinrent et que tous applaudirent une fois de plus. En tant que présidente de la Ligue antinazie, c'était son devoir de les encourager, et elle s'en acquitta, les appelant crûment à agir pour la bonne cause. « Je n'ai pas besoin de vous redire quels sont les enjeux. »

Quand l'heure fut venue de s'engager financièrement, il fit un chèque de cent dollars – une misère comparée à ce que donnaient les autres, mais bien plus qu'il ne pouvait se permettre, de sorte qu'il se sentit à la fois vertueux et terriblement dépensier, donc doublement coupable. C'était une de ses grandes faiblesses d'être incapable de s'empêcher de faire même le plus petit geste.

La soirée touchait à sa fin, les extras ramassaient les verres vides. On entendait déjà des moteurs tourner au ralenti devant la porte. Il se dirigea vers Ernest pour le féliciter, mais le trouva assiégé d'admirateurs. Dottie et Alan organisaient une soirée en son honneur au Jardin d'Allah. Scott se dit qu'il l'y retrouverait.

Désireux de se montrer courtois, il s'approcha de Fredric March afin de le remercier pour son invitation.

« C'est moi qui vous remercie, monsieur », dit March avec chaleur, ne sachant manifestement pas à qui il s'adressait, un détail auquel Scott repensa alors qu'il roulait sur Sunset Boulevard brillant de tous ses néons. Los Angeles n'avait jamais été sa ville, et tandis que les cafés encore ouverts et les drive-in défilaient de part et d'autre, il se dit qu'il comprenait pourquoi. Malgré toute la beauté tropicale de cette ville, elle avait quelque chose de dur, elle manquait de charme, elle était d'une vulgarité aussi typiquement américaine que l'industrie cinématographique, laquelle prospérait sur le dos des vagues successives d'exilés prêts à tout pour y travailler, sans jamais rien leur offrir de plus que la chaleur de son soleil. C'était une ville d'étrangers, mais au contraire de New York, le rêve que vendait L.A., comme tout lieu mythique, n'était pas un rêve de dépassement de soi mais de prospérité infinie, que seuls pouvaient atteindre les très riches et les morts. Mi-plage, mi-désert, ces lieux n'avaient jamais été faits pour être habités. La chaleur y était impitoyable. Dans les rues, on sentait une lassitude qui paraissait plus palpable encore la nuit, plus visible à travers les vitrines jaunes des fast-foods et des drugstores s'apprêtant à fermer, laissant leurs clients sans autre endroit où aller. Contre toute attente, il faisait désormais partie de cette horde de déracinés, condamné à errer au long des boulevards, et une fois de plus il s'étonna d'être tombé si bas et de sa capacité à mesurer sa propre chute.

La nuit, le Jardin d'Allah devenait l'oasis qu'il prétendait être, envahi de jazz tonitruant et éclairé aux flambeaux. Un poste de radio était installé sur le balcon, et le patio, débarrassé des transats entassés sur les côtés, s'était mué en piste de danse où l'on s'agitait frénétiquement. Bogart et Mayo se trouvaient dans le petit bain de la mer Noire, assis sur des fauteuils sculptés qui venaient manifestement d'une des villas.

Bogart salua Scott : « À l'eau, mon vieux.

– On joue aux chaises musicales arrosées… », expliqua Mayo.

Un instant tenté, il se contenta d'un signe de la main et se mit à la recherche de Dottie.

À la place, Sid Perelman, qu'il connaissait depuis Westport, marcha à sa rencontre. Sid travaillait lui aussi pour la MGM, il écrivait des sketches pour les Marx Brothers.

« Un vrai cauchemar, je t'assure. Le marrant est muet et les autres sont de vrais moulins à paroles.

– Mais Zeppo ?

– C'est lui que j'appelle le marrant. »

Don Stewart, de Saint Paul, cria son nom alors qu'il passait à bicyclette en pédalant péniblement, une blonde affublée d'un sarong et d'un sombrero perchée sur le guidon. Derrière lui, Benchley s'approchait avec un saladier plein à ras bord de sangria et de quartiers d'orange, une louche dépassant de sa poche, telle une obscène protubérance.

« Comment était le film ? demanda Sid.

– Parfaitement au point, c'est bien le problème, répondit Benchley sans s'arrêter.

– Tu l'as vu ? dit Scott.

– Non, j'ai eu cette chance. Est-ce que les Espagnols gagnent ?

– Je ne pense pas qu'il y ait de vainqueurs.

– Alors ce n'est pas mon genre de films. Moi j'aime qu'il y ait un gagnant. C'est pour ça qu'aller aux courses me déprime tellement.

– Il faut toujours partir la tête haute, conseilla Scott.

– Et sinon, il faut partir quand même. C'est très important. Pas question de laisser les moqueurs de ce monde vous empoisonner la vie. »

Dottie saisit Sid par le coude. « Ta femme te cherche.

– Une bonne nouvelle ?

– Elle est soit complètement saoule, soit très enceinte.

– Dans les deux cas, je prendrais bien un verre de punch.

– Je vois que tu as réussi à venir ici sans problème, dit Dottie.

– J'étais déjà venu. Est-ce que tu étais là le jour où il y avait Tallulah Bankhead ?

– Tu parles de cette Tallulah Bankhead-là ? » Et elle désigna du doigt la personne en question qui faisait la belle près d'une fontaine en céramique, tandis qu'une meute d'ingénues lui rendaient hommage. « En ce moment, elle habite au Château Marmont. Les murs y sont plus épais. Un peu comme la chtouille, cette femme, tu crois t'en être débarrassé, mais elle revient toujours.

– Exactement comme moi, dit Scott.

– Je voulais rester polie. » À la radio, l'orchestre entama un tango langoureux. Elle le prit par la main. « Fais-moi danser. »

Depuis le temps où il était l'un des deux seuls garçons à l'école de danse de Miss Van Arnum, il avait appris à ne jamais refuser l'invitation d'une dame. Elle était menue et légère entre ses bras. Ils avaient déjà dansé ensemble, à New York, lors de soirées qui duraient jusqu'au matin et faisaient la une des colonnes mondaines du lendemain. Ils étaient jeunes alors, il y avait du danger dans l'air. Il se rappelait son visage tourné vers le sien, le menton légèrement détourné pour dévoiler un cou long et gracieux. Malgré sa solidarité envers les paysans, elle portait des boutons de col en diamants et, comme si elle les avait cachées jusque-là, il découvrit qu'elle avait des oreilles minuscules et parfaites. Il l'écarta à bout de bras et l'attira de nouveau à lui. Elle l'évita en détournant son visage, le forçant à tourner autour d'elle, paradant comme un toréro. Ils s'accordaient parfaitement, ils avaient pris les mêmes cours de danse mondaine pour gravir les échelons de la bonne société. Et cela avait marché, du moins en partie. Parmi les meilleurs moments de sa vie, de nombreux avaient eu lieu sur une piste de danse bondée. Autour d'eux, les flammes des torches vacillaient et d'autres couples tourbillonnaient, sans parler des palmiers et des vitres éclairées, ainsi que de Bogart et Mayo qui pataugeaient toujours dans la piscine et essayaient de les éclabousser. Elle se serra contre son torse, ralentit sur une mesure, puis recula avant de se rapprocher dans un soupir de clarinette, jouant les amoureuses en proie aux affres de la passion. Ni Ginevra ni Zelda, elle n'était qu'une fille bercée par la musique sous le ciel étoilé, et il aurait voulu que ce tango ne s'arrête jamais. À la fin, elle s'agenouilla devant lui, enserrant sa jambe avec dévotion. Il l'aida à se relever au moment où le présentateur radio passait une réclame pour le savon Lux, qui provoqua les railleries de l'assistance.

« Une autre ? proposa Scott. Si cela ne dérange pas Alan.

– Rien ne dérange Alan.

– Je veux la suivante, s'écria Mayo depuis le bord de la piscine.

– On essaie de me piquer ma copine, hein ? » dit Bogart en étreignant sa compagne avant de l'entraîner en tournoyant vers le grand bain.

Le pianiste joua un accord sentimental, les cuivres enflèrent peu à peu et, comme sous les ordres d'un metteur en scène, Scott et Dottie se firent face, tels des partenaires de comédie musicale. C'était un air plus lent, une chanson réaliste. Il pencha la tête vers elle et elle lui murmura les paroles : *Si dur avec moi, pourquoi es-tu si dur avec moi ?*

Avant la moitié de la chanson, Alan l'interrompit pour lui donner des nouvelles d'Ernest. Il ne se sentait pas bien et demandait qu'on l'excuse.

« Tout est de la faute de cette sacrée Marlene ! s'exclama Dottie.

– Il est sans doute fatigué, plaida Alan.

– Il n'était pas au mieux de sa forme quand je l'ai vu », insista Scott, mais Dottie ne décolérait pas. Elle quitta le patio comme une furie et réapparut sur un balcon. Elle baissa la radio et demanda le silence.

« Je crains bien que notre invité d'honneur ne puisse pas nous rejoindre.

– Hou ! beugla la foule déçue.

– Il est trop occupé à se faire sucer. »

Éclats de rire et applaudissements.

« Par définition, un parti est plus fort que n'importe lequel de ses membres. Ne laissons pas un connard nous gâcher la fête. » Elle leva son verre. « Viva la República !

– Viva la República, lança joyeusement Bogart.

– Viva la República ! » entonnèrent-ils tous, et la musique reprit, plus forte cette fois.

Il dansa de nouveau avec Dottie, invita ensuite Mayo, qui mouilla tout le devant de son costume, puis une blonde maigrichonne à la mâchoire prognathe, Amie, originaire de Dayton, Ohio, et enfin une certaine Tatyana au corps élancé et aux pommettes saillantes qui passa tout son temps à regarder son mari se trémousser avec une autre femme. Quand l'émission se termina et que la station mit fin à ses programmes, Don Stewart approcha son énorme Capehart de la porte de sa villa et ils dansèrent sur la musique de ses disques. Plusieurs couples se déshabillèrent et, en sous-vêtements, rejoignirent Bogart et Mayo dans la piscine, provoquant une série de batailles d'eau. Pour se rafraîchir, il but un unique gin-fizz avec des glaçons et un filet de citron vert, puis s'allongea sur un transat et admira les étoiles à travers les frondaisons des palmiers. La lune n'était qu'un mince croissant blanc et il songea au dernier été à Antibes, avant la crise de 1929, quand Zelda était encore à lui et que tout était encore possible.

Alors qu'il sombrait dans ses rêveries habituelles, il remarqua une silhouette sombre sur le balcon de la maison principale, qui les observait, son pâle visage vacillant à la lueur des torches : Alla, l'homonyme de l'inspirateur de ces jardins, sa crinière noire et ses vêtements de deuil lui conférant une aura de folie opératique. Elle semblait le fixer lui en particulier et, enhardi par le gin, il lui fit un petit geste de la main.

Elle étendit la sienne, un peu comme le pape, avant de la laisser retomber. Quand il tapa sur l'épaule de Don Stewart pour l'inviter à regarder, elle avait déjà disparu.

« C'était probablement sa gouvernante, pas Alla elle-même. Cela fait trois ans que j'habite ici et je ne l'ai jamais vue.

– Moi, je l'ai rencontrée une fois, dit Alan. À l'enterrement de Jean Harlow. Mais elle portait une voilette, si bien qu'on ne distinguait pas grand-chose d'elle. Elle a tendance à fuir la lumière du jour. » Il fit le geste d'un drogué qui s'injecte sa dose au creux du bras.

En reprenant le boulevard envahi de brume qui menait à Santa Monica, Scott se dit qu'il y avait un signe dans cette rencontre, comme si elle avait voulu lui signifier qu'il était bien à sa place. Le Miramar lui parut spectral, un vaisseau fantôme, le hall d'entrée était désert, sa chambre humide. Il vida les poches de sa veste, déposa son chéquier sur le bureau, les cent dollars gaspillés le brûlant comme un ulcère. Une journée s'était écoulée et il n'en avait rien fait. Mais Ernest s'était montré chaleureux, ainsi que Dottie et Alan, Bogart et Mayo, Don Stewart, Sid. Après avoir passé tant de temps seul, ce serait un vrai soulagement de vivre parmi des gens qui le connaissaient.

Il y avait de fait quatre villas disponibles. Le samedi, il les visita toutes et choisit la moins chère, l'étage supérieur d'un duplex qui donnait sur la maison principale et la piscine. Il signa le bail et on lui remit ses clés.

« Bienvenue au Jardin d'Alan », plaisanta Dottie.

Plus tard, il devait voir dans tout cela un coup du destin. S'il était resté au Miramar, il ne se serait pas trouvé dans le salon de Benchley le soir du 14 juillet où cette Anglaise y fit son apparition. D'abord, il crut à une sinistre plaisanterie. Elle était d'un blond un peu plus clair, et ses cheveux étaient ondulés, mais elle aurait pu être la jumelle de Zelda.

Pendant vingt ans, tout autour du monde, dans les périodes de triomphe ou de détresse, il avait cherché et trouvé ces mêmes yeux, baisé ces mêmes lèvres. Il connaissait le visage de sa femme mieux que le sien, il s'était remémoré tant de fois cette version de Zelda plus jeune et plus fraîche qu'il faillit rire devant cette troublante impression de déjà-vu. Il comprenait désormais ce qu'il y avait d'effrayant dans ces histoires d'enfants échangés à la naissance. C'était un peu comme se trouver face à quelqu'un qui serait revenu d'entre les morts. Elle se grattait même derrière l'oreille d'un air distrait, exactement comme Zelda, tout en balayant l'assistance du regard. Elle jeta un coup d'œil dans sa direction, le remarqua sans aucun doute, mais fit comme si elle ne l'avait pas vu, lâchant un petit sourire indulgent, avant de continuer à observer la foule, sans la moindre expression sur son visage – ce qui lui fit soupçonner là encore qu'il s'agissait d'un jeu. C'était une actrice, on lui avait demandé de tenir un rôle.

Reprenant ses esprits, il s'aperçut que l'imitation n'était pas parfaite. Quand elle se tourna vers l'homme qui l'accompagnait, un Européen d'un certain âge, affublé d'un gros nœud papillon ridicule, il se rendit compte qu'elle était nettement plus grande et qu'elle avait des formes bien pleines, riches et féminines, sans rien d'enfantin. Tandis qu'il s'émerveillait néanmoins de la ressemblance, elle fut soustraite à sa vue par son voisin du dessous, le gros Eddie Mayer qui la conduisit, ainsi que son compagnon, vers le patio où Bogart se préparait à allumer un feu d'artifice sur l'air de *La Marseillaise*. Scott hésita, craignant que la chute de cette histoire ne le guette au bord de la piscine. Il n'y avait aucune limite à l'humour de Benchley, de Sid, ou de Dottie d'ailleurs. Plus la plaisanterie était cruelle, plus on riait, et donc il attendit, prêt à entendre les cris et les sifflets, les mugissements et les ooh admiratifs, comptant sur son retard pour diminuer l'effet de l'humiliation qu'ils avaient prévu de lui infliger. Il imaginait un public, mais quand la musique revint au jazz et qu'il sortit, l'air sentait le soufre, tout le monde avait recommencé à danser et la fille avait disparu.

Secrets d'étoiles

Elle n'avait rien d'une Cendrillon. Tout le monde en ville la connaissait. Elle s'appelait Sheilah Graham, et n'était pas actrice mais, comble d'invraisemblance, une échotière – une bonne raison de se tenir à distance. Eddie Mayer lui expliqua qu'elle était aussi fiancée au vieux monsieur qui l'accompagnait, le marquis de Donegall.

La nouvelle fut un choc pour Scott, mais également un soulagement, parce qu'il n'était pas censé perdre son temps à penser à elle. C'était sa première semaine à plein temps au travail. Comme promis, le nouveau scénario de *Vive les étudiants* était arrivé – absolument épouvantable – et il passait ses jours à tenter d'imaginer la jeune femme dans le rôle principal. À l'heure du déjeuner, il s'arrêta au kiosque à journaux du site, et il lut sa chronique sur place : un vrai torchon, aucun intérêt, à part sa photo qu'il réussit à s'interdire de déchirer et de glisser dans sa poche. Quel idiot il faisait ! Elle était trop jeune pour lui de toute façon.

Il se rappela la manière dont elle avait tenté d'ignorer sa présence, ainsi que son petit sourire fugace. Elle avait des dents parfaites pour une Anglaise et il se demanda si elle ne venait pas d'une famille très fortunée.

Se pensant discret, il prit, l'air désinvolte, des renseignements sur elle au Jardin d'Allah, rassemblant quelques petits éléments d'information. Personne ne fit le moindre commentaire sur la ressemblance

– ni Don ni Dottie qui connaissaient tous les deux très bien Zelda – et il finit par comprendre qu'il était le seul à la percevoir.

« Tu veux dire, la chercheuse d'or avec des obus en guise de poitrine ? demanda Mayo.

– Laisse ce pauvre garçon tranquille, dit Bogie, tu vois bien qu'il est raide dingue de cette fille.

– Ah les hommes mariés ! Berk !

– D'habitude, tu ne t'en plains pas.

– Ils sont doués pour deux choses.

– Lesquelles ? s'enquit Bogie.

– Je te le dirai dès que je m'en souviendrai. »

L'anniversaire de Zelda approchait et cette distraction serait la bienvenue. Samedi, il serait payé. Il voulait faire venir Scottie, le temps d'une brève visite, avant qu'elle ne retourne au pensionnat à l'automne. Il envisageait maintenant la possibilité de rentrer avec elle en septembre et de passer voir Zelda. Il s'affaira pour prendre les dispositions nécessaires, remplissant les pages de son agenda, comme si cela pouvait décider de son avenir, mais tard le soir, couché dans son bungalow alors que la musique faisait rage sur le patio, il murmurait le nom de Sheilah comme une formule magique.

Il avait toujours été enclin aux fascinations immédiates. Même avant Ginevra, à Buffalo, il s'était comporté comme l'esclave fidèle de la moitié de la classe de Miss Van Arnum. Puis ils avaient déménagé une fois de plus et, nouvel arrivant, il avait lui-même trouvé à chaque chose un délicieux parfum de nouveauté. Lors des bals et des soirées dansantes, parce qu'il était joli garçon et qu'il savait manier la flatterie, son carnet était toujours plein. Avec ses cheveux gominés et ses manières exquises, il était considéré par les garçons plus sportifs comme un peu efféminé et prétentieux, et ils ne se sentaient pas menacés. Sur le terrain de football américain, ils le plaquaient avec violence et lui enfonçaient volontiers un genou dans le dos avant de se relever. Il se vengeait en sortant avec la plus belle fille. Un échange haletant de lettres, un baiser dérobé – pour lui, une amourette n'allait jamais plus loin. À cet âge, toute tentative de former un couple aux yeux des autres se heurtait à la pression des commérages et des copains, filles et garçons formant des royaumes résolument séparés où les intrigues allaient bon train, et dès la semaine suivant une rencontre, il se dégotait une nouvelle Juliette. Quand ils s'étaient réinstallés à Saint Paul, il était en terminale, les filles jaillissaient de partout et le même tourbillon de tourment s'était rapidement mis en place, plus douloureux et plus tendre à la fois. Rien n'avait changé jusqu'à ce qu'il rencontre Ginevra, et il s'était rendu compte alors que durant tout ce temps, il s'était comporté comme un enfant. Il pensait savoir ce que la solitude signifiait.

Telles ces vieilles flammes, Sheilah Graham n'était qu'un fantôme. Il tenta de se la sortir de la tête, mais *Vive les étudiants* était une histoire d'amour entre un soldat américain et une Anglaise, et toute la journée il écrivait des scènes romantiques. Il n'avait entrevu son visage qu'un moment, et pourtant elle occupait des pans entiers de son imagination. Il avait déjà fait des plans pour eux : paysages, couchers de soleil et grandes déclarations. Debout à la fenêtre de son bureau, fouillant du regard les jardins de terre brune à la recherche de M. Ito Hirohito, il se reprochait vivement de se laisser aller à construire cet édifice chimérique. Mais n'était-elle pas, sorte de palimpseste, une façon de mesurer combien Zelda lui manquait ?

Comme tous ceux que la vérité obsède, il était un fieffé menteur, la moindre de ses dérobades le narguant sans pitié. Celle-ci était de taille, et la situation, complexe. Parce qu'il aimait sa femme, parce qu'il détestait ce qui était advenu d'eux, il savait qu'il ne pouvait se résoudre à accepter l'idée que jamais Zelda ne lui reviendrait. Et donc tout en étant convaincu que la possibilité de ce retour était un acte de foi, le fataliste en lui comprenait que combattre contre ce qu'il éprouvait pour cette fille était dérisoire, une tricherie pour se mettre du baume au cœur. Il se sentait aussi novice que le jeune homme qu'il avait été, abandonné dans un lieu inconnu et cherchant par tous les moyens à se consoler.

Au moins, il vivait au Jardin. Ses amis ne le laissaient pas se complaire dans sa solitude. Bogart et Mayo frappaient à sa porte en voisins, venant voir pourquoi il avait fermé ses volets et le convainquant d'aller nager avec eux ou bien de faire une partie de ping-pong à la lueur des torches. Cet été-là, tout le monde jouait aux charades en action, un jeu que Benchley détestait, mais que Scott se prit à aimer, en bon impresario de club de théâtre qu'il avait été. Dottie et lui étaient dotés d'une intuition fulgurante et n'avaient pas le droit d'être dans la même équipe. Détendu après un gin-fizz ou deux, riant à l'imitation de Lon Chaney réalisée par Sid avec un accent new-yorkais, il se renversait dans son transat, regardait les étoiles et se réjouissait d'être là.

Dottie passait plus de temps à militer pour ses différentes causes qu'à écrire, et après qu'il eut donné ses cent dollars pour l'Espagne, elle ne manqua jamais de l'inviter à toutes ses collectes de fonds. Par exemple, il soutenait la Guilde des scénaristes, mais moins par principe que par intérêt personnel. Le bal annuel aurait lieu au Cocoanut Grove, à l'Ambassador Hotel. Tous les gens importants y seraient… Est-ce qu'il possédait un smoking ?

Oui, mais il était vieux, avec de larges revers, à la mode de 1925, et il ne lui allait plus vraiment. Il l'avait peut-être même déjà porté au Cocoanut Grove, pourquoi pas le jour où il avait fendu la lèvre de Bogie ?

« Je ne me rappelle pas ce que tu portais, dit l'intéressé. Mon seul souvenir, c'est que tu étais un petit con teigneux.

– Tu m'as bien regardé, là ?

– Et toi, tu t'es regardé ? Te voilà devenu un vieux con teigneux, c'est tout. »

Il s'y rendit en voiture et arriva en retard. Il se dirigea vers la porte principale, entendit le voiturier caler, mais poursuivit son chemin.

En pénétrant dans ce night-club au moment où l'orchestre entamait une ballade roucoulante et sentimentale, il eut l'impression de revenir de nombreuses années en arrière. L'éclairage était tamisé et, au-dessus de la piste où se pressaient des couples qui traînaient les pieds, on voyait les mêmes faux palmiers récupérés sur le tournage du *Cheik* de Rudolph Valentino, avec çà et là un singe en papier mâché accroché à un tronc. Sur le fond de scène derrière l'orchestre, la pleine lune illuminait les eaux bouillonnantes d'une cascade, et au firmament bleu nuit du plafond scintillaient les étoiles. Là, sous ce même ciel de pacotille, il avait dansé avec Joan Crawford avant même d'avoir jamais entendu son nom. Sa fascination d'alors allait à Lois Moran, déjà star à dix-sept ans, une gamine douce et astucieuse que sa mère avec raison accompagnait partout. La fascination était réciproque, et Zelda s'était montrée jalouse, jetant par la fenêtre du train qui les ramenait à New York la montre Cartier en platine qu'il venait de lui offrir, le ramenant à elle de la seule façon qu'elle connaissait. Aujourd'hui solitaire, dans son vieux smoking poussiéreux, il regrettait ces jours pleins de bruit et de fureur.

Le dîner était très protocolaire, les places étaient numérotées et indiquées sur un plan pour les nouveaux venus. Dottie avait retenu une table pour dix. Juste à côté de la leur se trouvait celle que parrainait Gabe Brenner, un dirigeant syndical que Scott avait rencontré la dernière fois qu'il était venu, alors qu'il travaillait pour Thalberg, et dont l'agitation aux studios et en dehors avait sans doute contribué à écourter les jours de son commanditaire. De l'autre côté, la table avait été réservée par un vieux comparse de Dottie à la Table ronde de l'Algonquin, Marc Connelly, qui avait remporté le prix Pulitzer pour une comédie musicale basée sur le Nouveau Testament, entièrement chantée par des acteurs noirs, mais qui aurait aussi bien pu être montée avec des acteurs grimés. Scott resta quelques minutes au sommet de la large passerelle moquettée qui conduisait à la piste de danse. Valsant joue contre joue avec leur partenaire en un mouvement circulaire étourdissant, pareil à un numéro dans une comédie musicale de la MGM, tournoyaient une douzaine de scénaristes qui gagnaient tous plus de cent mille dollars par an et qui fêtaient leur accession au prolétariat.

Quand il arriva à leur table, elle était vide. Tout le monde était parti danser et il choisit un siège face au spectacle. Il mourait d'envie de boire un verre, mais il savait qu'on l'observait et quand le serveur passa à portée de voix, il commanda un Coca.

« Ah te voilà ! » Occupée par une mission administrative essentielle, Dottie fendait la foule, une liasse de papiers en mains. « Une dame peut-elle inviter un gentleman à danser ?

– Il y a des dames ici ? On a dû mal me renseigner.

– Ne bougez pas d'ici, monsieur. »

Elle s'éloigna d'un air digne et déterminé, le laissant à sa contemplation des autres couples. Il se demanda où était Alan. La valse prit fin dans une vague d'applaudissements et l'orchestre entama une rumba endiablée. Le serveur lui apporta son Coca. Scott lui donna un pourboire, sirota quelques gorgées, puis reposa le verre en agitant les glaçons. Il n'aimait pas beaucoup rester seul à table et il fouillait l'assistance du regard à la recherche de Sid, Bench ou Don, quand il l'aperçut.

Elle quittait la piste, balayant joyeusement le parquet de sa robe de soirée gris cendré, une étole en velours rouge soulignant la grâce de son cou et l'éclat rosé de ses joues. C'était peut-être à cause de ses cheveux, tirés très serré en arrière, ou de son rouge à lèvres vermillon, mais la ressemblance avait presque disparu, seuls ses yeux la lui rappelaient encore. Elle était seule, elle ne traînait pas derrière elle son vieux marquis grincheux, et elle se dirigea droit vers lui. Elle n'avait rien d'un fantôme. Malgré tout le temps passé à songer à elle, il avait oublié combien elle était grande et robuste. Il dut s'interdire de se lever et de s'incliner pour la saluer. Elle le vit mais ne détourna pas les yeux cette fois, et il prit conscience qu'il portait son alliance. La bague de fiançailles qu'elle avait au doigt paraissait fausse tant la pierre était grosse. Elle ralentit juste avant de le rejoindre. Il craignit, de façon absurde, qu'elle ne rebrousse soudain chemin ou, pire encore, qu'elle ne s'approche pour lui demander de cesser de la fixer. Au lieu de ça, comme si elle s'était souvenue de leur première rencontre, elle lui décocha un sourire furtif avant de prendre place à la table de Marc Connelly, vide elle aussi, adoptant exactement la même position que Scott. Durant un long moment, ils demeurèrent ainsi côte à côte à faire tapisserie.

Quand il se tourna vers elle, elle l'imita en une sorte de pantomime. C'était un vieux numéro des Marx Brothers, comme s'il y avait entre eux un miroir imaginaire.

Elle sourit, ce qui le fit sourire à son tour.

« Vous me plaisez bien, dit-il pour tâter le terrain.

– Vous aussi », répondit-elle, son accent britannique ajoutant une note de surprise à cette déclaration.

Ce point établi, elle se retourna vers la piste. Il fit de même.

« Et si nous dansions ? demanda-t-elle d'un ton presque cérémonieux, comme un scientifique proposant une expérience.

– J'adorerais ça, mais j'ai bien peur d'avoir promis la suivante à une amie.

– Une très bonne amie, j'imagine.

– Une promesse est une promesse.

– C'est honorable.

– Ou un peu ridicule. Tout dépend de quel point de vue on se situe. »

Dottie reparut, débarrassée de sa liasse de papiers, alors il s'excusa et se leva pour l'intercepter. Il la prit par la main, ils rejoignirent les autres couples et se dirigèrent vers le centre de la piste.

« Je vois que tu t'es trouvé une amie, dit Dottie.

– Ce soir, je suis prêt à être l'ami de tout le monde.

– Il y a ami et ami. Elle entre dans quelle catégorie ?

– Une nouvelle amie.

– N'oublie pas les anciennes, dit-elle en se serrant contre lui. Tu connais le proverbe, c'est dans le besoin qu'on reconnaît ses vrais amis… »

Il fréquentait Dottie depuis assez longtemps pour savoir quand elle ne plaisantait plus et il eut de la peine pour elle. Pourquoi s'étonnait-il toujours que les autres puissent être désespérés ?

« Alan a besoin de toi, dit-il.

– Une fois par mois, qu'il en ait le besoin ou pas, comme un chat qui prend son bain. Il ferme les yeux en grimaçant.

– Tout le monde fait pareil.

– Il me donne l'impression d'être grosse et vieille. »

Il secoua la tête. « C'était il y a longtemps.

– Ne dis pas ça.

– C'est pourtant vrai.

– Elle est trop jeune pour toi.

– Tu as sans doute raison.

– Tout ce qui l'intéresse, c'est ton argent.

– Je n'en ai pas. Je n'ai plus grand-chose à dire vrai.

– OK. Comporte-toi comme un imbécile.

– D'accord, répondit-il.

– Tu n'as jamais su résister à un joli minois. À commencer par le tien.

– Ne sois pas jalouse.

– C'est dans ma nature, je n'y peux rien.

– Ce n'est pas non plus comme si j'avais toujours eu de la chance en amour, ironisa-t-il.

– Tu en as eu de me rencontrer.

– C'est vrai », acquiesça-t-il puisqu'il n'y avait aucune façon délicate de dire que leur histoire avait été une erreur, même si aujourd'hui encore il pensait à elle avec tendresse. C'était le passé qu'il essayait de laisser derrière lui.

La musique s'évanouit lentement, jusqu'à ce qu'ils ne se balancent plus qu'à peine, puis se termina sur une fioriture mélancolique. Les lumières se rallumèrent.

« Allez, vas-y », lui enjoignit-elle, sauf qu'au moment où ils quittaient la piste, les musiciens posèrent leurs instruments et se retirèrent l'un après l'autre tandis que le président de la Guilde s'approchait du micro.

« Je vous en prie, regagnez vos places. Nous allons commencer notre programme séance tenante.

– Séance tenante ? répéta Scott.

– Il est avocat. »

Il y eut un instant de confusion pendant que la piste se vidait et que l'assistance s'installait. Les serveurs, un plateau en équilibre à hauteur d'épaule, se pressaient autour de la salle. Il craignit que la jeune femme n'ait déjà décampé quand Dottie et lui rejoindraient leur table, mais elle attendait, sur la même chaise, tête baissée, en grande conversation avec la si délicate Anita Loos, qui avait écrit des scénarios pour Griffith. À sa droite, Marc Connelly en personne discutait avec son vieux copain John O'Hara et Nathaniel West, surnommé Pep, le beau-frère fou de Sid. Scott comprit alors que pour elle, ce n'était pas une soirée de divertissement : elle était là pour travailler.

Il reprit son siège. De sa place, il devait se pencher en arrière pour l'apercevoir. Il patienta, ignorant ostensiblement ses voisins et priant pour qu'elle relève les yeux. Quand elle s'y décida, il tenta de s'excuser d'un haussement d'épaules impuissant.

Elle secoua la tête avec compassion, comme s'il avait laissé passer sa chance.

Il joignit les mains en une supplique muette et elle éclata de rire, dévoilant ses dents parfaites. Il sentit qu'il était à sa merci. Son sourire et la manière si pleine de coquetterie avec laquelle elle rentra le menton derrière son épaule nue lui firent comprendre qu'il pouvait désormais se détendre. Échangeant des coups d'œil pendant les remarques préliminaires du président, ils se sentaient différents, isolés, comme s'ils cachaient un secret au reste du monde.

Les discours étaient interminables et parfaitement dérisoires. Ils traitaient tous des mêmes questions, l'acceptation par la direction des moyens de production, la position de solidarité des syndicats, et la réclamation d'un salaire décent par les travailleurs. On parla abondamment de l'Espagne et de l'Allemagne, comme si leur ennemi n'était pas Louie B. Mayer mais Hitler en personne, ce qui n'était guère étonnant puisqu'il s'agissait des mêmes convives qui avaient signé des chèques chez Freddie March. Ses voisins de table mangeaient leur salade et leur filet de limande tout en consultant pleins d'espoir le programme des réjouissances.

Il dut se satisfaire de coups d'œil furtifs, l'observant avec curiosité alors qu'elle faisait peu à peu le tour de la table comme une maîtresse de maison. Elle concentrait toute son attention sur un convive, puis l'autre, y compris les épouses, écoutant avec intérêt, posant des questions pour relancer la conversation, sans jamais cesser de jouer avec son bracelet d'argent qu'elle faisait tourner d'un air mutin autour de son poignet. Elle ne prenait aucune note, alors qu'elle aurait largement eu de quoi faire. Qu'espérait-elle tirer de leurs confidences ? Il se dit qu'elle partait avec un handicap, comme une espionne sans couverture, mais il la vit rire gaiement et tapoter affectueusement le bras de Belle O'Hara avant de continuer sa tournée. Il se sentait étrangement fier d'elle, admirant la grâce avec laquelle elle était en train d'infiltrer le camp ennemi. Pour cela il fallait se montrer spirituelle, audacieuse et patiente. Il la connaissait si peu et il s'émut de lui découvrir tant de précieuses qualités. Il n'aurait pas été surpris de la voir tirer un bouquet de roses de sa manche, ou un trio d'anneaux entrelacés. Puis, quand le trésorier finit son rapport sous une salve d'applaudissements reconnaissants, elle s'assura que Scott l'observait et frappa sa montre du bout de son ongle. Elle lui adressa un geste de la main et se leva, son sac à fermoir d'argent à la main, puis sans un regard dans sa direction elle passa devant lui et se faufila entre les tables pour gagner le fond de la salle, de nombreuses têtes se retournant sur son passage.

Son instinct lui conseillait d'attendre quelques minutes avant de la suivre, mais était-ce bien ce qu'elle souhaitait ? D'une certaine façon, elle avait pris congé. Peut-être cela faisait-il partie du jeu. On leur servit le dessert pendant qu'ils devaient supporter un discours de plus, et les serveurs se glissèrent entre les convives pour poser les assiettes. De l'autre côté de la table, Dottie le surveillait. D'un signe de tête, il accepta un café, dans lequel il ajouta une cuillerée de sucre, mais après quelques gorgées il renonça à le boire et s'excusa comme s'il devait se rendre aux toilettes.

Il lui avait laissé suffisamment de temps pour s'en aller, si c'était ce qu'elle souhaitait. Sinon, elle l'attendrait sans doute dans le hall. Il emprunta la passerelle, puis poursuivit son chemin en passant sous une arche de palmes entrecroisées, les mots de l'orateur résonnant dans son dos. À part le cireur dans son stand et la préposée à la vente des cigares, le hall était désert, et le mur de cabines téléphoniques complètement sombre. Sous les lustres, il se dirigea vers la porte principale qu'un employé lui tint ouverte.

Là non plus, personne. Il fouilla le parking du regard, puis Wilshire Boulevard. Au-dessus du néon rouge qui surplombait le toit du Brown Derby, des projecteurs balayaient le ciel de la nuit.

« Une voiture, monsieur ?

– Non, je prends un peu l'air, c'est tout. »

En dernier ressort, il fit un tour par les toilettes et s'arrêta devant le distributeur de cigarettes pour se donner un alibi. Dans le miroir, il entrevit sa bouche triste et son nœud papillon de guingois. Malgré toute l'excitation du moment, il se sentait déçu. Trop vite, la nuit qui aurait pu les envelopper laissa la place au petit jour.

Dottie remarqua son retour mais ne fit aucun commentaire. Il ouvrit son paquet de Raleigh tout neuf et en alluma une, se demandant si cette fille cherchait ainsi à attiser son désir. N'était-elle qu'une allumeuse ? Il n'arrivait pas à comprendre qu'elle soit fiancée. C'était peut-être une dernière tocade, un dernier geste de défi dont il ferait les frais. Il restait encore un discours à supporter, et puis, de nouveau, des danses, mais tout lui semblait vain. Il avait envie de rentrer s'enfouir sous les couvertures sans quitter son smoking et de s'endormir. À la place, il finit son café tiède et détacha un coin de sa génoise à la crème du bout de sa fourchette, déjà impatient de la revoir.

Félicitations en ce jour si propice, écrivit-il à Zelda. *Puisses-tu connaître de nombreuses et heureuses années. J'espère que les pastels te plaisent. Je me rappelle combien tu aimais les Redon qui luisaient dans cette salle si sombre au Louvre. Si tu en as besoin d'autres, ou de quoi que ce soit pour ta peinture dans les limites du raisonnable, j'ai renfloué ton compte, alors n'hésite pas. Ici tout va bien, je mets le pied à l'étrier. J'ai assisté à une soirée incontournable au Cocoanut Grove l'autre soir, et j'ai repensé à toutes les fois où nous avions été ensemble ici. Si je n'avais pas une conscience aussi aiguë du temps qui passe et de la présence de nos propres fantômes errant dans les couloirs, je dirais que rien n'a changé. L'océan, les jours de beau temps, a la couleur de tes yeux. J'ai bon espoir que Scottie accepte de te voir et s'arrête à Montgomery avant de me rejoindre ici, et moi, si la Metro Goldwyn Mayer le permet, je reviendrai en septembre pour que toi et moi passions ensemble quelques jours au bord de la mer. Sache que je pense à toi souvent et avec tendresse, du fond de cet endroit brillant et abandonné de tous, je suis toujours ton bécasseau.*

Vive les étudiants

Le matin, il se réveillait volontairement à cinq heures. Il adorait la nouveauté du jour, le calme du Jardin après la tempête, interrompu par le seul murmure des fontaines et le gazouillis des oiseaux dans les haies. Au fil des ans, il avait vu Hollywood happer tous ses amis de la côte Est, réduire à néant leurs ambitions les plus nobles en leur emplissant les poches. La clémence du temps était à blâmer tout autant que l'appât du gain, la ville entière assoupie dans une langueur subtropicale. Après sa journée de travail au Poumon d'acier, même lui était tenté de flâner au bord de la piscine et de ne plus rien faire. Dottie, Benchley et Sid pouvaient se permettre de paresser, avec leurs cartes de la Guilde des scénaristes et leurs innombrables droits d'auteur, mais lui devait encore vendre des histoires pour payer ses factures.

Son plan était de se lever tôt et d'écrire pour lui-même tant qu'il avait les idées claires, sauf qu'il ne savait pas ce qu'était une bonne nuit de sommeil depuis des années, un effet secondaire du Coca et de la cigarette. Le lit que Zelda et lui avaient autrefois partagé se languissait dans un garde-meuble aux abords de Baltimore, sans doute plein de souris à l'heure qu'il était. La nuit, il avait besoin de deux Nembutal et de quelques cuillers à café d'hydrate de chloral pour se calmer les nerfs. Le matin, campé devant son armoire à pharmacie, il avalait deux comprimés de Benzédrine tout aussi indispensables, et rétablissait l'équilibre. Il se rasait et se douchait en fredonnant des rengaines de sa composition, enfilait son costume comme pour partir travailler, se préparait du café, accrochait sa veste et s'asseyait à la table de la cuisine pour écrire.

Pendant trois heures, il écrivait, mais mal : il allait trop vite, conscient jusqu'à l'exaspération de l'affreuse pendule au-dessus de l'évier, puis filait prendre sa voiture, plein de rage parce qu'il avait dû abandonner une scène en plein milieu. Pourtant, tous les matins, il réussissait à produire deux ou trois pages. Elles étaient peut-être bancales, mais il avait l'œil et la patience du professionnel qui en a corrigé de pires encore. Exactement comme le disait sa grand-mère McQuillan du boudin qu'elle confectionnait : rien ne doit se perdre. Si une scène ne fonctionnait pas, il en extrayait les bonnes répliques et les conservait sur son cahier pour les réutiliser plus tard. S'il pouvait faire confiance à quelque chose ici-bas, c'était bien à sa sensibilité. Il avait peut-être trahi son génie, comme l'affirmait Ernest, mais ce n'était pas par sous-exploitation, au contraire, ainsi qu'il se le répétait souvent le matin, alors que son cœur battait au triple galop à force de caféine. Tel un athlète, il s'était entraîné, jour après jour, et il savait que quand il entrerait en piste, il pourrait naturellement donner le meilleur de lui-même. Il travaillait ainsi depuis avant l'armistice, il en avait été de même quand Zelda s'était effondrée et, seul désormais, il n'entrevoyait aucun terme, aucun répit. Il était terrifié à l'idée de mourir, le crayon à la main, laissant une phrase inachevée, et à Scottie, une avalanche de dettes. Ces matins immobiles dans la cuisine constituaient une sorte de pénitence qui devait exorciser cette peur. Tant qu'il écrivait, cela marchait. C'était lorsqu'il s'arrêtait que le monde reprenait ses droits et que ses problèmes refaisaient surface, ceux précisément pour lesquels il s'était étourdi de travail. Il était écrivain : tout ce qu'il demandait à ce monde, c'était de lui fournir les rouages d'un autre qui corresponde mieux à ses aspirations.

La nouvelle à laquelle il travaillait était une sorte de farce : un homme se réveille un beau matin avec un nœud qui lui enserre le cou. Il se rend compte que la corde attachée à ce nœud traverse tout son appartement, qu'elle passe de l'autre côté de sa porte, descend l'escalier de son immeuble ; alors, il se lève et, en pyjama, il la suit. Dehors, il retrouve la corde dans tous les endroits qu'il fréquente – le kiosque à journaux, l'épicerie, le café –, elle traverse et retraverse la rue si bien que voitures, trams et bus roulent dessus, mais sans jamais la voir. Elle s'enroule tel un python aux réverbères, aux pompes à incendie et aux boîtes aux lettres.

Pour l'instant il en était là, mais les perspectives de développement étaient légion, et en roulant vers son bureau il fouillait La Cienega Boulevard du regard à la recherche de détails à réutiliser.

Durant sa deuxième semaine à la MGM, il s'était fait enlever sa voiture. Eddie avait oublié de lui dire que seules les stars pouvaient se garer là. Depuis lors, il avait trouvé de l'autre côté du boulevard un parking en plein air à quinze cents la journée qu'utilisaient les figurants, et il franchissait le portail chaque matin avec ces hordes pleines d'espoir. Au contraire de tous ceux qui travaillaient dans le même couloir, à l'exception d'Oppy qui semblait ne jamais quitter son bureau, il se montrait extrêmement ponctuel. La porte d'Eddie était fermée, mais en passant devant il se plaisait à penser que son sérieux lui vaudrait un jour une récompense. Une fois dans son bureau glacial, il sortait de son attaché-case une rangée de canettes de Coca et les posait près de la grille d'aération, puis s'installait à sa table de travail, avec crayon et papier, pour accomplir sa tâche, aussi tremblotant que Bob Cratchit.

Vive les étudiants avait fait l'objet de plusieurs étapes. Simple variation sur le thème du poisson hors de l'eau, le roman original avait été amélioré par une série de scénaristes qui prenaient en compte les remarques des producteurs, ajoutant des scènes de plus en plus intenses pour satisfaire au grossier goût du jour pour le mélodrame. Ce n'était à présent que bagarres et confusions d'identité, un affront aux spectateurs les moins sophistiqués, sans parler des vénérables professeurs d'Oxford[1]. En plus du problème de Robert Taylor qui devait jouer un personnage de vingt ans plus jeune que lui, qui, par exemple, goberait qu'un étudiant, même complètement saoul, soit assez stupide pour porter un coup bas à son doyen de faculté, avant d'accuser son rival et d'être cru par tout le monde au seul motif qu'il était anglais ? Ou bien que la petite amie du héros, qui le sait innocent, mette un terme à leur liaison pour mieux lui revenir et l'applaudir à tout rompre lorsqu'il gagne le grand championnat de course à pied ? Rien de tout cela n'avait de sens, et pourtant, parce que c'était la première tâche qu'on lui confiait, il se jeta à corps perdu dans ces scènes absurdes, tentant de dégager une logique interne qui permette de les tisser ensemble.

« On ne peut pas faire de l'or avec de la merde », déclara Dottie en lançant un regard assassin à Alan. Bien que l'heure du déjeuner fût encore loin, Scott se demanda si elle n'était pas ivre.

« Qu'est-ce qu'ils veulent ? » s'enquit Alan.

Eddie lui avait demandé de relever le niveau des dialogues de Robert Taylor, il fallait les rendre plus vifs, plus piquants.

« Eh bien, fais-le. »

Il s'y employait, reprenant pas à pas tout le scénario, jouant les scènes de Taylor avec le boulevard et les posters au mur pour unique public, et peu à peu, l'affaire commença à prendre forme. L'histoire n'avait pas besoin d'être cohérente, seul le protagoniste devait l'être. Tout le reste n'existait que pour mettre en valeur son vrai caractère qui, à la fin du film, après les méandres obscurs de l'intrigue, se révélait exactement conforme à celui de la star qui l'incarnait.

« Il faut accorder une plus grande place à la fille, avait déclaré Eddie lors de leur première réunion de travail. Oublie l'intrigue, oublie

1. Le titre original est *A Yank at Oxford* (Un Yankee à Oxford). *(Toutes les notes sont du traducteur.)*

le personnage : c'est une histoire d'amour. C'est ça qui doit être mis au premier plan. Sinon, on a des clopinettes. »

Parce que Scott s'imaginait Sheilah dans le rôle de la jeune femme, il pensait que l'ensemble marchait déjà. Il étudia avec distance les scènes qui réunissaient les deux protagonistes et il comprit qu'il se trompait. Elle était timide et studieuse, fille de professeur d'université malgré son physique avenant. Elle n'avait rien du charme ou du mystère de Sheilah, rien non plus de sa ténacité. Pour arranger cela, il fit d'elle une escrimeuse et introduisit une nouvelle scène. Désormais, leur première rencontre avait lieu au gymnase. En le traversant, le héros attrapait au vol un fleuret qu'elle venait d'arracher à son adversaire. Il remarquait ses cheveux noir de jais qui se déployaient sous son masque, et il attendait, le temps qu'elle désarme de nouveau son adversaire, pour entrevoir son minois. La scène une fois terminée lui plut beaucoup. L'attente attiserait la curiosité du public et ajouterait un zeste de mystère. La récompense serait la découverte du visage de l'actrice, totalement neuf, puisqu'il s'agissait de ses débuts au cinéma en Amérique. Comme Sheilah, elle était anglaise, et avait un côté sombre absolument irrésistible. Il avait accroché son portrait au-dessus de son bureau pour s'en inspirer : Vivian Leigh.

Sa propre curiosité allait enfin être satisfaite. Son voisin du dessous, Eddie Mayer, connaissait l'agent de Sheilah et, à la suite de plusieurs échanges complexes, il réussit à leur organiser un dîner, mais à une condition : qu'Eddie fasse office de chaperon.

Pour Scott, c'était déjà une victoire : elle aurait tout simplement pu refuser.

Il demanda à Bogie où ils devraient aller.

« Si tu veux paraître à ton avantage, répondit Bogart, emmène-la au Clover Club. C'est cher, mais la nourriture est très chouette et l'orchestre joue tout en douceur. En plus, il se passe toujours des trucs en coulisses.

– Pas vraiment son genre…, dit Mayo.

– Ce qui signifie ?

– Que c'est une grande dame. Elle va bientôt être duchesse, ou un truc du genre.

– Pas si notre petit camarade s'en mêle. Pas vrai, Fitz ?

– Il ne s'agit que d'un dîner.

– Bien sûr, dit Bogie. Et tu veux seulement que tout marche comme sur des roulettes. Je connais la musique. J'ai organisé des dîners de ce genre plus souvent qu'à mon tour. »

Bogie proposa de lui prêter son costume tout neuf à rayures et sa voiture, une grosse DeSoto, mais il sentit, avec cette intuition propre aux écrivains, que cela pouvait facilement devenir un mensonge. Eddie offrit de conduire, mais là encore, ç'aurait été manquer un peu d'honnêteté. Comme si ce rendez-vous devait témoigner avant tout de son sens de l'honneur, Scott décida de prendre sa propre voiture et de porter ses propres vêtements, et si elle considérait que ce n'était pas assez bien pour elle, tant pis. Il était prêt à l'entendre lui annoncer que le mieux serait qu'ils deviennent amis. Sachant parfaitement qu'il n'aurait pas dû organiser cette rencontre de toute façon, il était disposé à accepter sa défaite.

Elle habitait sur les collines au-dessus de Sunset Boulevard, une villa couleur saumon qui surplombait la cuvette de la ville et que doraient les derniers rayons du couchant. Ils arrivèrent en avance. Fidèle à son rôle de chaperon, Eddie accompagna Scott jusqu'à la porte et le laissa tirer la sonnette. Même si la nuit n'était pas encore tombée, une ampoule extérieure s'alluma à leur approche. Sheilah l'attendait. Alors qu'il se tenait sur le seuil, les mains vides, il regretta de ne pas avoir apporté de fleurs, une idée qu'il avait repoussée auparavant et continuait à trouver trop entreprenante. Il pensait qu'il aurait dû faire cette première approche seul, sans la présence d'un familier. Il aurait dû se faire excuser et attendre une meilleure occasion. Ou même lâcher complètement l'affaire. Devant la réalisation de son désir le plus fragile et le plus déraisonnable, il essayait d'anticiper chaque détail, mais la porte s'ouvrit, et elle parut sur le seuil : elle sourit, lui tendit la main et sa joue à embrasser, et elle lui sembla aussi électrisante et majestueuse que dans son souvenir.

« Vous m'avez trouvée.

– Oui. »

Elle portait un chemisier en soie blanc nacré, une jupe gris tourterelle sous un spencer noir et, peut-être, comme une concession à la taille de Scott, des chaussures plates. Elle avait toujours sa bague au doigt.

« Salut Eddie, dit-elle, comme amusée par sa présence.

– Bonsoir », répondit l'intéressé avant de les suivre jusqu'à la voiture.

Scott ouvrit la portière et l'aida à monter. Le caractère étrangement protocolaire de la situation séduisait le galant en lui, dont le sens des convenances remontait à l'école de Miss Van Arnum et aux après-midi de dégustation de glaces entre amis à Buffalo.

« Oh, merci, cher monsieur », dit-elle en rentrant sa jupe pour qu'il puisse fermer la portière.

Il avait appris les bonnes manières. Elle les possédait depuis toujours. Chaque expression de son visage, chacun de ses gestes étaient pensés pour le mettre à l'aise. Il devina qu'elle devait venir d'une famille très fortunée.

« C'est votre voiture ? s'enquit-elle.

– Oui.

– Elle a du caractère.

– Elle offre surtout l'avantage d'être entièrement payée.

– Je croyais que peut-être votre Rolls vous attendait à l'atelier.

– Vous voulez dire que vous en avez possédé une ?

– Non, je dois avouer n'avoir jamais eu ce plaisir. » *Plêêsiiiir…*

« Quelle voiture cachez-vous dans votre garage ?

– Vous allez vous moquer.

– Je vous promets que non.

– Une Ford.

– Avec du caractère ?

– Je m'y emploie. »

Ils avaient atteint le bout de sa rue et attendaient au stop de pouvoir prendre Sunset Boulevard sur la gauche. « Il faut que vous avanciez un peu, sinon vous ne réussirez jamais à traverser. Voilà. Allez-y vite. Ils vont s'arrêter. »

Alors qu'il s'engageait, une autre voiture faillit les heurter de plein fouet et écrasa son klaxon en s'éloignant en trombe. Scott s'interdit de lui faire un doigt d'honneur.

« Est-ce que vous conduisez toujours aussi prudemment ? » demanda-t-elle quand ils furent hors de danger.

À l'arrière, Eddie éclata de rire et Scott croisa son regard dans le rétro.

« Par ici, il vaut mieux l'être.

– Vous avez raison. Les gens conduisent comme des fous », dit-elle.

Largement connu pour appartenir à la Mafia, le Clover Club se trouvait deux pâtés de maisons plus loin, sur Sunset Boulevard, et ressemblait à une prison encastrée dans la paroi de la colline. Mis à part une rangée de fenêtres éclairées au deuxième étage, la façade était aveugle pour ne pas être prise d'assaut trop facilement par la police. Une allée circulaire faisait le tour de l'édifice et, devant une porte située à l'arrière et surmontée d'une marquise, deux videurs montaient la garde. Les voitures garées sur le parking reflétaient l'identité de la clientèle composée de gens du spectacle et de gangsters. La première place libre qu'il repéra était à côté d'une Rolls vert pin. Il s'y gara afin de poursuivre leur plaisanterie.

« Celle-ci est manifestement sortie de l'atelier, observa-t-elle.

– Je ne suis pas fou de cette couleur.

– Moi non plus. »

Elle attendit qu'il fasse le tour de la voiture pour lui ouvrir sa portière. Il lui tendit la main, et de nouveau elle lui donna la sienne, un geste muet aussi intime qu'un baiser, même avec

Eddie qui roulait les yeux derrière elle. Elle se mouvait comme une danseuse, avec une précision et une souplesse qui attirèrent aussitôt l'attention des deux videurs. Il n'aurait pas été étonné d'apprendre qu'elle avait fait une tournée avec une compagnie de danse, peut-être quand elle était adolescente, avant de finir de s'épanouir. Zelda n'avait jamais eu la taille ni le port de tête nécessaires. Il les trouvait chez Sheilah et se rappela les cours de maintien pris durant sa propre enfance, où il devait marcher, tel un funambule, autour du salon avec un annuaire en équilibre sur la tête.

« B'soir, Miss Graham, dit l'un des deux gorilles en lui tenant la porte.

– Bonsoir, Billy, répondit-elle avec un signe de tête. Tommy. »

Il avait oublié qu'il était dans son monde à elle. C'était lui le blanc-bec.

Au bar, ils tombèrent sur Bogart et Mayo. « Ça alors, quelle surprise ! » Bogie se fendit d'un sourire et se leva, proposant son tabouret à Sheilah. « Vous avez le temps de boire un verre, les enfants ? J'étais justement en train de dire à Mayo quel merveilleux écrivain tu étais, pas toi, Eddie, je parle de Fitz, ici présent. Meilleur qu'Hemingway, et je suis sérieux. Qu'est-ce que vous prendrez ? »

Alors que la conversation était totalement improvisée, le script voulait que Scott demande un Coca, et Eddie un double whisky. Sheilah sirota son sherry, pinçant le pied de son verre à deux doigts comme à un cours de maintien. Ils parlèrent boulot, comme d'habitude. La rumeur circulait que la MGM allait faire venir Mervyn LeRoy pour tourner *Le Magicien d'Oz.* Sheilah savait que Bogie avait travaillé avec lui à Broadway.

« Malin comme un singe, ce type. Il sait comment décrocher les gros contrats.

– Scott dit que vous allez être duchesse, dit Mayo avec langueur. Quel effet ça vous fait ? »

Au-dessus de son sourire artificiel et permanent, elle avait le regard vague et flou, et Scott eut soudain une pensée effrayante. Il venait de se rendre compte qu'il ne l'avait jamais vue autrement qu'ivre.

« Marquise, en fait, répondit Sheilah. C'est très impressionnant pour une roturière de toujours comme moi.

– Marquise, on dirait le nom d'un gâteau au chocolat. Ça m'a pas l'air trop bath !

– Eh, mollo, la sorcière ! intervint Bogie.

– Ben quoi ? Je pose une question, c'est tout. Tu ressembles pas vraiment au prince charmant toi-même.

– Et voilà le signal du départ, dit Bogie en la prenant par le bras. Amusez-vous bien, les amis. »

« Une rencontre intéressante, commenta Sheilah un peu plus tard pendant qu'ils attendaient leur table à l'étage.

– Elle est toujours comme ça, expliqua Eddie.

– Je parlais de Bogart. Il doit beaucoup vous aimer.

– C'est un vieil ami, répondit Scott.

– Il voulait faire quelque chose pour vous. »

Il comprit qu'il perdrait des points en ne le reconnaissant pas. « Oui. »

Elle rit. « Meilleur qu'Hemingway. Il est vraiment prêt à tout.

– Je ne lui ai pas demandé de dire ça.

– Il lit énormément, renchérit Eddie.

– C'est le moment qu'il a choisi pour le dire que j'ai jugé suspect. Êtes-vous vraiment meilleur qu'Hemingway ?

– Sur une piste de danse, indubitablement. »

Il allait avoir une chance de le démontrer. Leur table se trouvait dans un coin sombre face à l'orchestre. L'éclairage aux chandelles, le lys dans un soliflore en cristal, tout cela aurait été romantique s'ils avaient été seuls. Après qu'ils eurent commandé, il la conduisit sur la piste, laissant Eddie siroter son whisky. Ils s'accordèrent facilement. Elle était exactement de sa taille, et quand elle se penchait vers lui, il sentait le parfum de sa peau, un mélange chaud de lavande et de vanille. C'était une vieille mélodie, un two-step endiablé que tout le monde avait adoré, fut un temps. *Je moissonne au clair de lune. Entre les bras de mon amour. Un boisseau ou deux vais récolter.* Les mains posées à plat avec légèreté sur les épaules de Scott, elle se laissait conduire, glissant sur le plancher, le buste parfaitement droit et sans jamais détacher son regard du sien. La facilité avec laquelle elle le suivait mit à mal sa récente vantardise.

« J'avais bien deviné que vous étiez danseuse.

– Comment cela ?

– Une certaine façon de vous tenir.

– C'est-à-dire ?

– Avec quelque chose de théâtral. » Il rejeta les épaules en arrière.

« Je ne sais pas si je devrais me sentir flattée ou offensée. Vous-même ressemblez assez à un paon.

– J'en suis fier. Ce n'est pas si mal pour un roturier de toujours.

– Non, je vous en prie.

– Quoi donc ?

– Ne plaisantez pas à ce sujet. C'est si difficile pour moi. »

Ce n'était que leur première danse et pourtant il aurait voulu lui demander tout de go si elle aimait ce marquis. Il tenait la main qui portait cette bague grotesque et il s'imagina s'agenouillant pour la lui retirer du doigt quand la musique se tairait. Naïf comme il était, marié et sans le sou, il était pourtant prêt à déclarer sa flamme.

« Je ne voulais pas me moquer, se défendit-il. Vous me rendez nerveux et je ne sais pas…

– Ne parlons plus. Contentons-nous de danser. Vous avez dit que vous étiez meilleur qu'Hemingway.

– Je le maintiens.

– Chut… »

Ils dansèrent un fox-trot, une rumba et un tango, partageant le silence comme un défi, puis, quand il s'y fut abandonné, comme une complicité – on aurait dit qu'il y avait de nouveau entre eux un lien inexprimé ou un secret. Ils se mouvaient ensemble, absorbaient et suivaient le rythme sinueux de l'orchestre. Entre deux morceaux, il se rendit compte que le serveur avait apporté leur dîner. Elle aussi, mais le nouvel air était une ballade mélancolique et, tandis qu'un hautbois solitaire murmurait langoureusement, elle posa la joue sur son épaule, se serra contre lui, et il n'osa pas prononcer un mot.

« Notre dîner refroidit, dit-elle quand la musique s'arrêta.

– Eddie n'a qu'à tout manger.

– Il ne faut pas le laisser seul. Ce n'est pas poli.

– Je ne l'ai pas invité.

– Vous ne m'avez pas invitée non plus. C'est lui qui s'en est chargé.

– Je sais, concéda-t-il. La prochaine fois, ne pourrions-nous pas être seulement nous deux ?

– La prochaine fois.

– Dîner, mardi ? »

Il se montrait abject, réclamant trop et trop vite. Il n'était toujours pas sûr de savoir ce qu'elle faisait là. Par comparaison, ses propres motivations paraissaient évidentes, et sordides.

« Vous ne pouvez en parler à personne.

– Entendu.

– N'ayez pas l'air si satisfait de vous-même.

– Pourquoi pas ?

– Vous n'avez pas la moindre idée du bourbier dans lequel vous vous fourrez.

– Je pourrais vous dire exactement la même chose.

– Mais pourquoi le feriez-vous ?

– Quel âge avez-vous ?

– Et vous ?

– Quarante.

– Vingt-sept. » S'il s'agissait d'un mensonge, il n'était pas très gros. Trente ans, c'était encore si jeune. Aucune ride autour de ses yeux.

Ils regagnèrent leur table, où Eddie terminait son steak. Comme convenu, Scott devait tout régler et le nombre de verres vides l'atterra. Maintenant qu'il se sentait heureux, il pouvait être malheureux de nouveau.

Les plats, ainsi que Bogie l'avait annoncé, étaient délicieux, même si ni l'un ni l'autre ne mangèrent beaucoup. Ils commandèrent un café, un dessert, et retournèrent danser, s'inquiétant d'Eddie comme d'un enfant qu'ennuie la conversation des grands et, bien que Scott eût voulu que la soirée ne finisse jamais, ils décidèrent en toute justice de partir après un dernier slow. Il ferma les yeux et la tint entre ses bras, pensant que c'était peut-être un rêve, tel celui, récurrent, où il se voyait à Saint Paul à la fonte des neiges découvrant des piles de pièces d'argent sur les trottoirs. Il allait peut-être se réveiller dans son lit, abandonné, mais non, il l'enlaçait toujours, elle fredonnait à son oreille. La promesse du mardi à venir rendit plus tendre encore leur dernière danse, et quand le morceau s'acheva, il applaudit l'orchestre avec gratitude.

À l'extérieur, la nuit était douce et l'air embaumait l'eucalyptus. La Rolls avait disparu et il songea à son propriétaire, un producteur reparti vers sa sombre demeure, encore hanté par la vision de cette belle Anglaise croisée au club. Elle ressemblait sans doute trait pour trait à sa femme aujourd'hui disparue, une star du muet emportée par une maladie débilitante. Aussi vive qu'un réflexe, cette idée le transporta vers un monde qu'il ne connaissait qu'à demi, un avenir constitué de fragments du passé, peuplé d'ombres et composé de scènes pas encore écrites, comme autant de pièces vides. Plus tard, il se souviendrait de cette idée et du sentiment qui l'accompagnait, le désir pressant de partir et de se retrouver dans la peau de cet homme qui avait tout mais n'avait rien – son double inversé à présent, grâce à elle.

Ils escaladèrent les collines qui surplombaient Sunset Boulevard, ses phares balayant les fenêtres et les haies. Dans le noir, il ne reconnaissait rien et elle dut lui indiquer le chemin en montrant sa boîte aux lettres. Après une demi-douzaine de doubles whiskys, Eddie avait bien du mal à assumer son rôle de chaperon. Ils le laissèrent assoupi sur la banquette arrière et se dirigèrent vers la lumière jaune.

Il attendit pendant qu'elle cherchait ses clés dans son sac à main. Elle ouvrit la porte et fit un pas à l'intérieur avant de se retourner vers lui. En lui prenant les mains, il sentit la bague et ne douta pas qu'elle devait aussi sentir son alliance.

« Puis-je vous confier un secret ? dit-il.

– Oui.

– Je vous aime beaucoup plus qu'Hemingway.

– Puis-je vous en dire un à mon tour ? Je vous aime aussi beaucoup plus qu'Hemingway.

– Cela ne va pas lui plaire.

– Tant pis pour lui. Eddie a été gentil de venir.

– C'est vrai », dit-il, s'approchant un peu plus près, espérant un baiser et se demandant en fait ce que son producteur imaginaire ressentirait à cet instant précis.

Elle le maintint à distance. « Mardi.

– Mardi », accepta-t-il, parce que son homme aurait su se montrer patient et aurait douté de lui-même. Il lui adressa un signe de la main tandis qu'elle refermait la porte.

Il fit le chauffeur pour Eddie, puis son valet une fois de retour au Jardin, l'aidant à regagner son bungalow et à se mettre au lit. Les fenêtres de Bogart et Mayo étaient éclairées, et Benchley était en proie à une sorte de transe au bord de la piscine. Plutôt que de rompre le charme, il gravit son escalier et verrouilla la porte derrière lui. Malgré les somnifères, il ne put s'endormir ; pendant un moment, il resta devant sa baie vitrée à observer le balcon de la maison principale, et imagina son héros, telle Alla, contemplant les lumières de la ville, rêvant de sa dulcinée, comme si ce dernier amour féerique pouvait racheter le passé à jamais perdu.

Le lendemain il se leva à cinq heures et se mit aussitôt à écrire.

La plus gentille poupée du monde

Même si, quand ils formaient une vraie famille, ils n'avaient jamais vécu plus de quelques années au même endroit, et sans jamais y être heureux de surcroît, un de ses regrets les plus sincères était que désormais Scottie n'avait plus de maison. Depuis qu'elle était partie au pensionnat, la propriété des Ober à Scarsdale servait de lieu de villégiature et elle avait partagé ses étés entre les colonies de vacances et les visites à sa mère à la clinique, les séjours chez sa grand-mère Sayre à Montgomery et auprès de son père, où qu'il se trouvât.

Il ne s'était jamais bien entendu avec la branche sudiste de la famille, et la maladie de Zelda n'avait fait qu'accentuer cette fracture. Son beau-père était juge, et essayer de faire des projets avec sa belle-mère, c'était toujours comme tenter de composer un jury. Pour toute proposition de calendrier, elle élevait une série d'objections, comme si son agenda lui imposait des rendez-vous plus pressants que ses parties de bridge hebdomadaires. Scottie détestait Montgomery, sa chaleur étouffante et ses prétentions aristocratiques d'avant la guerre de Sécession, si bien qu'il avait souvent l'impression que ni elle ni lui ne désiraient vraiment aller là-bas ; cependant, par loyauté envers Zelda et à cause d'une certaine idée de la famille, il persévérait, comme un diplomate discutant patiemment un traité de paix, les conditions étant cette fois que Scottie y passerait deux semaines avant de le retrouver pour un mois à Hollywood.

Il n'avait pas assez de place dans son bungalow et il lui réserva une chambre au Beverly Hills Hotel où elle séjournerait avec de vieux amis de Broadway, Helen Hayes et Charlie MacArthur, qui l'avaient connue toute petite. Elle devait originellement arriver le dimanche suivant par l'Argonaute, mais le télégramme que l'employé de Western Union déposa par erreur dans la maison principale – où il ne fut découvert que deux jours plus tard par Don Stewart – changea tout. Parce que sa grand-mère Sayre s'était cassé le poignet en faisant une mauvaise chute, Scottie arriverait tard dans la matinée du mardi. S'il avait bien calculé, elle devait déjà être dans le train.

Quand il appela Sheilah pour annuler leur rendez-vous, elle crut qu'il voulait l'éviter.

« Je serais heureuse de la rencontrer, dit-elle. Pourquoi ne pas dîner tous les trois ? »

Les raisons lui paraissaient nombreuses et évidentes, mais il sentit qu'elle se plaignait en fait d'être abandonnée et, tout en sachant qu'il allait redouter chaque seconde de cette entrevue, il appela le Trocadéro pour modifier sa réservation. Au lieu d'une table tranquille au fond de la salle, il en demanda une avec vue.

Mardi, il quitta le bureau pour aller chercher Scottie à la gare. Le train était en retard et, alors qu'il attendait parmi une foule de plus en plus dense, il se représenta son bureau désert et le boulevard écrasé de chaleur sous sa fenêtre. Il était de nouveau occupé à réécrire *Vive les étudiants*, et il n'en voyait pas la fin. Eddie lui avait dit qu'il adorait ce qu'il avait fait du personnage de la fille, mais voulait maintenant qu'il mette plus en valeur la rivalité entre les deux hommes, puisque tout le dernier tiers du roman tournait autour de cette situation. Scott avait envie d'expliquer que dans ce cas, le film serait franchement mauvais. Quand il essayait de rendre la fille amoureuse de l'Anglais au début, la jalousie devenait trop outrancière. Elle aurait pu être sa sœur plutôt, mais cela semblait trop éculé. Il avait tellement coutume de trouver des solutions que de ne pas en trouver l'effrayait, et plus il travaillait sur ce scénario, plus il avait le sentiment que la situation était sans espoir. Pour qu'on reconnaisse sa patte comme auteur, il fallait qu'il s'approprie cette histoire, pas seulement qu'il en améliore les dialogues. Pour l'instant, il n'avait rien ajouté d'autre que la scène d'escrime.

Ce n'est pas à la gare qu'il obtint les réponses aux questions qu'il se posait, et il consacra le reste de sa journée à Scottie. Aussi égoïste que lui parût cette idée, le moment était mal choisi pour cette visite, alors que tout était encore en attente de solution. Une fois mieux installé, il pourrait davantage la distraire, bien qu'il se soit déjà donné les mêmes excuses boiteuses à Tryon, à Asheville et à chacune des étapes précédentes de son périple. Depuis que Zelda était enfermée, il s'était débrouillé du mieux possible pour offrir à Scottie quelque chose qui ressemble à une vie régulière, même si cela revenait à la tenir à distance de son existence itinérante. Le succès n'avait fait qu'accentuer cette contradiction. Même quand il se sacrifiait pour payer son internat, il se considérait comme une figure avant tout protectrice, le père, absent, trimant comme une bête de somme, un rôle qu'il avait appris de son propre père, un homme ruiné et alcoolique que la famille de sa femme avait sauvé et qui le lui avait fait sentir tout le restant de ses jours. Il se rappelait jouer au base-ball avec ses copains dans le jardin de la maison qu'ils louaient à Saint Paul, voir son père rentrer en empestant l'odeur des bars, prendre la batte des mains d'un joueur pour tenter désespérément de frapper la balle lancée par Scott, et transpirer de plus en plus jusqu'à ce qu'il souhaite vraiment qu'il s'arrête. « Allez, essaie encore une fois », le défiait son père en riant, et Scott, qui n'avait pas dix ans, se souvenait d'avoir eu une envie furieuse de lui lancer la balle en pleine figure. Il s'était promis qu'il serait un père différent pour Scottie, et pourtant, parfois, il craignait de ne pas l'avoir été. À neuf ans, elle était retournée à Gstaad avec lui, skiant toute la journée dans la neige aveuglante, et la nuit, écrivant à sa mère à la clinique tandis qu'il éclusait un gin après l'autre. Après lui avoir lu une histoire pour qu'elle s'endorme, il buvait avec une détermination accrue ; au réveil, il trouvait des débris de verre partout et la peau des jointures de ses doigts éraflée. Ils s'étaient fait expulser de leur ancien chalet, puis de l'hôtel, et s'étaient finalement retrouvés dans une pension fréquentée par des étudiants et des prostituées. C'était la fin de la saison et elle voulait partir. « Mais où aimerais-tu qu'on aille ? » lui avait-il demandé, parce que le bail de leur appartement sans ascenseur de Montparnasse était terminé et que Zelda n'était toujours pas remise. La décision de rentrer aux États-Unis avait marqué le début de leur errance.

Comme s'ils avaient senti la locomotive approcher, un bataillon de bagagistes à casquette rouge remontèrent le quai en poussant leurs chariots brinquebalants. Là-haut, les pigeons perchés sur les poutres battaient des ailes et voletaient sous la rotonde. Les rails grincèrent comme la meule d'un rémouleur et la gare s'emplit de bruit. L'une après l'autre, les voitures Pullman se succédèrent dans le couinement métallique des freins. Scott balaya les vitres du regard, les voyageurs souriaient et agitaient frénétiquement la main, impatients d'arriver après ce long périple. Le train ralentit encore et les porteurs purent sauter sur le quai et accompagner le mouvement, saluant les bagagistes comme de vieux amis. Il craignit de l'avoir manquée, mais bientôt il l'aperçut, dans la toute dernière voiture, le visage encadré par la fenêtre. Celle-ci était fermée et, au contraire de la plupart des voyageurs, Scottie restait assise et regardait droit devant elle, le menton baissé, gravement concentrée ; il vit après s'y être repris à deux fois qu'elle lisait.

Elle n'était pas belle, ce qui le rendait triste parce que c'était sa faute. Elle avait les cheveux blond vénitien de sa mère et son ossature fine, mais elle tenait de son père la plupart de ses traits, les gros yeux irlandais un peu rêveurs, le nez proéminent et une fossette au menton qui se remarquait de plus en plus alors qu'elle perdait ses rondeurs de bébé. D'ici cinq ou six ans, si elle faisait attention, elle pourrait devenir jolie, mais pour l'instant, elle donnait l'impression de ne pas être finie : à quinze ans, elle était encore une fillette aux joues rebondies couvertes de taches de rousseur qui aimait sans distinction tous les animaux et qui, comme lui au même âge, avait une oreille exceptionnelle pour trouver des paroles de chanson absurdes. Il la regarda avec tendresse, espérant comme toujours pouvoir la protéger des tristesses de la vie, y compris de la sienne. Il n'y avait vraiment pas réussi jusque-là. À ce moment précis, elle releva la tête, lui sourit, et il résolut une fois de plus d'être un meilleur père.

Elle bondit dans ses bras depuis le marchepied, se serrant contre lui comme une toute petite fille. « Papa.

– Comment va ma poupée ?

– Fatiguée. »

C'était *Les Perses* d'Eschyle qu'elle lisait.

« J'espère que ce n'est pas seulement pour me faire plaisir.

– Lectures d'été. On doit lire une œuvre par grand auteur grec.

– Tu as déjà lu Euripide ?

– *Médée.*

– J'allais te suggérer *Oreste.* C'est fascinant la manière dont il utilise le chœur pour anticiper l'action.

– Trop tard.

– Tu devrais tout de même le lire. Je crois que mon exemplaire est dans mes cartons.

– Zut alors ! » s'exclama-t-elle en faisant claquer ses doigts.

Il n'aborda pas les sujets les plus difficiles avant de monter dans la voiture, et il commença par Montgomery. Mrs Sayre avait essayé d'enjamber le chien qu'elle croyait endormi. Sentant sa présence, l'animal avait relevé la tête, heurté son orteil au passage, et elle était tombée, entraînant une bonbonnière dans sa chute. C'était son poignet droit. On l'avait plâtrée, elle gardait le bras en écharpe et, depuis son fauteuil à bascule, elle tyrannisait tante Sara. Scottie avait tâché de se rendre utile mais elle faisait tout de travers. Elle ne supportait pas que sa grand-mère la gronde sans arrêt et l'appelle « Mademoiselle ».

« Comment allait ta mère ? Heureuse de te voir, j'imagine.

– Oh tu sais… Le premier jour s'est passé sans problème. On a fait du vélo, joué au badminton et elle allait bien. Elle m'a demandé comment j'avais trouvé le camp de vacances. Le deuxième jour, ça allait encore. Ensuite, c'est devenu plus compliqué.

– Désolé. Je te remercie d'être allée la voir.

– Tu connais un monsieur qui s'appelle Reynolds ?

– Je ne crois pas.

– On était sur la pelouse en train de pique-niquer et elle est restée longtemps muette, comme elle le fait souvent. Puis, brusquement, elle s'est mise à parler d'un certain Reynolds et de toutes les choses qu'il était censé lui avoir dites. Des trucs concernant les planètes, le système solaire et une musique venue d'une autre galaxie. » Elle secoua la tête, serra les dents et roula des yeux ronds, mimant un mouvement de panique.

« Je suis sûr que tout cela ne veut rien dire. Sans doute une de ses hallucinations, fit Scott.

– En fait, c'était plutôt intéressant. Elle raconte que Reynolds vit à l'intérieur du soleil et se déplace sur les rayons de lumière. J'ai pensé à écrire une histoire sur lui.

– Tu ferais sans doute mieux d'y renoncer. Tu en as parlé au Dr Carroll ?

– Oui.

– Parfait. Ils ont besoin de tout savoir pour réussir à l'aider.

– Elle ne m'a pas du tout semblé aller mieux.

– Moins bien ?

– Non, pareil.

– Assez bien pour rentrer à la maison ? »

Ce n'était pas une question purement rhétorique. De tous, Scottie était la seule personne qu'il croyait capable de lui dire la vérité sur Zelda.

« Non », répondit-elle, et même s'il lui laissa le temps de nuancer sa réponse, elle fixa la route sans ajouter un mot.

Devant l'entrée du Beverly Hills, une superbe Stutz trônait comme un vestige des splendeurs passées. L'élégance incarnée, Helen les attendait dans le hall. Avec sa silhouette élancée et ses grands yeux, elle avait été une vedette de Broadway et en était une aujourd'hui de la Paramount en incarnant l'innocence de la novice prête à entrer au couvent qu'elle avait été. Scottie dit qu'elle se souvenait d'elle, mais elle était peut-être simplement éblouie par la star.

« Tout le monde t'appelait Scottina autrefois, dit Helen en l'entraînant par la main comme une tante.

– Ça n'a pas changé », dit Scott.

Charlie et elle avaient une chambre supplémentaire dans leur bungalow. Pour s'y rendre, ils durent longer la piscine bordée d'un sable blanc étincelant apporté par camions entiers, puis traverser une jungle de bananiers. Comme la plus grande partie de cette ville, tout ici paraissait artificiel, une sorte de décor à ciel ouvert, mais il vit que Scottie était enchantée. Il souhaitait avant tout qu'elle se sente à son aise et pourtant, après les difficultés de ces dernières années, il devait reconnaître qu'il n'aurait pas été fâché si elle lui attribuait au moins une part de la magie des lieux.

Il était prévu de la laisser prendre ses repères et peut-être faire une sieste.

« Nous dînons avec une de mes amies », lui annonça-t-il, comme pour la préparer, mais ce fut lui qui fut surpris quand, quelques heures plus tard, elle lui téléphona pour lui dire que deux garçons de Hotchkiss étaient en ville. Pouvaient-ils se joindre à eux pour dîner ?

« Mais pourquoi as-tu toujours besoin de jouer les saint-bernard ?

– Papa, s'il te plaît.

– Entendu », dit-il, regrettant déjà d'avoir accepté.

Sheilah se montra compréhensive au téléphone et, au Trocadéro, ne sembla pas se préoccuper de cette intrusion supplémentaire. Elle ne s'était pas habillée pour lui mais pour Scottie, un simple fourreau noir, un collier de perles de culture et des sandales argentées pour danser. Même si sa tenue était très sage, elle ne pouvait guère dissimuler sa silhouette qui n'avait rien à envier aux stars qu'elle fréquentait quotidiennement, et les garçons, plutôt que de rivaliser pour s'attirer l'attention de Scottie, furent bientôt fous d'elle.

Fitch et Neddy. À en croire sa fille, il les avait déjà rencontrés, et qui plus est récemment, au bal qu'il avait donné pour Scottie avant Noël à Baltimore, mais il avait trop bu ce soir-là et il ne se souvenait pas d'eux. Grands, blonds et bronzés après un été passé à servir comme matelots sur le yacht de leur oncle, non loin de Catalina, ils lui parurent interchangeables – familiers et volubiles comme le sont toujours les épiscopaliens, régalant la tablée d'histoires répétitives sur le mal de mer des habitants de Los Angeles. Ils étaient tous les deux originaires de Chicago, et il imagina sans peine les familles dont ils étaient issus, les grandes demeures de la « Gold Coast », avec leurs parcs en terrasse qui descendent jusqu'au lac, en une imitation assez réussie de Newport sur ces terres du Midwest, les hors-bord et les canots rutilants amarrés à des pontons achetés grâce à l'argent des chairs mortes, des parcs d'engraissement et des abattoirs. Après Hotchkiss, on les inscrirait dans une université de l'Ivy League de seconde zone, Cornell, Dartmouth ou Brown, et ensuite ils réintégreraient l'entreprise familiale où ils passeraient leur vie à additionner et à soustraire, avec aussi peu de curiosité que des caisses enregistreuses, et sans jamais cesser de manifester cet optimisme oisif du sportif lié, bien sûr, à la solidité de leur fortune et à la sûreté de leurs placements. Plusieurs de ses camarades de Princeton qui allaient en villégiature l'été sur le lac de White Bear et à Harbor Springs avaient dû vendre leurs villas après la Grande Dépression, mais ces deux-là n'avaient jamais eu de décision plus difficile à prendre que celle de savoir laquelle des deux demoiselles à sa table ils allaient inviter à danser.

L'orchestre entama *Lovely to Look At*.

« Miss Graham », proposèrent-ils d'une même voix sous les yeux de Scottie.

Neddy s'effaça devant Fitch.

« Miss Graham, me feriez-vous l'honneur ?

– Je crains de n'avoir déjà promis ma première danse », répondit-elle en prenant la main de Scott.

L'espace d'une seconde, les deux garçons en restèrent sans voix, battus à plate couture, puis, un peu tard, comme s'il venait de se rappeler qui les avait invités, Neddy se tourna vers Scottie.

« N'allez pas vous battre pour moi, maintenant.

– Sois gentille », protesta Scott, ce qui lui valut un coup d'œil furieux qu'il affecta de ne pas voir, peu désireux de jouer les pères qui laissent tout passer.

« Je suis gênée pour elle, dit Sheilah pendant qu'ils dansaient.

– Ne vous inquiétez pas. C'est une grande fille.

– Rien qu'un bébé, en réalité.

– Mais un charmant bébé », dit-il en voyant de l'autre côté de la piste que Neddy riait à une plaisanterie qu'elle avait faite. Tandis que Sheilah les observait, Scottie regarda par-dessus l'épaule du jeune homme et leur lança un sourire faux et narquois.

« Je ne sais pas pourquoi elle se conduit de cette manière, ajouta Scott.

– Je crois qu'elle ne m'aime pas beaucoup.

– Pourquoi dites-vous ça ?

– Je ne sais pas. C'est l'impression que j'ai, dit Sheila.

– C'est sain, un peu de jalousie, mais rien n'excuse la grossièreté.

– Je ne veux pas la rendre jalouse.

– Vous ne pouvez rien contre votre apparence, qui est divine, entre nous soit dit.

– Je veux dire jalouse que je sois avec vous.

– Alors, vous diriez que vous êtes avec moi ? » Elle portait toujours son obscène babiole au doigt.

« Je ne suis pas contre vous. »

Il l'attira à lui. « Maintenant vous l'êtes. »

Jolie à regarder, sublime à toucher…

« Pourquoi m'embrouillez-vous l'esprit de cette façon ?

– Moi ? Mais c'est vous qui êtes fiancée à un marquis.

– C'est bien vous qui êtes marié, non ?

– Et pourtant, nous sommes ici ensemble.

– Oui, ici ensemble. »

Sur la piste bondée, Scottie et Neddy les avaient rejoints. Comme s'il était au bal de sa promotion à Nassau, Neddy inclina le buste pour demander la permission de changer de cavalière. En homme du monde accompli, Scott ne put refuser : il lui confia Sheilah et prit Scottie entre ses bras. Les nouveaux couples ainsi formés partirent chacun sur son orbite.

« Elle est plus grande que lui, s'amusa Scottie.

– C'est celui-ci qui te plaît, ou bien Fitch ?

– Ils ne m'intéressent ni l'un ni l'autre dans le sens où tu l'entends, je les trouve rigolos, c'est tout. Elle, en revanche, je vois qu'elle te plaît. »

L'accusation avait été portée d'un ton si désinvolte qu'il en éprouva presque de la fierté.

« Miss Graham est tout à fait charmante.

– Apparemment.

– Ce qui me plaît surtout en elle, ce sont ses talents cachés. Elle s'est battue comme une lionne pour se faire une place au soleil dans un monde difficile, et elle n'a demandé d'aide à personne.

– Il me semble avoir déjà entendu ça quelque part.

– Alors tu comprends pourquoi je l'admire.

– Un admirateur, reprit-elle.

– J'ai toujours admiré les jeunes personnes ambitieuses.

– En plus, elle a un accent.

– Délicieux, tu as raison.

– J'aimerais seulement qu'elle soit moins jolie. Est-ce monstrueux de ma part ?

– Ma poupée », dit-il avec compassion en lui tapotant le dos. C'était la seule réponse qu'il pût lui prodiguer, et elle n'en réclama pas d'autre parce qu'ils changèrent aussitôt de sujet, comme s'ils en avaient terminé, et entreprirent de commenter les abominables fresques représentant les monuments de Paris qui déparaient les murs. À des échelles étonnamment variées, l'Arc de triomphe, la tour Eiffel et Notre-Dame se bousculaient sur des panneaux placés côte à côte tout autour de la salle, avec autant de goût artistique qu'un présentoir de cartes postales. Scottie était dûment horrifiée. Connaître le vrai Trocadéro rendait ce restaurant à ce qu'il était : un lieu largement surestimé et hors de prix avec des starlettes préposées au vestiaire.

« Tu te rappelles la première fois que tu as goûté des escargots ?

– Tu m'avais fait croire qu'ils les ramassaient juste là, aux Tuileries.

– Et à compter de ce jour, tu avais passé ton temps à en chercher dans les massifs de fleurs. »

Le morceau se termina et un autre commença. *Pourquoi souffrir ? Pourquoi m'en faire ?* Fitch ravit sa partenaire à Neddy, qui galamment se tourna vers Scottie pour l'inviter. Leur nombre impair obligeait toujours un homme à faire tapisserie, et Scott détestait tout particulièrement cette position, mais en tant qu'hôte il n'avait pas le choix. Seul à leur table devant son Coca-Cola, il se plongea dans la contemplation du vaste panorama de Hollywood et de la ville assombrie, les rangées de réverbères de plus en plus étroites, pareilles aux lumières des pistes d'atterrissage d'un aéroport interminable, puis la masse obscure de l'océan. Au loin là-bas, quelque part, se trouvaient le *Rex* et le passé, la nuit qui filait lentement vers l'ouest en emportant les étoiles et en amenant le jour suivant dans son sillage. À l'hôpital il était minuit, et Zelda devait dormir, avec un peu de chance. Il imagina son producteur, victime d'une insomnie, débarquant de l'Est par un vol de nuit : il flottait au-dessus de l'immensité du désert, dépassait la dernière et dangereuse chaîne de montagnes, apercevait Glendale et tout ce carnaval de lumières, aussi brillant et joyeux que le chapiteau d'un cirque, ne doutant pas que, quelque part en contrebas, la femme qui pouvait le sauver l'attendait. La vie allait reprendre ses droits après la solitude des aéroports, toutes ces heures sans attache, dans les airs, passées à lire les scénarios des autres, à analyser par le menu les rêves insignifiants que son génie aurait ensuite pour tâche de vendre au pays endormi.

L'orchestre prit cinq minutes de pause et les danseurs regagnèrent la table.

« Vous prenez des notes ? plaisanta Sheilah en s'asseyant à côté de lui.

– Sans cesse, répondit Scottie. Faites très attention à ce que vous dites en sa présence.

– Si je ne l'écris pas tout de suite, je vais l'oublier. Zut, voilà, j'ai perdu mon idée.

– Je suis désolée.

– L'autre jour, vous aviez commencé à me parler d'un ermite qui vit dans les collines.

– Il a une sorte de cabane derrière les lettres "Hollywood". On dit qu'il travaillait comme éclairagiste pour Griffith.

– Et qu'il est devenu fou ? hasarda Scottie.

– Je n'en sais rien. Je le suppose.

– Il vit là toute l'année ? demanda Scott.

– Ce n'est pas un véritable ermite. Tout le monde le connaît. Nous pourrions lui rendre visite si vous voulez.

– Non », dit-il, parce que la réalité du moment lui paraissait soudain sans intérêt, la scène au cours de laquelle son producteur venait le voir était trop faible, trop évidemment symbolique. Ce n'était pas la vie d'un saint qu'il était en train d'écrire.

Le dîner se prolongea, chaque plat suivi d'un tour de piste. Scottie et les garçons commandèrent un dessert et un café, ajoutant ainsi cinq dollars et vingt minutes à la soirée. Sans aucune raison, il était de mauvaise humeur et eut le sentiment d'être mesquin quand ils le remercièrent pour l'invitation.

« C'était absolument délicieux », renchérit Sheilah, et que pouvait-il faire d'autre qu'approuver ? Après tant de solitude, il avait oublié quel effet cela produit d'être chef de famille.

Les garçons auraient pu prendre le tramway, mais il les reconduisit jusqu'à Marina del Rey où il les quitta sur une poignée de main et la promesse d'accepter leur invitation à faire un tour en bateau avec eux. Quand ils eurent disparu, Scottie, depuis la banquette arrière, dit : « Merci, papa.

– Je t'en prie, ma poupée.

– Merci, Sheilah.

– Je t'en prie, il n'y a aucune raison de me remercier, chère petite.

– J'ai dit à papa que j'aimerais que vous soyez moins jolie. Maintenant j'aimerais aussi que vous ne soyez pas si gentille.

– Je prends cela pour un compliment.

– C'en est un », affirma Scott, même si, connaissant bien sa fille, il sentait qu'elle était aussi poussée par l'exigence de se montrer honnête.

La Stutz était toujours garée devant le Beverly Hills, et pourtant, au lieu d'un élément de décoration bienvenu, elle avait l'air maintenant d'un ornement moribond. Il pria Sheilah de l'excuser et raccompagna Scottie à travers les sables et la jungle. Le lendemain, elle viendrait aux studios avec Helen où, afin de lui ménager une surprise, ils s'étaient arrangés pour qu'elle rencontre Fred Astaire, son idole – un stratagème destiné à impressionner la petite en lui faisant sentir la gloire passée de son père, songea-t-il. Pourquoi était-il si fier de ses propres succès en sa présence alors que, mieux que personne, elle devait mesurer l'étendue de ses défauts ? Ou bien s'agissait-il, comme toute autre démonstration exagérée, de se racheter aux yeux de Scottie ? Si c'était le cas, leur dîner de ce soir avait été un échec.

Pourquoi m'embrouillez-vous l'esprit de cette façon ?

Parce que je suis moi-même très embrouillé, aurait-il pu répondre. *Parce que je ne sais plus très bien où je vais.*

Il frappa à la porte. « Tu t'es bien amusée ?

– Oui, je te remercie.

– Tes amis m'ont l'air de gentils garçons.

– Ils le sont.

– Tu as plu à Sheilah.

– Elle m'a plu aussi », répondit Scottie d'un ton évasif, tandis qu'Helen leur ouvrait la porte, et il se sentit déçu, comme s'il avait encore des choses à lui dire, davantage à lui expliquer. En même temps, il n'était pas très sûr d'avoir envie de l'entendre lui dire honnêtement ce qu'elle pensait du fait qu'il sorte avec une femme plus proche de son âge à elle que du sien.

Charlie était là, l'air gaillard. C'était un alcoolique notoire, mais il avait récemment fait une cure de désintoxication et il accueillit Scott avec la joie exubérante d'un homme qui vient d'être sauvé. Il travaillait chez Universal à l'adaptation de sa dernière pièce – un travail, selon Scott, qui devait s'apparenter à l'empoisonnement lent et progressif de son propre enfant. Helen et lui devaient être en train de lire en les attendant, leurs livres étaient abandonnés sur leurs fauteuils assortis, disposés de part et d'autre d'un Philco d'où s'échappait une musique de Brahms. Puisque Scott devait confier sa fille à d'autres, ils étaient les personnes tout indiquées, même si leur bonheur retrouvé faisait par contraste paraître sa propre situation plus triste encore et, bien qu'il s'apprête à la revoir le lendemain et tous les jours qui suivraient pendant un mois entier, la laisser ainsi lui rappela toutes les autres occasions où il l'avait abandonnée dans ce vaste monde, et, retraversant la jungle, la plage de sable et le hall de l'hôtel, il entretint quelques sombres pensées, si bien que lorsqu'il rejoignit Sheilah, il était un peu éteint, d'une compagnie plutôt maussade, et il s'en rendit parfaitement compte.

« Je vous remercie, dit-il, vous vous êtes montrée merveilleuse avec ces enfants.

– Cela m'a été très facile, Scottie est très mûre pour son âge.

– Elle peut l'être.

– Je dois dire qu'elle m'a beaucoup impressionnée quand elle a commandé ses plats.

– Elle parle mieux français que moi parce qu'elle a été obligée de continuer à l'étudier. Elle en a besoin si elle veut s'inscrire à Vassar.

– Vous devez être très fier d'elle. »

Il l'était, mais avec pondération. Même s'ils se querellaient souvent pour des questions de notes, de tabac et d'argent de poche, il avait fini par admirer son caractère. Désormais privés de Zelda, chacun d'eux avait appris à compter davantage sur l'autre, surtout depuis qu'ils vivaient éloignés, et si l'absence de sa mère avait forcé Scottie à grandir prématurément, elle lui avait aussi donné un sens des responsabilités et une intelligence du monde qu'il aurait bien aimé posséder au même âge.

« Pourquoi ? demanda Sheilah. Comment étiez-vous, adolescent ?

– J'étais un imbécile, je le suis toujours.

– Je suis sûre que toutes les filles étaient folles de vous.

– Ce qui me rendait plus crétin encore. J'étais un gamin très égoïste, comme tous les enfants, je suppose. Je n'ai pas beaucoup changé, en vérité.

– Je n'en crois pas un mot. Je pense que vous êtes l'homme le plus délicat que j'aie jamais rencontré.

– Ne dites pas ça.

– Et pourquoi pas ?

– Parce que dans ce cas je devrai tout faire pour ne pas vous décevoir. Je suis marié et je bois, et quand je bois, j'ai un caractère de chien.

– Vous devriez arrêter alors.

– Je suis d'accord, mais je continue et je ne voudrais pas que vous vous forgiez une fausse image de moi.

– Vous voyez ? C'est précisément très délicat de votre part d'en parler. Rien ne vous y obligeait.

– Si nous nous fréquentons un moment, vous aurez tôt fait de vous en rendre compte par vous-même.

– Pas impossible…

– Et le marquis ?

– Sa mère me déteste.

– Qui est-ce ? Lady Trucmuche ?

– Lady Donegall. Elle pense que je suis une arriviste de la pire espèce. C'est pour la convaincre que je suis digne de porter le titre qu'il est rentré en Angleterre.

– Sans vous ?

– Elle refuse de me parler.

– Quelle horreur ! » s'exclama-t-il en jubilant intérieurement.

Quand ils avaient pris ce rendez-vous, il s'était imaginé lui demander de le raccompagner au Jardin et peut-être de danser avec lui dans le salon de son bungalow. Maintenant, enhardi par ce qu'elle venait de lui apprendre, il ralentit pour emprunter la rue de la jeune femme et se diriger vers les collines obscures. Cette fois, elle n'eut pas besoin de lui montrer quelle était sa maison.

En l'escortant jusqu'à sa porte, il songea que cette soirée avait été beaucoup moins difficile qu'il ne l'aurait cru, juste un peu étrange par moments. L'un dans l'autre, mis à part quelques tensions, ils s'en étaient bien tirés. Intrépide, cette femme était aussi une vraie diplomate. Il se réjouissait qu'elle ait demandé à venir. Le lendemain, Scottie passerait une bonne journée aux studios, lui retournerait travailler, et tout rentrerait dans l'ordre.

Ils marquèrent une pause avant le perron. Un papillon de nuit dansait autour de la lumière, ses ailes battaient l'air frénétiquement.

« Nous sommes mardi », déclara-t-elle.

Perdu dans ses pensées, il ne comprit pas ce qu'elle voulait dire et fut abasourdi quand elle se pencha pour l'embrasser.

La chaleur de ses lèvres le surprit, comme s'il y avait un truc. Elle sentait encore le café et le bonbon à la menthe qu'elle avait sucé au restaurant. Il hésita une seconde, et elle recula en riant. Il pensa que peut-être elle se moquait de lui, mais elle ouvrit la porte, le prit par la main et le fit entrer dans le vestibule sombre. Elle posa ses clés sur un guéridon et l'embrassa de nouveau, pressant tout son corps contre le sien. L'instant d'après, il grimpait derrière elle un étroit escalier qui conduisait à sa chambre, les draps du lit luisant à la lumière de la ville en contrebas. Elle lui retira sa veste, déboutonna sa chemise et, bien qu'il ait voulu l'arrêter et lui demander s'il n'était pas un peu tôt, si leur aventure n'était pas trop sérieuse pour commettre cette erreur, il baissa la fermeture Éclair de sa robe et la regarda la laisser glisser à terre et s'en dégager : son corps, à contre-jour, restait dans la pénombre.

« Non », dit-elle quand il tendit la main pour dégrafer son soutien-gorge.

C'était sa seule inhibition. Elle le garda tandis qu'ils faisaient l'amour, le tissu rigide et rembourré, spectral, contre sa peau, et même quand elle se donna à lui, il eut l'impression qu'elle cachait quelque chose, un trésor plus précieux encore. Même s'il la désirait infiniment, il ne savait rien d'elle. Il lui avait confié ses secrets, qu'elle avait recueillis comme une espionne, sans jamais rien avouer des siens. Il aurait cru que cela l'eût dérangé davantage, mais elle était jeune, si chaleureuse et si jolie ; il était suffisamment reconnaissant et patient pour supporter cette réserve, alors qu'il la berçait dans le noir. À Zelda, la Zelda de sa jeunesse aujourd'hui abandonnée, il ne put que murmurer *pardon, pardon, pardon.*

Le cimetière de l'Atlantique

Comme il le craignait, son nom n'apparut même pas au générique de *Vive les étudiants.* Au bout d'un mois de réunions de production, et sans avertissement préalable, Eddie le convoqua pour lui annoncer qu'on lui retirait le scénario du film. Les studios n'étaient pas satisfaits de son travail, expliqua-t-il, et on avait demandé à un autre scénariste de s'y essayer. Qui ? eut-il envie de savoir, mais protester n'avait aucun sens. C'étaient eux qui payaient, et honnêtement, il avait fait du mieux qu'il pouvait. Il décrocha le portrait de Vivien Leigh, le glissa entre les pages de son dernier brouillon, et rangea le scénario dans le dernier tiroir de son bureau.

Tout se savait instantanément au Poumon d'acier. Dès l'heure du déjeuner, nul n'ignorait qu'on l'avait dessaisi du projet et, à la table des scénaristes, tout le monde le chahuta avec une franche camaraderie de vestiaires. Il avait été remplacé par Julian Layton, un Anglais dont la comédie burlesque, *Quicker, Vicar*, avait fait un tabac dans le West End dix ans plus tôt. Tout le monde s'accordait à penser que *Trois camarades* lui convenait davantage de toute façon.

« Et donc, dit Alan, à la place d'écrire pour Robert Taylor dans le rôle d'un vétérinaire qui balance des vannes toute la journée, tu vas écrire pour Robert Taylor dans le rôle d'un vétérinaire qui balance des vannes toute la journée.

– Et Spencer Tracy, beugla Benchley comme on annonce une victoire sur le ring, et saluant l'intéressé qui déjeunait à la table voisine.

– Il veut seulement montrer l'étendue de sa palette, dit Dottie.

– De toute manière, ce qu'on écrit pour Mankiewicz n'a aucune importance, déclara Oppy. Il finit par tout faire tourner autour de la fille.

– Et il vous ajoute un happy end par-dessus le marché, renchérit Dottie.

– Il serait capable de rendre Hitler comique, dit encore Benchley.

– Mank est un peu comme Jane Austen, si tu veux, expliqua Alan. Que ce soit Hitler, Franco ou Mussolini, à la fin, ils se marient tous et ils ont beaucoup d'enfants.

– Et puis il nous emmerde avec sa montée progressive vers le baiser final, dit Oppy.

– Et là-dessus, tu en connais un rayon, pas vrai ? ironisa Alan.

– Il lui faut aussi un renversement au troisième acte, précisa Dottie. Je te garantis qu'il en exigera un dans les réécritures. Il croit qu'il a inventé le procédé.

– Et n'oublions pas les gros plans sur le téléphone, ajouta Benchley. Il ne peut pas se contenter de sonner, il faut qu'il apparaisse physiquement à l'écran.

– Ça vaut toujours mieux que Selznick et ses mémos, lança Oppy.

– Mon Dieu, oui, s'exclama Dottie. Tu t'imagines être sa secrétaire.

– Et sa femme ? demanda Benchley. “Il a été porté à mon attention que nous dépensons beaucoup trop pour les vêtements, ma chère.” »

Scott rit avec eux, mais tout de même, il était déçu. Il n'avait pas l'habitude de voir son travail ainsi méprisé, ces longues journées, ces semaines entières d'efforts répétés, en pure perte. Ce n'était pas seulement pour l'argent qu'il avait fait le voyage vers l'Ouest, mais aussi pour rattraper les échecs qu'il avait connus à Hollywood, les scénarios auxquels il croyait, réécrits par des plumitifs ou bien jetés tout simplement à la corbeille. Après ces dernières années il savait qu'il devait s'estimer heureux qu'on lui donne cette chance, mais il y avait quelque chose de décourageant dans ce revers immédiat. Qu'il ne se fût pas trouvé à l'origine du projet atténuait un peu l'impression d'échec, ou du moins il choisit de le voir ainsi. Ce qui le déconcertait le plus sans doute, c'était que jusqu'à ce matin, il était persuadé d'avoir fait du bon boulot.

Avec *Trois camarades*, il se fixa pour but de garder la main et de ne laisser personne intervenir. Idéalement, il aurait jeté un brouillon sur le papier, puis construit peu à peu son scénario avant de le soumettre à Mankiewicz, mais il n'en avait pas le temps. D'ici deux semaines, il devait raccompagner Scottie sur la côte Est.

Il divisait son temps libre entre sa fille et Sheilah. Le plus souvent, il s'arrangeait pour qu'elles ne se rencontrent pas. Chaque soir, il montrait la ville à Scottie, l'emmenait au Brown Derby et à l'Horseshoe Pier, puis la reconduisait au Beverly Hills avant d'aller retrouver Sheilah. Il rentrait tard et se réveillait avec le chant des oiseaux. Cette douce vie d'agent double l'épuisait et le faisait se sentir lâche et vieux. Devant la table de sa cuisine, avalant des litres de café, il ébauchait ses scènes principales. Au bureau, il pointait de bonne heure et se faisait livrer son déjeuner. Plutôt que de laisser un brouillon que Mankiewicz pourrait faire terminer par un autre scénariste, il polit ses deux premiers actes en espérant qu'ils seraient suffisamment prometteurs, et au dernier moment, il les soumit non sans inquiétude.

Ce soir-là, il prit congé de Sheilah. Son balcon s'avançait sous la cime des arbres et ouvrait sur un panorama étoilé. Ils restèrent côte à côte à regarder les lumières et écouter le bourdonnement industriel de la ville. Ils étaient d'humeur sombre, comme s'ils venaient de se quereller ou s'attendaient à le faire. Elle savait que si Scottie et lui partaient, c'était pour aller voir Zelda ; ils allaient passer du temps ensemble à Myrtle Beach comme une vraie famille. Pour lui épargner toute spéculation, il avait expliqué que Zelda et lui auraient des lits séparés, mais rien que cette précision avait des allures de trahison, et il aurait souhaité être déjà parti.

« Ça ne me regarde pas, déclara-t-elle.

– Mais si.

– Je t'avais dit que je ne voulais pas faire ça.

– Quoi ?

– Ça. Je suis tellement stupide. Je t'avais bien dit que tu ne savais pas où tu mettais les pieds. Et nous y voici. »

Que pouvait-il faire d'autre, sinon s'excuser ?

Quelques heures plus tard, après qu'ils eurent fait la paix, alors qu'il remontait Sunset Boulevard en direction du Jardin d'Allah, il songea à ce qu'il aurait dû répondre. *Je le sais*, aurait-il dû dire. *Je le sais, et je ne regrette rien.*

Il était trois heures du matin quand il rentra chez lui, et il n'avait pas encore fait ses bagages. Il s'accorda un somme, ne cessant de se retourner et de marmonner, puis il se leva à six heures pour aller chercher Scottie, renonçant à son calmant habituel. Il pourrait toujours dormir dans le train.

Il n'était à Los Angeles que depuis deux mois, mais quitter la grande ville lui apparut déjà comme une défaite. Ils allaient prendre le Sunset Limited jusqu'à El Paso, en première classe. Comme il l'avait escompté, la cabine de luxe, avec ses équipements astucieusement dissimulés, enchanta Scottie, et pourtant, quand ils se retrouvèrent allongés sur les confortables couchettes escamotables qu'ils comparèrent aux lits de camp de l'Argonaute, il repensa à tout ce qu'il avait laissé inachevé. Les orangeraies et les motels aux contours déjà nets dans la pâle lumière et la chaleur du matin défilaient derrière la vitre. Ils franchirent le col de San Dimas, dévalèrent l'autre versant et se retrouvèrent dans le désert. « Prochain arrêt, Palm Springs, Palm Springs, prochain arrêt. » Il ne voulait rien d'autre que se laisser bercer par le cliquetis des voitures, mais il se dit qu'il fallait que Scottie prenne un petit déjeuner. Ils se dirigèrent en chancelant vers le wagon-restaurant où un employé affligé d'un strabisme leur servit des truites des Rocheuses et des œufs brouillés, puis ils regagnèrent leur compartiment, pris d'un léger mal de cœur, tirèrent leurs stores et s'endormirent.

À son réveil, il faisait encore jour. Ils étaient toujours dans le désert. Dans le lointain éblouissant, une rangée de pics aux sommets enneigés s'élevait comme une île. Durant des kilomètres et des kilomètres, il n'y eut rien à voir que des étendues de terre craquelée et des routes à la surface ondulée qui se croisaient au pied des prosopis. Exactement comme celle de la mer ou du ciel, l'immensité le fascinait. Il se vit, échoué au milieu de ce désert, le train en panne, un avion s'écrasant sur les cimes montagneuses. Son producteur, de retour d'une importante réunion à New York. Il se passerait des semaines avant qu'on ne découvre l'épave. Que retrouverait-on et qui ? D'abord de l'argent. Un revolver. Le talisman de son héros, un stylo à plume gravé à son nom, ou plutôt un attaché-case. Face à lui, Scottie gémissait dans son sommeil et, avant de pouvoir s'en empêcher, il l'imagina en train de traverser le champ de débris. Pas seulement une fille, mais un groupe d'enfants venus d'une ville voisine, qui faisaient une balade à cheval. Ils étaient quatre, tous très différents. À cause de l'argent, ils ne voulaient pas parler. En quoi ce secret les changerait-il ? C'était la fin du récit, la perte d'innocence du nouvel avenir. Cela correspondait à l'abandon de son rêve par le producteur et cadrait bien avec Hollywood en général, de façon peut-être un peu trop parfaite. Comment cet homme était tombé aussi bas restait à définir.

Il dut relever le store de quelques centimètres pour prendre des notes. Il en était à la cinquième page quand Scottie s'assit dans sa couchette, la main en visière pour se protéger les yeux.

« Où sommes-nous ?

– Pas la moindre idée.

– C'est une fournaise ici. Tu n'as pas chaud ? »

Il leva la main, et continua à écrire.

« Papa.

– Oui, ma poupée, il fait très chaud. »

Ils passèrent la nuit à El Paso, puis s'envolèrent pour l'Est le lendemain, firent escale pour le plein de carburant à Kansas City et à Memphis, avant la dernière étape qui les conduisit à Spartanburg en Caroline du Sud. Alors qu'ils s'apprêtaient à atterrir, il remarqua les longues rangées de conifères qui cachaient les étangs noirs et les marais. Un avion pouvait tomber dans un lac lointain et n'être jamais retrouvé, même si d'un point de vue théâtral cela risquait de ne pas être très satisfaisant. Il fallait que quelqu'un le retrouve. Comme dans *Gatsby*, il était indispensable qu'il y ait un témoin en qui le lecteur puisse avoir confiance.

Parce qu'ils étaient censés être en vacances, il loua un roadster à Spartanburg presque pareil à celui qu'il avait vendu. Ils avalèrent un dîner rapide dans un grill en chemin vers Tryon. Quand ils s'arrêtèrent devant leur hôtel, le jour tombait déjà. Il ne s'étonna pas de voir que la chambre qu'il avait autrefois l'habitude d'y louer était toujours libre, mais pour un prix plus élevé. Il ne nota aucune amélioration, mais ce n'était que pour la nuit, et le mobilier en rotin détérioré avait quelque chose de rassurant. Sur la balancelle de la véranda, Scottie et lui restèrent un moment à contempler les lucioles. Il s'appliqua à ne pas penser à Sheilah.

« Maman a gagné le tournoi de tennis, hasarda-t-il.

– Tant mieux… après ce qui s'est passé la dernière fois.

– N'y pense plus. Pour elle, c'est comme si tout recommençait sans cesse.

– C'est exactement ce qui rend les choses si difficiles.

– On ne sait jamais, elle se montrera peut-être charmante. C'est l'affaire de trois jours, de toute façon.

– Trois jours, c'est long.

– Nous ne la reverrons pas d'ici Noël, alors je propose que nous fassions tout pour lui rendre cette visite agréable.

– J'essaie à chaque fois.

– Je n'en doute pas et je regrette qu'elle ne soit pas toujours aimable en retour. Mais tu sais qu'elle t'aime.

– Oui.

– Le médecin dit que le nouveau traitement donne de bons résultats, alors nous verrons bien…

– Entendu. »

Le lendemain matin, quand ils arrivèrent après avoir escaladé la montagne, le changement leur apparut dès les premiers instants où ils la virent. Il ne reconnut pas la femme robuste que l'infirmière conduisit vers eux, ses cheveux étaient plus foncés, plus longs et formaient un carré bien droit. Il remarqua aussitôt l'espace laissé par la dent qu'elle s'était cassée.

Elle avait terriblement grossi. Deux mois plus tôt, elle était maigre comme un coucou. Maintenant, elle était empâtée et enflée, elle avait un double menton et des bourrelets à la taille. Son visage paraissait étonnamment différent, comme si son rôle avait été repris par une doublure grassouillette. Il ne l'avait jamais vu aussi énorme, même quand elle était enceinte. Il sourit pour masquer son inquiétude et lui demanda comment elle se sentait, tout en la serrant dans ses bras.

« Je suis affreuse, n'est-ce pas ? dit-elle en embrassant Scottie.

– Comment te sens-tu ? répéta-t-il.

– Très bien, même si j'ai l'air d'un gros cochon. Mon eczéma va mieux. » Elle baissa le col de son chemisier pour leur montrer la peau lisse de sa gorge.

« Tout est parti. C'est merveilleux, dit-il.

– Et j'ai de nouveau des nénés. Ça devrait te faire plaisir. »

C'était le genre de propos scandaleux qu'elle avait l'habitude de tenir en présence d'hommes et de femmes, mais devant Scottie, ce commentaire sembla totalement déplacé. Pire encore, la poitrine qu'il se représenta aussitôt n'était pas la sienne.

« Je me réjouis que tu te sentes mieux.

– Mes plus sincères excuses, dit-elle à Scottie. Apparemment, je ne suis pas censée dire “nénés”. Les tiens m'ont l'air bien jolis, au fait.

– Ça suffit.

– Merci, dit Scottie.

– Tout le monde en a, tu sais, répondit-elle à son mari. Ce n'est pas un secret.

– Rien qui vaille la peine d'en parler, non plus.

– On va bien s'amuser, lança-t-elle en les prenant tous les deux par le bras, comme une girl de music-hall, et en les poussant vers la porte. *Allons-y**[1] !

– Il faut d'abord que je signe la décharge.

– J'oubliais que je suis une prisonnière de l'amour. »

Il saisit l'allusion, mais laissa passer la remarque et décida de la répéter plus tard au Dr Carroll.

« Qu'est-il arrivé à ta voiture ? demanda-t-elle sur le parking.

– Je l'ai vendue, je te l'ai dit.

– Mon bécasseau, gémit-elle, boudeuse. Je l'aimais, moi, cette voiture.

– Je sais. C'est pour cette raison que j'ai loué la même.

– Un vrai gentleman. Toujours si prévenant avec moi. Tu te rappelles la Delage, dont la capote refusait de s'ouvrir ?

– Oui. »

Scottie laissa la place de devant à sa mère, et ils partirent, descendirent la pente abrupte de l'allée, franchirent le portail pour rejoindre le vaste monde, tous trois réunis. En ville, il tourna à droite au feu rouge pour prendre la direction du sud et se diriger vers la côte par-delà les montagnes. Il n'avait jamais emprunté cet itinéraire auparavant et il roulait encore plus lentement que d'ordinaire, comme s'il hésitait. La brume grise qui s'attardait sur les collines lui rappela

1. Les mots en italique suivis d'un astérisque sont en français dans le texte.

leurs excursions dans la campagne française, les promenades au Bois, les expéditions à Lyon pour aller déjeuner à l'Institut gastronomique. Zelda soulignait tout ce qu'ils croisaient sur leur chemin comme s'ils risquaient de manquer quelque chose, forçant continuellement Scottie à lever le nez de son livre. Un poulain nouveau-né, des ordures qu'on brûlait, un jardin bordé de petits moulins à vent. Il était à peine plus de neuf heures. D'après ses calculs, ils devraient atteindre Myrtle Beach aux environs de cinq heures de l'après-midi. Il ne pensait pas qu'elle pourrait continuer à s'enthousiasmer ainsi sur ses découvertes jusqu'à la fin du voyage. Il craignait que, fidèle à ses habitudes, après les premières exclamations, elle ne se lasse et ne finisse par retomber dans le silence, s'enfermant dans un monde intérieur d'où rien ne pouvait l'extraire, mais pour l'heure, elle s'intéressait activement à tout ce qui l'entourait, lui compris.

« Est-ce que tu manges comme il faut ? On dirait que tu as perdu du poids.

– En fait, j'en ai pris. Je mange trop souvent au restaurant et je ne me déplace qu'en voiture.

– Tu as l'air fatigué.

– Je travaille beaucoup.

– J'aimerais tellement te rejoindre là-bas et prendre soin de toi. »

Rien que l'idée l'effraya.

« Je n'en doute pas.

– Je te ferais des gâteaux et je repasserais tes mouchoirs.

– J'ignorais que tu savais repasser.

– Je travaille justement à la blanchisserie de la clinique. Je peux me rendre utile de tout plein de façons. »

Il avait du mal à l'imaginer, même s'il savait qu'elle disait vrai. La vie de Zelda aujourd'hui se déroulait loin de lui, auprès de personnes qu'il n'avait jamais rencontrées – exactement comme la sienne. Il était fier de ce qu'elle réussissait à accomplir, mais il était illusoire de prétendre qu'ils se connaissaient encore.

Et c'était pourtant bien ce qu'il s'agissait de faire : feindre que tout était comme avant. Ils étaient descendus dans ce même hôtel, des années auparavant, quand Scottie avait cinq ou six ans. Dans les albums, il y avait des photos d'elle pleine de taches de rousseur et rondelette, un seau et une pelle en fer-blanc à la main, campée devant un château de sable avec la fierté d'un architecte. Zelda allait bien alors, c'était un de ses derniers étés en bonne santé, lorsqu'ils faisaient encore des projets d'avenir.

De longues heures passées à franchir les montagnes, avant de traverser Columbia et la plaine, avec ses rizières et ses immenses séchoirs à tabac. Il voulait ne s'arrêter qu'une fois, pour déjeuner et faire le plein, mais quand ils approchèrent de Charleston, les femmes eurent besoin de trouver des toilettes, ce qui entraîna une seconde pause dans une station d'essence. Ils poursuivirent leur route à travers la grande ville humide, puis vers le nord en longeant la côte, où Zelda découvrit d'innombrables nouveaux sujets d'intérêt. Scottie avait retiré ses chaussures et s'était recroquevillée sur son siège, mais rien ne permettait de savoir avec certitude si elle s'était endormie.

« Hume un peu l'air marin », conseilla Zelda en respirant à pleins poumons, et il obtempéra.

À Georgetown, un nouveau pont d'acier traversait le canal, et leurs pneus gémirent sur le revêtement du tablier. La mer devait être en train de se retirer parce que tout au long de la balustrade, des Noirs pêchaient.

« Regarde un peu les pélicans », dit Zelda en les imitant.

L'île était une pinède, aussi plate qu'une piste d'atterrissage. Quelques kilomètres plus loin, ils aperçurent leur hôtel entre les dunes blanches. Comme le Beverly Hills, le Beachcomber était une monstruosité corallienne, ses dimensions invraisemblables visant seulement à en mettre plein la vue. Après la crise, il avait précipitamment changé de propriétaires et était resté à moisir pendant plusieurs saisons, mais quand ils y arrivèrent, les arbustes et les haies paraissaient avoir été récemment taillés, le terrain de croquet, parfaitement nettoyé. Ils s'arrêtèrent devant le perron et un escadron de valets en livrée et affublés de culottes courtes se précipitèrent autour de la Ford.

La saison touchait à sa fin, le couperet de la Fête du travail, le premier lundi de septembre, s'apprêtait à tomber, mais la meilleure société de Charleston se pressait encore sous les arcades qui ouvraient sur les jardins : même les hommes étaient entièrement vêtus de blanc, sirotant des gin tonics et grignotant des canapés. À l'intérieur, au pied d'un escalier monumental, un homme en queue-de-pie jouait sur un piano de concert et couvrait un *basso continuo* de conversations. Il y avait une file d'attente devant la réception. Faisaient-ils partie des invités du mariage Cabbagestalk ? Autrefois, ils auraient répondu oui, dansé avec les mariés et bu du champagne jusqu'à chanceler. En déclinant l'invitation, il se sentit terne, responsable et paternel. À ses côtés, Zelda avait fini par se taire et regardait alentour, bouche bée, comme si l'élégant décor l'éblouissait, tandis que Scottie demeurait plongée dans son livre. Lui se rappelait qu'il était à l'origine de ce voyage et que tout se déroulait du mieux possible.

Il avait réservé une suite pour qu'ils puissent être ensemble, Zelda et lui dans la chambre, Scottie sur le canapé du salon. Les lits jumeaux qu'il avait promis à Sheilah étaient éloignés d'un mètre, un détail assurément sans importance.

Pendant qu'ils défaisaient leurs bagages, il remarqua que les vêtements de Zelda étaient enveloppés comme des cadeaux dans du papier kraft.

« Des vêtements usagés qu'on m'a offerts, expliqua-t-elle. Tous les miens sont devenus trop petits.

– Qui te les a offerts ?

– Ce sont des dons que les gens font à l'hôpital. Des objets trouvés. On récupère de tout à la blanchisserie. Ne t'inquiète pas, tout est propre. » Sans la moindre concession à la pudeur, elle fit passer son chemisier par-dessus sa tête et en choisit un autre.

En plus de seins lourds et ronds, elle avait désormais un gros ventre, un peu comme si elle avait été enceinte. La fille mince aux membres délicats qu'il avait connue avait disparu. On aurait dit une femme complètement différente.

Le chemisier froissé qu'elle boutonna sans l'avoir repassé était d'un vert pistache éclatant et on ne voyait plus que les traces d'une poche sur le sein gauche. Il était trop grand au moins d'une taille et flottait comme un boubou.

Il détourna les yeux. Trop tard.

« Un gentleman ne doit pas regarder.

– Qui a dit que j'étais un gentleman ?

– Tu rêvais d'en être un, autrefois, si je me souviens bien.

– J'y ai renoncé. Trop d'efforts pour moi.

– Je vois ce que tu veux dire. »

Il n'était plus très sûr de savoir s'ils plaisantaient encore. *Il ne nous reste que le travail*, aurait-il pu ajouter, mais il se retint. Maintenant qu'ils étaient arrivés, il se sentait fatigué et triste. Depuis longtemps pour lui, la nouveauté des voyages s'était estompée. Même avant ce dernier été – 1929, année maudite entre toutes –, ils avaient commencé à ne plus bien savoir où aller ni pourquoi s'y rendre.

Scottie s'était allongée sur le canapé avec son livre, et elle soupira quand il l'appela pour descendre dîner.

« Ne sois pas une poupée grognonne.

– Sois plutôt une poupée mignonne, termina Zelda.

– Et je t'en prie, mets quelque chose de joli. Nous allons être en public. »

Elle fixa le chemisier de Zelda d'un air dubitatif. « Oui, papa.

– Je te remercie. »

Elle partit se changer dans leur chambre et revint vêtue d'une belle robe qu'Helen l'avait aidée à choisir.

« N'es-tu pas magnifique ? commenta Zelda, pinçant les épaules de Scottie comme une couturière.

– C'est papa qui me l'a achetée à Hollywood.

– *Très chère, n'est-ce pas* ?* » Il n'y avait aucune nuance de reproche dans sa voix, même si durant plusieurs mois ils s'étaient querellés à propos de ses frais personnels.

« *Oui*.*

– *Mais très jolie aussi**, ajouta Scottie.

– *C'est vrai – comme toi, chouchou*.* » Elle l'embrassa sur les deux joues, et tout en s'en réjouissant, il eut soudain une vision de Mrs Sayre, la démarche claudicante et le postérieur imposant.

Il ne parvenait pas à s'habituer à sa nouvelle taille, ni à sa garde-robe. Tandis qu'ils descendaient le grand escalier, il s'imagina que tout le monde regardait depuis le hall cette famille si mal assortie. Durant le dîner, il guetta les signes d'agitation maniaque, mais elle mangea à la même allure qu'eux deux, tint une conversation polie, rit avec Scottie quand il tacha sa cravate avec de la sauce tartare, et rappela à Scott la cassolette d'huîtres qu'ils avaient partagée à l'hôtel, à Capri. Il se souvenait de l'hôtel, mais pas de la cassolette. Elle ne voulut pas de dessert, mais les encouragea à en prendre un, et refusa également de goûter le diplomate qu'il lui proposait. Il avait tellement l'habitude de poser sur elle un diagnostic, chaque manquement considéré comme un symptôme, qu'il ne pouvait plus s'en empêcher.

Après le café, ils se promenèrent sur les planches sous des guirlandes d'ampoules, jetant un coup d'œil au passage sur les mêmes étals de confiseries bigarres, baraques de foire et trains fantômes qui avaient amusé Sheilah à Ocean Park et à Venice. Cela faisait trois jours qu'il était parti. Il ressentait un désir pressant de lui envoyer un télégramme et des fleurs pour qu'elle sache qu'il ne l'avait pas oubliée, comme si elle risquait de le croire. Savoir que c'était faux ne changeait rien à ce sentiment, les ombres qui s'étendaient sur le sable jusqu'à l'eau obscure n'en étaient que plus sinistres. Dans un film à suspense, il aurait été le mari assassin, Zelda la victime sans défense, le nuit humide un prologue mélancolique. Autant qu'il s'en défende, au fond, c'était vrai.

Pour sauver sa peau, il avait assassiné ce qui autrefois était le meilleur de lui et, à sa plus grande honte, il découvrit qu'il n'avait rien sauvé.

« C'est agréable de sortir la nuit, dit Zelda en inspirant profondément et en levant les yeux vers le ciel. Quel dommage qu'il n'y ait pas de lune ! »

Il n'avait pas remarqué et chercha l'astre des yeux, comme si Zelda se trompait. Scottie l'imita.

« Ma chambre est au dernier étage, alors je sais toujours où la lune se trouve. C'est grâce à elle que les anciens savaient quelle heure il était.

– Il existe différentes lunes, dit Scottie.

– Lune bleue, pleine lune, lune rousse… croissante et décroissante…

– Donc, la marée doit être basse, conclut Scott.

– La marée haute sera plus basse, et la marée basse, plus haute. »

On aurait dit une prophétie. Elle n'aurait jamais su une chose pareille dans leur vie précédente. Même s'il s'agissait probablement d'une leçon apprise dans un livre de la bibliothèque de l'hôpital, qu'elle répétait sans comprendre, les nouvelles aptitudes de sa femme l'étonnaient. Une de ses plus grandes inquiétudes était qu'aucun avenir ne se dessine devant elle. Désormais, il pouvait se la représenter de retour chez sa mère, feuilletant des livres, se balançant sur la véranda ou jardinant dans le parc. Ce n'était pas uniquement pour apaiser sa culpabilité. Il voulait déjà qu'elle soit heureuse avant d'avoir rencontré Sheilah.

C'était seulement leur premier jour, devait plus tard faire observer Scottie pendant que Zelda était à la salle de bains, mais elle semblait plus sereine, moins frénétique.

« Nous verrons comment elle se comporte demain, répondit Scott. Merci de n'avoir fait aucun commentaire sur son chemisier.

– Si elle restait comme ça, ce serait agréable de passer du temps avec elle. »

C'est ce qu'il se disait lui aussi, mais il considérait la chose comme improbable.

Il laissa ensuite la salle de bains à Scottie afin de permettre à Zelda de s'installer, puis quand vint son tour, il prit ses médicaments et se brossa longuement les dents.

« Bonne nuit, poupée.

– Bonne nuit, papa. »

Il ne pouvait pas atermoyer plus longtemps.

Dans la chambre, Zelda l'attendait. Elle n'avait pas éteint la lumière. Elle était couchée, et ses épaules dodues dépassaient des couvertures. Même s'il y avait eu des pyjamas aux objets trouvés, elle aurait refusé d'en porter un. Au contraire de lui, l'habitude de se dépouiller de ses vêtements lors des soirées n'était pas un numéro d'ivrogne. Au plus profond d'elle-même, elle était naturiste, jamais aussi heureuse que sur une plage, sous la caresse du soleil, libérée de toutes les contraintes de ce bas monde. C'était ce côté sauvage qui l'avait séduit, le désir d'adjoindre sa hardiesse à la sienne. Il s'était trompé sur son compte – volontairement, soupçonnait-il –, de même qu'il s'était si souvent trompé sur le sien. Zelda n'y était pour rien.

Il éteignit la lampe pour se changer et s'appuya à la commode pour tenter d'enfiler la jambe de son pyjama.

« Tout va bien ?

– Maladroit, comme toujours. »

Les draps étaient moites. Il pressentit qu'il aurait bientôt trop chaud. Dans le noir, il apercevait le carreau de la fenêtre, argenté sous les lumières venues de la plage. Dans le lointain, doucement, avec la régularité d'une respiration, les vagues grondaient. Ils ne s'étaient pas retrouvés seuls comme cela depuis des mois. À Virginia Beach, elle avait été malade, se déchaînant tour à tour contre Scottie et lui avant de rester prostrée. Aujourd'hui elle semblait aller mieux. Il ne voulait pas risquer de gâcher cet instant, et il demeura immobile comme une momie, en espérant qu'elle s'endormirait la première.

Il songea à Sheilah et à son soutien-gorge, à combien elles étaient différentes et à ce que cela signifiait. Comme il le savait très bien lui-même, il était inepte dès qu'il s'agissait d'amour – si c'était bien ce dont il était question. Sa vie entière, il ne s'était donné qu'à une seule femme. Profondément romantique, jamais il n'avait imaginé qu'il pourrait ou voudrait le faire de nouveau.

Il fallait qu'il parle à Zelda, mais il craignait les effets que pourrait produire sur elle la vérité. Et ceux qu'ils auraient sur lui étaient tout aussi incertains. Pendant des années, ils avaient feint d'être attachés par un lien indéfectible, même si depuis très longtemps ce n'était plus l'un auprès de l'autre qu'ils recherchaient leur bonheur quotidien.

Dans un craquement de ressorts, elle s'assit, puis sortit de son lit. Elle marcha pliée en deux, à tout petits pas, la peau d'une blancheur spectrale dans le reflet de lumière, les bras tendus comme si elle avait eu les yeux bandés. Il craignit qu'elle ne veuille le rejoindre, mais quand son genou heurta son lit, elle se retourna pour se diriger vers la fenêtre devant laquelle il vit sa silhouette se découper. Ils étaient au troisième étage, assez haut pour qu'une chute lui fût fatale, et pourtant il ne bougea pas.

Elle soupira avec reconnaissance et lui adressa un sourire mélancolique.

« Quoi ? fit-il.

– Tu te rappelles les étoiles filantes à Monte-Carlo ?

– Bien sûr.

– Moi, je faisais des vœux. Chaque fois que nous y allions, je rêvais de nous voir gagner un million de dollars.

– Et que s'est-il passé ?

– J'étais jeune et sotte. J'aurais dû faire un autre vœu.

– Il est encore temps. Un million de dollars serait toujours le bienvenu.

– Ne te moque pas de moi.

– Je ne me moque pas. »

Il s'assit à son tour. Elle lui tournait le dos, et plus elle restait là devant la fenêtre, plus il était sûr qu'il allait finir, ne serait-ce que pour la consoler, par la rejoindre, la prendre par les épaules, poser le menton au sommet de sa tête et regarder la mer avec elle pour qu'elle ne se sente pas seule.

« Voilà, dit-elle en se détournant de la vitre, le visage dans l'ombre.

– Quel vœu as-tu fait ?

– Si je te le dis, il ne se réalisera pas. »

Elle traversa la chambre pour se rapprocher de lui. Sans aucune logique, de façon mesquine, en dépit de tout, il profita de l'occasion pour reluquer son nouveau corps. Elle fit le tour du lit et il ferma les yeux, comme pour effacer son sentiment de culpabilité, puis, incapable de résister, il les rouvrit. Elle s'était arrêtée à son chevet, aussi hardie qu'une Amazone. Au lieu de se coucher, elle s'agenouilla au bord de son lit et posa la tête sur son torse. Par reflexe ou simple charité, il lui caressa les cheveux et, les yeux plongés dans le noir, il se dit que cela n'avait aucune importance qu'ils soient mariés ou qu'il aime une version de sa femme disparue depuis longtemps. Au fond de son cœur, il n'ignorait pas que c'était mal, et pourtant il ne réussit pas à la repousser. Il ne savait pas comment il pourrait l'expliquer à Sheilah, mais il se sentirait toujours responsable de Zelda.

« Allons, dit-il en lui tapotant l'épaule. Il est tard.

– Rien que quelques secondes.

– OK, quelques secondes. »

Il songea que ce ne devait pas être confortable d'être à genoux sur le parquet, mais elle s'obstina sans se plaindre. Il y avait quelque chose de terrible dans ce respect infini, comme un tribut de sang déposé à ses pieds.

« Merci, mon bécasseau. » Elle se releva et s'attarda quelques instants au bord du lit, tel un fantôme pâle, un modèle prenant la pose, comme si elle avait voulu lui donner la chance d'y réfléchir une dernière fois, puis elle s'éloigna et se glissa entre ses draps.

« Bonne nuit, dit-elle.

– Bonne nuit. »

Derrière la vitre argentée, les vagues se brisaient sans fin, pleines d'écume. Si son vœu était de rentrer à la maison, d'être de nouveau libre, il avait le pouvoir de le réaliser. Si elle voulait qu'ils soient de nouveau ensemble comme autrefois, ce temps-là était révolu. Il ne savait pas que lui souhaiter d'autre que la paix de l'esprit – un mensonge, puisque cela aussi dépendait de lui. Pourquoi ses propres vœux lui paraissaient-ils tous irréalisables ? Même s'il trouvait le bonheur, il serait toujours affecté par le triste sort de Zelda. Tandis qu'il ressassait le problème en l'entendant respirer à son côté, il se dit que jamais il ne réussirait à s'endormir et, alors qu'il imaginait les lumières de la promenade s'éteindre les unes après les autres, les vendeurs ambulants et les stands de confiserie fermer leurs volets pour se protéger du brouillard, ses somnifères l'entraînèrent dans leur courant obscur – une reddition coutumière – et l'éloignèrent des rivages du monde.

Le lendemain matin, elle était en pleine forme : elle nagea comme une sirène et les battit au huit américain. La nuit venue, elle revint près de lui et il la tint dans ses bras de la même étrange façon, et puis encore une fois lors de leur dernière nuit, en une sorte de rituel, comme si cela leur était désormais permis. C'était plus dur de la laisser quand elle allait bien – un peu comme condamner un innocent – et, après avoir accompagné Scottie à l'aéroport, il s'arrêta au bar et commanda un double gin. Il se rappela en avoir commandé un second, puis ne garda aucun souvenir de ce qui se passa avant d'arriver à Albuquerque. Il se retrouva allongé sur une pelouse humide, le jet d'un arroseur automatique au-dessus de sa tête. Son argent avait disparu, sa veste était tachée de sang et quand il appela Sheilah, avant même qu'il prononce un mot, elle déclara qu'elle ne l'autorisait pas à lui dire des choses pareilles et elle raccrocha.

Pauvre petite fille riche

Il crut qu'ils se réconcilieraient vite, mais elle ne revenait pas. C'était de sa faute. Elle ne le supportait pas quand il buvait, et il buvait avec détermination. Il n'était plus seul en charge de *Trois camarades* à présent. Pendant son absence, et sans raison – puisqu'il avait promis de ne pas le faire –, Mankiewicz avait engagé un scénariste supplémentaire.

Scott l'avait connu au Plaza à New York : Ted Paramore, un ancien écrivaillon de Broadway qui les avait snobés, Zelda et lui, quand ils étaient la coqueluche de la ville. Pour ne pas être en reste, il l'avait mis en boîte dans *Beaux et damnés*, en baptisant Fred Paramore un personnage pleurnichard. Il crut comprendre, au début, que Paramore avait été appelé pour resserrer la structure et étayer quelques points du scénario original, que Mankiewicz aimait bien dans l'ensemble, mais il apparut bientôt clairement qu'il essayait de prendre les rênes.

Paramore était cité douze fois dans des génériques, la plupart du temps indûment, et il savait comment manipuler une réunion de production. Au lieu d'aider Scott à améliorer le scénario, il remit en question des choix établis depuis longtemps, jusqu'au nom des trois protagonistes, pourtant repris du roman. Mankiewicz écoutait ses suggestions comme si Paramore était un égal – comme s'il avait jamais écrit quoi que ce soit de mémorable. Scott se battit contre l'évidence mais perdit le combat. Sans surprise. Chaque fois qu'il avait travaillé pour Hollywood, à une exception près, la collaboration s'était traduite par la victoire d'une petite majorité qui se mettait d'accord pour essayer de séduire le plus grand nombre avec les effets les plus faciles. L'exception en question, comme il se plaisait à le répéter à qui voulait bien l'entendre, c'était Thalberg, et Thalberg était mort.

« Quelle chance il a, ce salopard ! » s'exclama Dottie.

Une ligne après l'autre, une scène après l'autre, Paramore exerçait sa vengeance, et Scott n'y pouvait rien. Chaque semaine arrivaient de nouvelles instructions qui réduisaient à néant le travail qu'il avait consciencieusement rendu. Alors qu'ils occupaient des bureaux dans le même couloir, tout près de celui de Mankiewicz, ils ne s'adressaient pas la parole. La secrétaire de Scott portait ses corrections à celle de Paramore, et vice versa. Chaque coup frappé à la porte était la promesse d'un nouvel assaut. De temps à autre, quand Paramore avait dépassé la limite de ce qu'on pouvait faire subir à son texte, Scott songeait sérieusement à traverser le couloir pour aller mettre une raclée à ce misérable intrigant, et il l'aurait fait s'il avait pu renoncer à son chèque.

« Mais que crois-tu que nous faisons, tous ? demanda Dottie. Ne pense surtout pas que nous frayons tous avec des comtesses.

– Rendez-vous compte, il fait dire "Sacrebleu !" à un officier allemand !

– Comment dit-on ça en allemand ?

– Demandons à la comtesse », suggéra Alan.

Au Jardin, il passait ses soirées à boire avec Bogie et Mayo, exécutait des sauts périlleux et des demi-saltos arrière, et barbotait dans la piscine jusqu'à ce que la nuit tombe et qu'il ait les doigts tout fripés. Comme celui de tous les célibataires, son réfrigérateur était vide, et Dottie et Alan devaient le pousser à se nourrir. Il faisait venir des sandwiches de chez Schwab's, noyant le pastrami trop salé dans la bière fraîche. Assis dans un transat dans le petit bassin, il surveillait le balcon de la maison principale pour apercevoir Alla, mais elle n'apparaissait jamais, les fenêtres demeuraient obstinément sombres.

Sheilah ne cessait de repousser leurs retrouvailles, alléguant qu'elle devait rencontrer le marquis, sans plus de raison spécifique. Scott y voyait une punition. Il était certes jaloux, mais aussi en colère contre elle. Il ne lui avait pas caché qu'il n'était qu'un sale poivrot, et la première fois où Mr Hyde pointait le bout du nez, elle disparaissait.

Qu'il l'ait avertie démontrait seulement qu'il savait y faire.

« Connaître ses limites ne résout pas tout.

– Cela devrait, pourtant », rétorquait-elle.

Ces derniers temps, ils n'arrivaient pas à sortir de ce type d'impasse, le silence de Sheilah au téléphone tombait comme un verdict. Qu'il reconnaisse avoir mal agi ne suffisait pas. Elle voulait des promesses dont elle pourrait se servir contre lui la prochaine fois qu'il transgresserait les limites. Il ne lui dit pas combien de fois Zelda et lui avaient joué cette même scène, avec de multiples variations. Ses frasques duraient alors parfois plusieurs jours, il disparaissait dans des quartiers bizarres, se retrouvait devant des hangars, des issues de secours et des portes dérobées au fond de venelles obscures qui ouvraient sur un monde magique, le temps et ses règles étaient abolis tandis qu'il pourchassait les levers de soleil sur les toits et dansait le slow au milieu des ponts ; il ne s'arrêtait que lorsqu'il était à court d'argent ou d'amis et qu'il lui fallait rentrer pour faire face au désastre, à tout ce terrible gâchis. Un jour, involontairement, il lui avait fait mal, claquant une porte pour mettre fin à une dispute sans s'être rendu compte qu'elle marchait sur ses talons. Tout un côté de son visage avait enflé et bleui, et il avait promis de s'amender. À sa plus grande honte, il était resté le même, rien qu'un peu plus vieux et plus las aujourd'hui.

Je suis tellement heureuse que nous ayons pu être tous les trois comme au bon vieux temps, écrivit Zelda. *La mer m'a fait du bien, toi et Poupée aussi. Les huîtres et le sable qui s'accroche aux draps me manquent déjà. Le Beachcomber a vieilli avec grâce, comme une grande dame enroulée dans un châle de dentelle irlandaise. Le Dr Carroll dit que Noël n'est pas une idée inenvisageable, mais ne crois-tu pas que je devrais en profiter pour tenter un séjour à la maison ? Le poignet de maman va mieux, et Sara pourrait venir me chercher en voiture, si tu en es d'accord. Ici, c'est déjà l'automne, et chaque route ensoleillée me ramène à la poussière dorée de l'été et à ta cravate qui flottait au vent sur la promenade de la plage.*

Il ne savait que trop bien à quelle vitesse son humeur pouvait changer, surtout après une longue période de rémission, et il s'attendait à apprendre, d'un jour à l'autre, qu'elle avait agressé quelqu'un, ou qu'elle s'était blessée, ou réfugiée dans ce lieu lointain dont il avait fini par comprendre que c'était pour elle un ultime exil volontaire. Ayant lui-même choisi de battre en retraite, il ne pouvait pas imaginer qu'elle puisse réussir à s'évader.

Il était toujours bouleversé par ces visites. Dans ces moments d'inconduite, il se réjouissait presque de ne pas devoir affronter Sheilah, même si elle lui manquait. Il lui fit porter des roses et lui adressa des poèmes, la suppliant de le pardonner. Elle ne se laissa pas émouvoir, mais comme il se l'était dit, elle était trop bien élevée pour ne pas en accuser réception.

« Arrête, je t'en prie.

– Pourquoi ?

– Parce que je n'ai plus de vases.

– Je t'en offrirai d'autres.

– Je n'en veux pas d'autres. Je veux que tu cesses de boire.

– J'ai arrêté.

– Il est neuf heures du matin.

– Je n'ai pas bu une goutte depuis deux jours. » Ce qui était vrai, en comptant ce jour même.

« Je veux dire, pour de bon.

– J'essaie », mentit-il.

Elle refusait toujours de le voir, et il flottait donc dans ces limbes amers. Un après-midi où il rôtissait dans son bureau au Poumon d'acier, il reçut un télégramme, expédié non pas par Ober, Max ou le Dr Carroll, mais par Ginevra King.

Elle se trouvait à Santa Barbara où elle rendait visite à son fils Buddy dans une clinique, et elle avait entendu dire que Scott travaillait à la MGM. La semaine suivante, elle devait venir à Los Angeles pour affaires et elle se demandait s'ils pourraient se voir.

Il se sentit d'abord dans la position d'un fugitif acculé par ceux qui le pourchassent. Il n'avait pas parlé à Ginevra depuis vingt ans et ne s'attendait pas à ce que cela se reproduise un jour. Il l'avait aimée d'un amour pur, avec la passion d'un jeune étudiant, leur histoire ayant surtout consisté en un échange de lettres assidu et quelques séjours chez ses parents à Lake Forest, où on les surveillait de près. C'était là qu'il avait pour la première fois connu l'atmosphère raréfiée du monde des privilégiés – la ronde des villas de vacances et des stations balnéaires au nord créées par les fondateurs de Chicago et fréquentées par les nouveaux riches – dans le cercle desquels, malgré son cynisme de pauvre Irlandais, il aspirait à entrer et où, grâce à elle, il fut accepté. Après qu'elle l'eut laissé tomber pour épouser le fils d'un associé de son père, il continua à rêver de sa maison, des portes-fenêtres donnant sur la terrasse en pierre, des pelouses qui descendaient en pente douce vers le ponton et l'eau étincelante : une idylle perdue qu'il essayait toujours de recréer, sans jamais y réussir de façon durable, même si, sur le papier, il y parvenait presque. Autrefois, il eût été flatté de savoir qu'elle pensait encore à lui, mais c'était il y a bien longtemps. Il songea, même s'il n'en éprouvait pas de réel bonheur, qu'il arrivait à présent à repenser paisiblement au rôle qu'elle avait tenu dans sa tristesse d'adolescent, avec une nostalgie que le temps et la consolation de l'écriture avaient graduellement adoucie, jusqu'à la transformer en une douce mélancolie. Telle était la Ginevra qu'il regrettait, la Ginevra qui lui ouvrait tant de portes et lui avait laissé des souvenirs parfaits, et non pas cette Ginevra Mitchell dont le malheureux fils était l'héritier des butins accumulés au siècle précédent.

En même temps, il était curieux, et quelque peu flatté. Vraisemblablement, elle avait lu ses livres, peut-être même avait-elle reconnu le couple qu'ils formaient autrefois dans ses personnages. Aujourd'hui, elle ne pouvait plus le blesser, pensa-t-il, et il avait envie de voir à quoi elle ressemblait et de l'entendre lui raconter sa vie – comme si sa beauté et son destin d'exception pouvaient rétroactivement justifier le passé douloureux. Une autre partie de lui, plus naïve, se disait qu'elle l'avait peut-être recherché pour lui présenter enfin ses excuses, lui déclarer qu'elle avait commis une erreur. Aussi absurde que fût cette idée, le fait qu'elle l'ait ainsi poursuivi n'était-il pas un aveu ? Pourquoi voulait-elle le revoir si ce n'était pour ranimer leurs anciens sentiments ?

Il le raconta à Sheilah, comme pour se moquer de lui-même, le malheureux soupirant éconduit.

« Suis-je censée être jalouse ?

– Elle est mariée.

– Toi aussi.

– C'est vrai, toi, tu es seulement fiancée. »

Son silence lui fit comprendre qu'il avait dépassé les limites. Avant qu'il ait pu s'excuser, elle demanda : « Est-ce que tu réfléchis une seconde avant de dire ces choses, ou bien est-ce qu'elles te jaillissent de la bouche sans crier gare ? »

Comment répondre ?

« J'espère que vous passerez un moment délicieux. »

Si elle pensait que cela l'arrêterait, elle se trompait. Il était désormais résolu à faire de cette rencontre un succès pour démontrer qu'il se comportait en galant homme, qu'il n'avait rien de sordide.

Les négociations pour fixer les détails de ces retrouvailles lui rappelèrent que Ginevra était insaisissable et qu'elle n'agissait jamais que selon son bon plaisir. Il téléphona à son hôtel et laissa un message pour lui dire qu'il avait bien reçu son télégramme. Deux jours plus tard, elle le joignit au Jardin : elle avait toujours la même voix grave et fascinante. Rien que parler avec elle le remplit de culpabilité, et il sentit ce que leur projet avait d'illicite. Elle voulait qu'il la retrouve à une soirée, ce samedi, chez un ami à Santa Barbara. Il était libre ce jour-là, mais c'était trop loin sur la côte et il avait envie de la voir seule ; il prétendit qu'il était déjà invité. Il lui offrit de dîner ensemble dimanche soir au Malibu Inn, à mi-chemin. Elle répondit qu'il lui fallait consulter son agenda, et le lendemain, elle proposa un déjeuner le lundi au Beverly Wilshire, parce qu'elle avait des rendez-vous en ville cet après-midi-là. C'était un compromis. Il était certes plus facile de se voir de jour, sans la mer ni les étoiles, mais il restait le cadre romanesque d'un grand hôtel, et également, si les choses se passaient mal, la possibilité de s'échapper facilement.

Il s'abstiendrait de boire pour elle. Ce week-end-là, il refusa tous les verres qu'on lui proposait, ce qui poussa Bogie et Mayo à mettre le feu à son paillasson. Le matin, pendant qu'ils cuvaient leur cuite, il remplaça le sien par le leur, tira leur sonnette et s'enfuit.

Il se précipita ensuite au Bullock's Wilshire pour acheter deux chemises hors de prix, en regrettant, tandis qu'il fouillait les rayons, que Sheilah ne soit pas là pour l'aider. Il ne réussit pas à trouver de cravate à son goût, et le lundi matin, désespéré par ses propres exigences, il choisit finalement celle à rayures que Zelda avait dénichée chez Hermès lors d'un de leurs premiers voyages à Paris. Ainsi que beaucoup d'hommes dans la quarantaine, il avait tendance à s'habiller dans le style de sa jeunesse, comme si c'était encore à la mode. Sa veste à chevrons avait été deux fois rapiécée aux coudes, la doublure avait été recousue, mais du moment qu'elle lui allait encore et qu'elle était propre, il ne voyait aucune raison de cesser de la porter. De même, le pantalon à taille haute et les chaussures basses et bicolores qu'il mit pour aller déjeuner avec Ginevra criaient « 1922 » aux oreilles du voiturier et du maître d'hôtel, comme s'il était tout droit sorti d'un court métrage de Harold Lloyd : le jeune dandy amoureux qui finit par rentrer à pied après s'être fait renverser par le tacot des amoureux.

Il arriva en avance et on le conduisit à une table près d'une fenêtre qui donnait sur la large et engageante entrée d'un club de loisirs de l'autre côté du boulevard, ce qui lui sembla parfaitement adapté. La dernière fois qu'ils s'étaient vus, c'était au club des parents de Ginevra, à un bal de fin d'été, les globes en papier des lanternes japonaises flottant dans le feuillage des chênes verts. Elle avait insisté pour qu'ils déchirent leur carnet de bal et dansent ensemble toute la soirée, évitant tout un défilé de prétendants de bonne famille qui voulaient faire valoir leur droit au changement de partenaire. Garçons tout simples du Midwest, ils n'avaient aucune chance face aux caprices tyranniques de Ginevra, et c'est dans cette même triste position qu'il s'était retrouvé un mois plus tard à Princeton quand, sans la moindre explication, elle avait décidé de rompre. Ils s'étaient appartenus et, avec l'arrogance de la jeunesse, ils s'étaient dit qu'il en serait ainsi pour toujours, mais d'un jour à l'autre, elle n'avait tout simplement plus voulu de lui. Il avait encore sa lettre, la dernière d'une grosse liasse qui l'avait suivi de Saint Paul à Cannes, en passant par Great Neck, et qui se trouvait, avec l'ensemble de ce qu'il possédait, dans un hangar cadenassé des abords de Baltimore. Il regretta de ne pas l'avoir sur lui ce jour-là, non plus que plusieurs des réponses qu'il avait préparées, mais jamais envoyées, par orgueil ou par désespoir.

Un serveur s'approcha. « Quelque chose à boire en attendant, monsieur ?

– Un verre d'eau, ce sera très bien. »

Bien que là depuis peu de temps, il était seul dans l'immense salle et déjà, la nervosité causée par cette rencontre lui faisait craindre qu'elle ne vienne pas. Dans ce cas, il se dirigerait vers le bar où il resterait tout l'après-midi, plutôt que de retourner au bureau et de subir les affronts de Paramore. De l'autre côté du boulevard, deux femmes en culotte de golf commençaient leur parcours, leur drive lui rappelant l'élégant swing de Zelda. Quand il se retourna pour regarder vers l'entrée, le maître d'hôtel marchait droit vers lui entre les tables, suivi de près par Ginevra.

Il se leva et recula sa chaise, les laissant s'approcher comme un marié devant l'autel.

Elle était encore étonnamment belle – mince, dotée de longues jambes et de bras fins, les cheveux noirs d'une gitane et des yeux d'un bleu éblouissant, dont la broche en saphir qu'elle portait sur le cœur rehaussait encore l'éclat. Mis à part le chignon bien net qui lui dégageait le cou, elle n'avait pas changé, ce qui lui fit prendre péniblement conscience de son propre teint bistre, comme si son riche mariage l'avait protégée des vicissitudes du temps. Ce fut seulement quand elle fut près de lui qu'il remarqua les rides d'inquiétude qui lui marquaient les yeux et les vaines tentatives déployées pour les faire disparaître sous le maquillage.

Elle lui décocha son plus beau sourire, lui prit mollement la main et l'embrassa sur les joues.

« J'espère ne pas t'avoir fait attendre. »

Je t'ai attendue ma vie entière, aurait-il pu répondre. « Pas du tout. »

Le maître d'hôtel leur tendit les menus et s'éloigna.

« Tu es toujours aussi jolie.

– Merci.

– Je suis heureux de te voir.

– Moi aussi. »

Il lui demanda des nouvelles de ses parents, et elle fit de même. Elle se désola de la disparition de sa mère.

« Comment va Buddy ?

– Bien. Je ne réussis pas à le voir aussi souvent que je voudrais, mais cette clinique a fait des miracles pour lui. »

Du temps où il la connaissait, elle était célèbre, dans le monde privilégié de la Gold Coast, pour ne pas savoir tenir sa langue.

Aujourd'hui, telle Garbo, elle avait la réserve d'une reine, donnant l'impression que chaque mot était soigneusement pesé alors qu'en réalité, elle ne disait rien. Il espérait qu'elle lui explique pourquoi elle avait souhaité le revoir, mais elle sortit une paire de lunettes de son sac à main et se plongea dans le menu. Les prix étaient exorbitants pour un déjeuner.

« As-tu déjà mangé ici ? dit-elle.

– Pas depuis des années.

– Je me demande si la sole est bonne. »

De quoi parlaient-ils quand ils étaient ensemble ? D'eux-mêmes. De leurs projets. De la prochaine fois où ils se verraient. De comment ils pourraient faire pour se retrouver seuls. Tout en elle lui paraissait intrigant à cette époque ; chaque moment, intense. Aujourd'hui, ils étaient assis face à face, comme des étrangers ou, pire encore, comme un vieux couple.

Avec la sole, elle commanda un verre de vin. Il demanda un Coca.

« Alors, dit-elle. Parle-moi de Hollywood.

– Eh bien, ce n'est pas exaltant. Je vais au bureau le matin, je rentre chez moi le soir.

– Je suis sûre que c'est aussi plus que ça. »

Il aurait pu lui parler des parties de cartes avec Clark Gable ou de sa rencontre avec Dietrich, mais il choisit la vérité. « C'est bien payé et on rencontre des gens intéressants.

– Ça a l'air idéal.

– Effectivement, répondit-il, surpris de se trouver pour l'essentiel d'accord avec lui-même. Et comment va cette bonne vieille ville de Chicago ?

– De fait, je suis retournée à la maison. Bill et moi avons… » Elle agita une main devant son visage et secoua la tête. « Que de soucis… »

Pour un aveu de cette envergure, les mots étaient étonnamment légers, comme si elle avait eu des ennuis avec son jardinier. Il sentit qu'elle jaugeait ses réactions.

« Je n'ose pas te poser de questions…

– Oh, il n'y a rien de scandaleux. Il semble seulement que nous soyons incapables de nous entendre. Cela dure depuis des années. Et finalement, nous avons atteint le point de non-retour.

– J'en suis désolé. » Il attendit, lui laissant l'initiative de poursuivre.

« Les choses seront annoncées officiellement la semaine prochaine. Je voulais le dire à Buddy en personne, ce qui m'a coûté, mais il le fallait. Je ne suis pas sûre de ce qu'il comprend. Je pense que la situation lui paraîtra difficile quand il rentrera pour les vacances. Il a tellement l'habitude de nous considérer comme une entité.

– Évidemment », compatit Scott sans rien lui confier de sa propre vie divisée et il eut le sentiment d'être malhonnête.

Était-ce la raison pour laquelle elle était venue, pour lui apprendre la nouvelle ? Devait-il s'estimer vengé ? Ou bien être désolé pour elle ? Parce que aujourd'hui, tout paraissait doublement triste, un véritable gâchis. Avant Zelda, il n'avait jamais rencontré personne qu'il trouve plus douée pour le bonheur.

« Tu as des enfants ? demanda-t-elle.

– Une fille. Une jeune demoiselle, devrais-je dire.

– Quel âge a-t-elle ?

– Déjà trop vieille. Et plus intelligente que son père, Dieu merci.

– Comment s'appelle-t-elle ? »

Pendant qu'il racontait les détails les plus factuels, il se rendit compte qu'il la tenait à distance, comme si le malheur de Ginevra le faisait inexplicablement se sentir supérieur. Il l'avait connue autrefois, mais imparfaitement, comme de loin. Tout le temps où ils se fréquentaient, suivant les usages en vigueur dans cette société élégante, ils évoluaient sous les regards attentifs des parents de la jeune fille et des autres membres de leur club. Malgré tout ce qu'ils s'étaient promis, Sheilah et lui avaient connu davantage d'intimité dès la première semaine de leur relation.

« Et ta femme ? » dit-elle.

Il était rarement confronté à cette question, ne serait-ce que parce que la plupart de ceux qu'il côtoyait connaissaient la réponse. Qu'elle ignore tout de la situation semblait peu probable, et pourtant elle l'avait interrogé de façon désinvolte, sans marquer plus d'intérêt qu'il ne seyait.

« Elle est restée dans l'Est. Hollywood ne lui convient pas très bien.

– Trop chaud ?

– Trop chaud, trop sec, trop de tremblements de terre.

– Tu es ici pour combien de temps ? »

De nouveau il eut l'impression de se dérober, et fut soulagé de voir le serveur s'approcher de leur table, un plateau à la main. Il était soudain affamé et il s'aperçut qu'il n'avait rien avalé d'autre ce jour-là que ses médicaments.

Plutôt que de laisser le silence s'installer, ils se sentirent obligés de continuer à parler tout en mangeant. Que faisait-elle ? En plus de prendre soin de sa famille, elle faisait du bénévolat à l'église et au YWCA[1]. Elle siégeait au conseil d'administration de l'école de Buddy. Elle jouait au golf, faisait de la natation et du cheval. Elle voyageait. Autrefois, il avait aspiré à ce genre de vie tranquille et confortable, tout comme il avait rêvé de vivre avec elle. Il avait eu sa chance d'y accéder plusieurs fois, mais, toujours, ses plans avaient tourné à la catastrophe, et il se demandait s'il n'en était pas constitutionnellement incapable.

Ginevra face à lui, il découpait sa sole, et tandis que le monde poursuivait sa course brillante au-dehors, il songea à Zelda et à ce qu'elle devait faire en ce moment précis. En milieu d'après-midi, comme les enfants, les patients avaient un moment tranquille. Elle était peut-être en train de lire ou d'écrire une lettre. Il l'imagina assise

1. Young Women's Christian Association.

dans un fauteuil en osier dans la salle commune, le soleil filtrant à travers les stores.

« Tu sais que nous sommes tous très fiers de toi chez nous, dit Ginevra. Non que cela m'ait surprise. Tu as toujours eu un tel talent avec les mots. Je me rappelle que tes lettres me faisaient rire. C'est une des raisons pour lesquelles tu me plaisais.

– Pas la seule, j'espère.

– Tu étais terriblement beau, et tu le savais.

– Rien de très admirable là-dedans.

– J'étais tout aussi vaniteuse. Pire, même.

– Mais non, seulement plus jolie.

– J'avais très peur à l'idée de t'envoyer ce télégramme, l'autre jour. Tu ne trouves pas ça drôle ? Je n'étais même pas sûre que tu veuilles me voir.

– Et pourquoi pas ?

– Parce que je m'étais montrée égoïste et méchante.

– Tu étais jeune », dit-il, et même si cela risquait d'être un argument un peu léger pour prononcer l'acquittement, il n'avait guère besoin qu'elle s'explique ou s'excuse davantage. Il lui suffisait qu'elle ait reconnu non pas ce qu'elle avait fait, mais tout simplement, l'importance qu'il avait pour elle. Bizarrement, après s'être torturé pendant toutes ces années, il ne voulait pas qu'elle se sente coupable.

« Comment était ta sole ? demanda-t-il.

– Très bonne, et la tienne ?

– Délicieuse. Très bon choix.

– Si près de l'océan, le poisson ne peut qu'être parfait. »

Quand il avait accepté de la voir, il avait craint qu'ils ne trouvent rien à se dire. Maintenant, alors qu'ils avaient réussi à aborder l'innommable passé, leurs souvenirs remontaient sans peine. Elle gardait un souvenir vif de leurs jours et de leurs nuits sur le lac. La seule évocation du hangar à bateaux la fit sourire.

« Je n'étais pas une fille très sage, n'est-ce pas ?

– Tu étais merveilleuse. »

Elle devait retrouver des amies à une heure, ils renoncèrent donc au dessert et attendirent celles-ci au bar. Elle prit un second verre de vin et, pour fêter leur amitié, il commanda un Tom Collins. Il avait oublié le pouvoir fascinant de ses yeux, ce bleu azur si désarmant. L'alcool et sa joie toute neuve le galvanisèrent.

« Ton mari est un imbécile.

– Je t'en prie. Tu ne le connais pas du tout.

– Inutile. Comment un homme peut-il ne pas t'adorer ?

– Tu veux dire, comment un homme a-t-il pu me supporter aussi longtemps ?

– Tu n'es pas aussi affreuse que tu le crois. »

Elle éclata de rire. « Tu as la mémoire courte.

– Je n'ai pas la mémoire courte. Quelle a été ma source d'inspiration durant toutes ces années ?

– Je ne comptais pas en parler. Je me suis reconnue dans plusieurs de tes personnages.

– Quelle garce penses-tu avoir inspirée ? »

Elle eut un petit sourire.

« Toutes.

– Faux. Seulement les plus irrésistibles.

– Je suppose que je devrais être flattée.

– Absolument. »

Il avait envie de lui demander lesquels de ses romans elle avait lus, et ce qu'elle en pensait, mais il n'y parvint pas, et il la laissa le cuisiner sur la vie d'écrivain, sur son existence à New York, puis sur la Riviera. Il aurait aussi aimé savoir si elle regrettait de n'avoir jamais quitté Chicago, et s'imagina ce qui se serait produit si, après la naissance de Scottie, ils étaient restés à Saint Paul.

Ses amies arrivèrent trop vite, un trio de robustes dames de la bonne société portant d'élégants chapeaux à voilette, qui auraient pu nimber Ginevra du charme mystérieux d'une mariée, mais qui leur donnaient en l'occurrence une allure d'apicultrices mal fagotées. Elle le présenta comme un vieil ami très cher. Elles le jaugèrent comme s'il était son nouveau soupirant.

« Désolée, les filles, il est déjà pris », dit-elle, les faisant rire à peu de frais.

Ils se quittèrent comme ils s'étaient retrouvés, après avoir échangé sourires et banalités. *Ravie de t'avoir revu. Nous ne devrions vraiment pas attendre vingt ans pour recommencer*. Il serra ses doigts entre les siens en l'embrassant sur la joue, puis la regarda s'éloigner.

« Splendide », s'émerveilla-t-il quand il fut seul au bar, un peu désorienté et perdu dans ses pensées. Il avait espéré que la revoir permettrait finalement à son fantôme de reposer en paix, et voilà qu'elle surgissait, vivante et bien réelle. Il avait envie d'un autre verre, mais songea à Sheilah. Bien qu'ayant prétendu ne pas s'y intéresser, elle allait demander comment s'était déroulé leur déjeuner, et pour répondre, il faudrait qu'il ait les idées claires. À contrecœur, avec l'indignation d'un esclave, il reprit le chemin des studios et passa l'après-midi à rétablir une scène que Paramore avait estropiée. Quand il partit du bureau à six heures, il se sentait incroyablement vertueux.

Toute la soirée, il attendit qu'elle téléphone, l'horloge de la cuisinière et les informations à la radio mesurant les heures. À onze heures et quart, il l'appela, laissant sonner au cas où elle aurait été en train de franchir le seuil, ensuite il reposa doucement le combiné et fit le tour de la pièce pour éteindre les lumières.

Quand il essaya à nouveau de la joindre, le lendemain matin, elle ne répondit pas, même si cela n'était pas vraiment exceptionnel. Sur le site, avant de pointer, il s'arrêta au kiosque et parcourut sa chronique. Parmi les rumeurs de casting et les communiqués de presse des studios, il y avait un entrefilet concernant Dick Powell et June Allyson qui partageaient un moment intime à une table du

Victor Hugo. Il se dit qu'il n'avait aucun droit d'être jaloux, aucune raison non plus. Même si ce n'était pas moins douloureux, il était possible qu'elle ait été occupée à travailler plutôt qu'à l'ignorer avec détermination.

Aucune de ces deux suppositions ne se vérifia. Ce soir-là, lorsqu'il la rappela, elle s'excusa. Elle était avec Donegall.

Il s'accrochait au manteau de la cheminée, tremblant sur ses jambes comme s'il avait reçu un coup de poing. À bien y penser, il aurait dû s'en douter.

« J'ai rompu. »

Tout ce qu'il dirait risquait de l'engager, il se contenta donc d'affirmer qu'il était navré.

« Je me suis sentie très mal après le lui avoir avoué. C'est un brave homme. Le pire est que, sans doute, il serait prêt à me garder malgré tout.

– Que lui as-tu dit ?

– Que je ne pouvais pas l'épouser puisque je suis amoureuse de toi. »

Il y eut un long silence, comme si la communication avait été coupée.

Elle suffoqua, lâchant un gémissement sourd qui se transforma en un sanglot violent, et elle se mit à pleurer. « J'ai été cruelle avec lui, Scott. J'ai été cruelle – et tout ça parce que tu ne supportais pas d'être seul. Je n'ai jamais choisi de t'aimer. J'ai tout fait pour ne pas m'attacher à toi, mais tu m'as forcée en revenant sans cesse à la charge, en m'envoyant des fleurs. Pourquoi as-tu fait une chose pareille ? »

L'intensité de son désespoir l'effraya et l'émut à la fois, davantage sans doute que tout désir qu'il pouvait éprouver pour elle. Il n'avait jamais mesuré à quel point elle était malheureuse. Son aveu d'impuissance lui donna le vertige et lui fit peur. Il reconnaissait sa part de responsabilité, et il se jura de tenter de se montrer digne du sacrifice auquel elle avait consenti.

« C'est bien que tu le lui aies dit. Il devait de toute façon s'en douter.

– Absolument pas.

– Alors il vaut mieux qu'il l'ait appris maintenant. Tu as agi de façon respectable.

– Justement, je n'ai pas été *respectable.* Il me respectait et moi, je l'ai trompé. Nous ne sommes pas des gens respectables, nous sommes des menteurs ! Dis-moi un peu à quoi nous jouons ! Tu ne m'aimes pas, tu m'as désirée, c'est tout. Et aujourd'hui, je ne suis plus sûre que tu veuilles de moi. Tu préfères boire et courir après une de tes ex qui t'avait jeté comme un malpropre.

– Ne dis pas ça. Et puis, je ne cours après personne. » Il aurait pu ajouter que c'était elle qui l'avait évité, mais il choisit de se montrer diplomate. Il lui assura qu'il l'aimait et promit d'essayer de cesser de boire. Il dit tout ce qu'il trouva à dire, hormis qu'il se marierait avec elle, mais, tout en lui affirmant pour la tranquilliser qu'elle avait fait pour le mieux, il craignait – surtout après avoir revu Ginevra – de ne pas l'aimer autant qu'il l'aurait dû.

Quand elle lui demanda comment s'était déroulé le déjeuner, il lui servit un récit factuel, succinct et incomplet, et elle l'accueillit avec scepticisme.

« Tu es sûr de ne plus l'aimer ?

– Je ne l'avais pas revue depuis vingt ans.

– Tu ne réponds pas à ma question.

– Non. Je ne l'aime pas. Je ne la connais même plus.

– Est-ce la même chose qui nous attend ? »

L'affirmation intimidante d'un « nous » mise à part, la question n'avait pas de réponse possible, elle restait presque rhétorique.

« Quoi qu'il advienne, dit-il, je sais que je suis plus heureux quand tu es là. J'ai détesté ne pas te voir toute cette semaine.

– Je n'étais pas heureuse non plus. Je me sentais tellement mal que je ne parvenais pas à manger.

– Tu as tout de même réussi à aller au Victor Hugo.

– C'est là que nous sommes allés. Oh, Scott, c'était affreux. Il pensait que nous passions tout simplement une soirée agréable. Durant tout ce temps, j'avais envie de vomir. »

Qu'elle ait été assez forte pour lui raconter toute l'histoire était bon signe. Après avoir écouté ses aveux, il lui demanda si elle voulait qu'il vienne.

« Non, j'ai besoin de dormir. J'ai un rendez-vous de bonne heure à Republic, là-bas dans la vallée. »

Il insista pour lui prouver qu'il en avait vraiment envie, mais elle demeura inflexible. Ils dîneraient ensemble le lendemain, dans un endroit agréable, loin de Hollywood. Elle paraissait sereine, redevenue la Sheilah pragmatique et sûre d'elle qu'il admirait ; après lui avoir souhaité une bonne nuit, seul dans le silence du bungalow, il se sentit gêné et un peu honteux d'avoir laissé la panique le gagner. Quelle que soit la façon de considérer les choses, il l'aimait. De même que son passé appartenait à Zelda, réalistement, il pouvait se dire que son avenir était avec Sheilah.

C'est sans doute pourquoi, quelques soirs plus tard, il s'étonna, après deux-trois cocktails au bord de la piscine, de se retrouver le téléphone à la main, près de sa cheminée, à parler avec Ginevra.

Pendant plusieurs semaines, il s'entretint régulièrement avec elle, sans jamais l'avouer à Sheilah, mais malgré la promesse répétée de se revoir un jour prochain, ils n'en firent jamais rien. Et lorsqu'elle repartit pour Chicago afin de conclure son divorce, ils perdirent contact. Il ne fut pas tellement surpris quand, juste avant le 11 novembre, il reçut au courrier une invitation à son mariage, célébré dans la maison de ses parents à Lake Forest. Il était toujours en possession du carton d'invitation à son premier mariage, conservé avec ses autres lettres, et, tel ce douloureux souvenir, il ne put jeter à la poubelle cette réédition moins ostentatoire : il la rangea dans un vieux carton à chapeau de sa mère, sous ses comptes de droits d'auteur, ses chèques annulés, les lettres de Scottie et de Zelda – une cachette d'où, de temps à autre, pour se distraire de son travail d'écriture, il la tirait, relisant les lignes en relief dorées et se souvenant de ce qu'il avait éprouvé la première fois qu'elle l'avait embrassé à l'ombre du hangar à bateaux, lui tenant le visage à deux mains, le fixant de ses yeux brillants, et de la façon dont, comme deux enfants naïfs qu'ils étaient, avec le plus grand sérieux et la plus grande sincérité, ils s'étaient juré de s'aimer toujours.

Lily

Durant tout l'automne, l'Est lui manqua : la mélancolie des feuilles qui jaunissent, la bonne odeur du bois qui brûle tandis que les jours raccourcissent. La pluie si triste quand les après-midi deviennent plus sombres, les écureuils qui s'empressent d'entasser des glands en prévision de l'hiver. Ici le soleil restait immuablement éclatant sur les palmiers, les voitures et les boulevards. Des vents brûlants soufflaient du désert, le flanc des collines s'embrasait, comme pour se moquer de sa saison préférée.

C'est à cette époque de l'année que Princeton exhibait le plus fièrement son architecture néogothique. Au crépuscule, les fenêtres en ogive de l'Old Nassau luisaient comme celles d'un monastère, et en traversant l'esplanade centrale, alors que l'horloge égrenait chaque quart d'heure et que les hirondelles tournoyaient autour du beffroi, on aurait pu se croire en Angleterre, un ou deux siècles auparavant. C'était peut-être une question de sensibilité, ou simplement de fatigue, mais il ne trouvait rien de romantique dans la jeune Californie, brillante et inachevée.

UCLA était un vaste ouvrage en briques qui s'efforçait autant que possible de ressembler à un campus avec ses cubes austères. Même le stade de football, une copie en béton du Colisée, vestige des Jeux olympiques, paraissait beaucoup trop grand. Chaque samedi, Sheilah et lui rejoignaient les étudiants sur les gradins pour admirer Kenny

Washington évoluer sur la pelouse. Dans son école privée, Scott avait été quarterback remplaçant, petit mais vif, avec un bras qui partait comme un coup de feu. Un de ses souvenirs les plus chers était ce jour boueux de novembre à Groton où il avait remplacé son titulaire et fait gagner Newman pourtant mal parti. Il avait pris des coups, plongeant sans arrêt au milieu des défenseurs pendant les attaques, ces derniers le mettant à mal quand il se retrouvait sous la mêlée. Ce qu'il avait d'abord pris pour une crampe s'était révélé par la suite dans la salle d'entraînement être une côte fracturée. Cela avait fait sa gloire sur le campus, après des débuts quelque peu difficiles, et même si à Princeton il avait été éliminé au premier tour à cause de sa petite taille, il avait gardé un profond respect pour le caractère héroïque de ce sport et pour tous ceux qui s'y adonnaient avec grâce et courage.

Seul Noir d'un monde extrêmement fermé, Kenny Washington subissait un sale quart d'heure après le sifflet final et était victime de divers coups tordus, mais jamais il ne se plaignait aux autorités. Il se vengeait directement, balançant des directs sous prétexte d'écarter ses adversaires, piétinant impitoyablement les défenseurs, ou bien, quand il quittait son rôle d'attaquant pour celui de défenseur, surgissant des lignes arrière pour écraser leur quarterback. Scott tenta d'expliquer à Sheilah quel joueur exceptionnel ils avaient sous les yeux, mais ce sport ne l'intéressait guère. Elle n'assistait au match que pour être avec lui.

Depuis qu'elle avait rompu avec Donegall, ils s'appliquaient tous deux à passer davantage de temps ensemble. Il n'avait pas l'habitude de sortir avec une femme active et d'attendre sans cesse qu'elle ait fini de travailler. Elle avait un rythme infernal et semblait être en permanence au volant de sa voiture. Une partie de ses activités avait lieu hors de la ville, et ils goûtaient leurs rares week-ends libres comme un couple marié en faisant la grasse matinée et en prenant le petit déjeuner sur son balcon. Il était plus souvent chez elle que l'inverse, et pourtant, malgré la brosse à dents supplémentaire et le tiroir de sa commode qu'elle lui avait cédé, il avait toujours l'impression d'être en visite. Au journal, on avait la même idée des convenances qu'aux studios. Il pouvait l'accompagner aux premières et aux remises de prix, mais pas question d'emménager avec elle.

D'ailleurs elle ne le souhaitait pas, c'était du moins ce qu'elle affirmait, comme si cette générosité devait être portée à son crédit. Elle aimait vivre seule et supposait que lui aussi. C'était faux dans le cas de Scott, mais au cours des dernières années, il s'y était habitué, condamné par le destin à cette solitude. Toutefois, avoir son propre appartement rendait plus facile la séparation entre son ancienne vie et la nouvelle. Il était également soulagé de ne pas devoir activement lui cacher les verres de trop qu'il s'autorisait. Et néanmoins, à l'instar du soutien-gorge qu'elle continuait à garder quand ils faisaient l'amour, le fait qu'elle suppose qu'il ne veuille pas vivre avec elle le dérangeait, comme si elle lui cachait quelque chose.

Pour quelqu'un dont les commérages étaient la spécialité, elle ne parlait que rarement d'elle-même. En revanche, il lui avait raconté les échecs de son père, et les déménagements de la famille de Saint Paul à Syracuse et Buffalo avant de revenir au point de départ, la maison de ville dans Summit Avenue, et l'intervention de ses grands-parents pour l'envoyer à Newman. Tout ce qu'il savait d'elle, c'était qu'elle avait une sœur cadette prénommée Alicia qui vivait à Londres, et qu'à seize ans, elle avait été présentée à la cour. Fort à propos, elle possédait des photographies illustrant ces deux faits, encadrées face à face sur la cheminée. De ses parents, elle parlait très peu. Ils étaient morts tous les deux – son père, nettement plus âgé, peu de temps après sa naissance, sa mère dans un accident de voiture quand Sheilah avait dix-sept ans –, la laissant aux seuls soins de sa tante Mary. Pour une jeune fille de bonne famille, sa culture était bien incomplète. Elle prétendait avoir été sur les planches mais confondait Ibsen et Strindberg, et à l'occasion, quand elle était fatiguée, se laissait aller à des fautes de prononciation et se contrôlait de justesse pour ne pas dériver vers un accent authentiquement cockney. Alors qu'ils étaient intimes depuis plusieurs mois, d'une façon totalement autre qu'il l'avait été avec Zelda, il ne connaissait toujours pas Sheilah.

« Tant mieux, lui dit Bogart. Une femme doit conserver un peu de mystère. Regarde Sluggy – je ne sais jamais ce qui lui passe par la tête. L'autre jour, je lisais le journal, et sans raison, elle recule un peu et se met à me taper le bras. "Qu'est-ce qui te prend ?" Et elle me répond : "C'est parce que je t'aime." Il faut savoir rendre les choses intéressantes.

– J'ai déjà fait le tour des choses intéressantes. Elles cessent de vous intéresser au bout d'un moment. »

Il ne lui parla pas du soutien-gorge. Il pensait qu'elle voulait cacher un secret de son passé – une cicatrice ou un tatouage. Il s'était aussitôt imaginé des accidents d'enfance, des mutilations, la traite des Blanches. Même s'il ne s'était trouvé nu avec elle que dans le noir, sous les couvertures, il soupçonnait que cette réticence n'était pas seulement due à la pudeur.

Comme un voyeur, il l'espionnait sous la douche et quand elle s'habillait derrière son paravent japonais en bambou, utilisait le miroir de sa coiffeuse pour obtenir un nouvel angle de vue. Mais elle tirait le rideau de douche, lui tournait le dos. Il n'avait jamais réussi qu'à dérober des images fascinantes de sa peau blanche comme neige, des bulles de savon moussant sur ses courbes, rien de suffisamment précis, jusqu'à un samedi matin paresseux avant le match UCLA-Berkeley.

Ils avaient fait l'amour avec tant de fougue qu'il avait mal à la poitrine et que le sang cognait à ses oreilles. Elle alla prendre sa douche, lui laissant le temps de se remettre. Il s'accorda une minute en attendant que sa respiration s'apaise, entendit la chasse d'eau, le grincement des robinets, puis le jet d'eau qui frappait la baignoire, avant de se décider à sortir ses jambes du lit et à ramper vers la porte. Elle aimait l'eau brûlante. La vapeur bouillonnait, mouillant même le plafond. Par hasard, le rideau de douche était resté entrouvert. Il s'approcha, colla l'œil à la fente, comme à un peep-show. Elle se shampouinait les cheveux, penchée en arrière sous la cascade, le visage relevé, l'eau glissant le long de son menton. Elle n'était ni déformée, ni marquée, ni couverte de poils noirs, mais superbement faite : un vrai mystère.

Tandis qu'il l'observait, assouvissant sa curiosité, elle ouvrit les yeux. Elle croisa un bras sur sa poitrine et, de l'autre, ferma le rideau.

« Va-t'en !

– Je ne fais que t'admirer.

– Je n'aime pas être espionnée, merci.

– Tu as une beauté si résolument classique.

– Merci. Maintenant, va-t'en ! »

Il n'eut pas besoin de poser la question. Il s'était montré tellement prévisible, si détestable, qu'une fois rhabillée, elle expliqua qu'elle portait sans cesse un soutien-gorge parce que sinon, elle avait mal au dos. Cela n'avait rien à voir avec lui ou avec le sexe. C'était tout simplement plus confortable. Elle lui dit qu'elle n'était pas en colère contre lui, mais le lendemain matin, elle tira le verrou. À compter de ce jour, elle protégea son intimité de façon tellement systématique qu'il conserva cette unique image d'elle comme un trésor, l'offrant à son producteur imaginaire pour qu'il puisse la solliciter chaque fois que la déception le menaçait.

Pour l'essentiel, les week-ends leur appartenaient. Durant la semaine, il fallait travailler de huit heures du matin à six heures du soir, en pointant à l'entrée et à la sortie, sans compter les vingt minutes de trajet, un horaire auquel il n'était guère habitué. Certains soirs, elle devait faire des apparitions soigneusement orchestrées dans des night-clubs ou des restaurants, au bras d'une étoile montante, et, non content de regretter son absence, il était jaloux, broyant du noir près de la piscine, tentant de meubler sa soirée avec du gin et des jeux de charades.

Aux studios, quand elle venait interviewer un artiste sous contrat à la MGM, il déjeunait avec elle, partageant une table à la cantine, ou, quand ils en avaient le temps, ils prenaient un panier pique-nique et s'aventuraient parmi les plateaux extérieurs, où des décors en carton-pâte figuraient des métropoles, des villes du Midwest ou des hameaux moyenâgeux, à la recherche d'un coin tranquille. Le cimetière de Roméo et Juliette faisait partie de leurs préférés. Un de ses sujets de fierté était qu'il aurait pu être un acteur – Lois Moran avait proposé un jour de lui faire passer un bout d'essai – et là, sur ce balcon où Leslie Howard avait crié son amour à Norma Shearer, Scott recréait la célèbre scène, donnant la réplique à Sheilah qui se moquait de son accent.

Les plateaux extérieurs étaient une sorte de terrain de jeux, loin des contraintes du monde réel. Même les coups de feu sporadiques dans le lointain venaient du décor de western. C'était une aventure sans fin que de découvrir de nouveaux lieux, parce qu'il y en avait un à chaque coin de rue. New York, Paris, Rome – tous les endroits où ils étaient transportés étaient mythiques et enchantés. Ils mangeaient des sandwiches poulet-salade dans la gare d'Anna Karénine, au bacon, laitue et tomates sur les docks de Shanghai, ou bien au corned-beef grillé dans la Casbah, puis ils rentraient en se tenant par la main dans les rues sans brouillard de Whitechapel.

Il l'embrassa une dernière fois avant de traverser les voies de l'Overland pour rejoindre le studio principal, puis il la regarda s'éloigner. Plus personne n'ignorait leur liaison au Poumon d'acier, mais, durant les heures de travail, ils se comportaient comme de bons amis, un rôle qu'il jouait à regret et qu'il était sûr de mal incarner.

Il se sentait tout aussi hypocrite quand il disait à Zelda qu'il espérait venir dans l'Est pour Noël, tout dépendant des contraintes de tournage de *Trois camarades*. C'était vrai, et cela ne dépendait en effet pas de lui, mais étant donné la tristesse de la situation de sa femme, il avait honte de mentir par omission, et ses justifications habituelles lui paraissaient opportunistes et trop faciles. Il ne croyait pas au divorce – non pas en tant que catholique, une foi dont il ne portait plus que le nom, mais en tant que romantique – et pourtant, il savait que, même si un certain lien demeurait, cette page-là de leur amour était tournée, détruite par la colère, la maladie et le chagrin, par trop de rencontres et de nuits passées loin l'un de l'autre. S'il s'était aveuglé ces dernières années en tentant de croire qu'elle guérirait un jour et lui reviendrait, il n'avait jamais pensé rencontrer quelqu'un d'autre. Ivre, il pouvait confusément trouver une consolation auprès d'une âme aussi perdue que la sienne, mais la vieille blessure se ravivait immédiatement, renforçant sa conviction que personne n'arrivait à la cheville de Zelda et que la femme qu'il avait connue était partie pour toujours. Il n'était jamais plus malheureux qu'au réveil quand il se rendait compte, encore prisonnier des vapeurs d'alcool, qu'il venait de faire ce qu'il avait promis de ne plus jamais faire. Avec sa nouvelle conquête, il n'avait même pas cette excuse, ce qui rendait sa trahison pire encore, et franchement inquiétante.

Leur arrangement ne semblait pas incommoder Sheilah. Elle n'exigeait pas, au contraire de la plupart des femmes dans ce cas, qu'il l'épouse. Elle aimait son travail, sa maison et sa voiture, et alors qu'il admirait son indépendance, les soirs où elle ne l'invitait pas, il se renfrognait. De temps à autre, incapable de s'en empêcher, il empruntait Sunset Boulevard, puis la route des collines, pour trouver finalement l'allée de son garage vide et ses fenêtres sans lumière – ce à quoi il s'attendait mais qui ne le rassurait pas.

Comme tout le monde au Poumon d'acier, il supportait les semaines en pensant au week-end. Il en avait assez de remanier *Trois camarades*, qui aurait dû être terminé un mois plus tôt. Paramore avait une très mauvaise oreille et ne cessait d'introduire des transformations dans les dialogues que Scott devait ensuite rétablir. Sur les conseils d'Ernest, il avait renforcé l'épilogue original, tout en sachant que les studios voudraient au contraire l'adoucir. Dans la scène finale au cimetière, après que les Chemises brunes locales ont tué leur ami, et la mort emporté la fille qu'ils aimaient, les deux survivants entendent des coups de feu en provenance de la ville et se dirigent dans sa direction, prêts à lutter de nouveau pour leur pays. Même s'il n'avait plus aucun investissement dans ce scénario – tout ce qui en faisait la fraîcheur avait été mis à mal par des compromis interminables –, il était prêt à défendre son travail. À la fin du mois de décembre, son contrat devait être renouvelé, et après *Vive les étudiants*, il fallait qu'il apparaisse au moins une fois à un générique pour justifier ses six mois de présence. Si la MGM ne le gardait pas, il irait chercher ailleurs. Il avait déjà décidé qu'il ne rentrerait pas à Tryon.

« Ce n'est sûrement pas à cause de moi que tu veux rester, disait Sheilah.

– Mais si, entièrement à cause de toi », plaisantait-il, parce que même s'il ne lui avait jamais avoué l'étendue de ses dettes, elle savait qu'il avait besoin de cet argent.

N'ayant pas de famille à inviter, ils passèrent Thanksgiving tous les deux et firent une excursion en bateau jusqu'à Catalina. Les villas blanches et les oliviers couverts de poussière lui rappelèrent la Grèce et le jour où une chèvre avait arraché le chapeau de paille de Scottie.

« Je n'y suis jamais allée, dit-elle.

– Oh, alors nous devrions faire ce voyage ensemble. »

En guise de dinde, ils mangèrent du homard dans un restaurant qui donnait sur le port. Ils rentrèrent par le dernier ferry et, penchés sur le bastingage, regardèrent le faisceau de projecteurs qui balayaient le ciel.

« Sans doute la première d'un film.

– Et cela m'est égal, répondit-elle.

– C'est tout de même joli.

– Oui. »

Elle était libre tout le week-end. Il prépara un sac, sortit discrètement par une porte latérale du Jardin et la rejoignit chez elle. Comme pour l'apaiser, cette nuit-là, elle ôta son soutien-gorge. Elle cessa de l'embrasser, roula sur le ventre pour dégrafer l'attache, puis se tourna vers lui, resplendissante. Ensuite, elle le ramassa sur le plancher et alla le remettre dans la salle de bains.

Le lendemain matin, alors qu'elle se douchait, il procéda à l'inventaire de ce qui était posé sur sa coiffeuse : parfums, une modeste boîte à bijoux, un peigne et une brosse en argent gravés à ses initiales. Elle était très ordonnée, tout était parfaitement net, ses épingles à cheveux couchées dans un sarcophage de verre, toutes rangées dans le même sens. Il fit le tour de la chambre, inspectant jusqu'au réveille-matin sur la table de chevet, et les bougies encore neuves sur la cheminée. Mis à part les draps froissés, cela aurait pu être le décor d'un film. Il n'y avait là aucun bibelot stupide, aucune photo d'elle petite fille, aucun indice pour l'aider à comprendre qui elle était. Il soupçonnait le placard de renfermer davantage de secrets, la garde-robe d'une femme constituant toujours une sorte d'autoportrait. Il avait déjà la main sur le bouton de porte, quand l'eau cessa de couler.

Il n'eut le temps que d'un rapide coup d'œil. Ce qui le frappa, c'était combien ses vêtements étaient brillants et hardis, au contraire du reste de la décoration. Elle aimait les couleurs : les verts, les roses, les écarlates. Il eut l'impression d'avoir ouvert le portail d'un jardin. Avec un frisson de plaisir, il reconnut certaines robes qu'elle avait portées alors qu'ils sortaient ensemble, ainsi que ses sandales dorées. Tout là-haut, sur une étagère, s'empilaient des cartons à chapeaux, et il se demanda si elle y conservait les lettres de Donegall ou d'autres amants. Y trouverait-il les siennes, charmeuses ou contrites, ou bien les gardait-elle ailleurs, davantage à portée de main puisqu'elles étaient plus récentes ?

Il referma la porte du placard avant qu'elle sorte de la salle de bains, mais l'idée de son passé continua de le hanter, de l'aiguillonner. Alors qu'il se plaisait à la croire jeune et innocente, dans cette ville une femme aussi séduisante devait être harcelée. Cela l'avait rendue forte, mais parce que l'histoire de Scott était elle-même riche en mésaventures, il craignait que celle de Sheilah ne le fût aussi. L'idée de la partager avec quiconque lui était insupportable, et pourtant, indéniablement, elle avait appartenu à un autre. Il savait qu'il aurait dû s'en moquer, il se rendait ridicule. Malgré ses idées progressistes, dans sa vie personnelle, en homme du Midwest, il accordait encore une grande importance à la vertu, ce qui lui procurait un sentiment de honte indéfectible et le poussait, dans ses moments de faiblesse, à condamner les autres.

Elle reparut, enroulée dans une serviette, interrompant le cours de ses pensées, et s'habilla derrière son paravent. « Presse-toi d'aller prendre ta douche, je meurs de faim !

– Où allons-nous ?

– Je pensais aller chez Tom Breneman's. J'ai une grosse envie d'œufs au jambon.

– Mais est-ce que ce n'est pas le genre d'endroit où on ne va qu'à quatre heures du matin ?

– C'est Bogie qui dit ça ? supposa-t-elle.

– Non, c'est une idée de Mayo.

– J'ignorais qu'elle pouvait en avoir.

– Quand il s'agit de Bogie, elle n'en manque pas.

– Et tu appelles ça des idées ? »

La journée leur appartenait. La ville dormait encore, elle se remettait de la fête. Après le petit déjeuner, ils partirent en voiture pour Malibu où ils marchèrent pieds nus sur la plage, désertée maintenant que l'air s'était considérablement rafraîchi. Elle portait un ample pull-over grège et s'était attaché les cheveux avec un élastique noir ; son visage, sans maquillage, paraissait frais et rose. Comme disent les directeurs de casting, elle faisait plus jeune que son âge. De temps à autre, elle se baissait pour examiner une pierre ou un coquillage, et comme Scottie, elle lui tendait son trésor, paume ouverte. La grève et le ciel lui rappelaient Long Island, ces années où le monde était encore plein de promesses. Était-ce encore vrai ? On n'était que vendredi. Il se sentait fatigué, malgré ses comprimés énergisants, et il songea à Prufrock.

Devant eux s'étendait en arc de cercle la colonie du monde du cinéma, les bungalows des stars alignés côte à côte comme de pauvres maisons de mineurs, barricadées pour la saison, les meubles de jardin couverts de housses. Délicieusement déserte, il aurait pu s'agir d'une ville fantôme.

« Je suis surpris, dit-il.

– C'est toujours comme ça. Je connais quelqu'un qui en possède un. Il n'y vient que le 4 juillet.

– Un producteur ?

– Je t'en prie. C'est un parfait gentleman, et assez vieux pour être mon père.

– Mais je n'ai rien dit ! » Et il pensa : comme Donegall. Comme moi.

Elle l'abandonna à ses suspicions, poursuivit son chemin, puis s'arrêta, l'obligeant à se tourner vers elle. « Ne suffit-il pas que je l'aie quitté ?

– Excuse-moi.

– Je ne t'ai jamais rien demandé.

– Pourtant, tu serais parfaitement en droit de le faire.

– Je ne devrais pas avoir à demander. De toute façon, cela ne pourrait que nous rendre malheureux.

– J'aimerais pouvoir t'offrir davantage.

– Mais tu ne peux pas, alors pourquoi gâcher une aussi belle journée ? »

Trop tard. Rien n'était résolu, et même après qu'elle lui eut saisit la main, qu'ils se furent embrassés et eurent repris leur promenade, il craignit sans cesse de dire ce qu'il ne fallait pas. Les vagues qui se brisaient emplissaient le silence. La plage de galets était plate et large à cet endroit, et l'eau qui leur léchait les orteils leur parut froide. On leur avait annoncé des phoques et des dauphins, mais ils ne virent que des mouettes.

« Ah, voilà le bungalow dont je te parlais », dit-elle en désignant une construction en planches surmontée d'une girouette ternie en forme de baleine. Il était fermé comme tous les autres, les volets verrouillés, mais ils s'éloignèrent de la mer et remontèrent la plage comme s'ils habitaient là. Un petit muret bordait un patio envahi de sable. Elle s'assit dessus et le tapota pour que Scott vienne la rejoindre. La pierre était froide. Dans le lointain, un grand yacht s'approchait lentement, en route sans doute pour Catalina, ses moteurs ronronnant comme ceux d'un avion.

Ils partagèrent une cigarette et le vent emporta la fumée.

« Sais-tu qui est Frank Case ? demanda-t-elle.

– Bien sûr. » C'était le propriétaire du repaire favori de Dottie à New York, l'Algonquin, entre autres hôtels et restaurants.

« Quand je suis arrivée ici, c'était comme si je prenais un nouveau départ. Je n'avais rien. Pas de famille, pas d'amis. Mon rédacteur en chef s'est arrangé avec Frank Case pour que je puisse m'installer dans ce bungalow jusqu'à ce que je me trouve un endroit où vivre. Je ne l'avais jamais rencontré, et il m'a prêté cette maison où j'ai pu habiter seule. Je lui en serai toujours reconnaissante.

– Voilà quelqu'un de généreux en effet.

– Tout à fait.

– Je me suis fait vider de l'Algonquin un jour, mais je suppose il n'y a pas de quoi être fier.

– J'essaie seulement de t'expliquer que tu n'as pas besoin d'être jaloux de tous les hommes que je rencontre.

– Et pourtant je le suis. Je ne peux pas m'en empêcher, c'est une forme d'égoïsme. Je voudrais remonter le temps et te rencontrer quand tu étais écolière.

– Je ne t'aurais pas plu à cet âge. J'étais grassouillette et peu avenante.

– J'ai un peu de mal à te croire.

– Oh je t'assure, j'étais franchement teigneuse. » Elle semblait prendre plaisir à faire cet aveu. « Je me montrais odieuse avec tout le monde parce que j'étais malheureuse. Je suis beaucoup plus facile à vivre aujourd'hui.

– Pourquoi étais-tu malheureuse ?

– Sait-on jamais pourquoi on l'est ? » Elle plissa les yeux pour mieux voir le yacht, rien qu'un point à l'horizon, et il crut qu'elle allait ne pas répondre. « Je suppose que je me sentais flouée par la vie. Quand j'étais petite, nous n'avions pas d'argent. J'étais trop jeune pour comprendre, et chaque fois que je réclamais quelque chose que nous ne pouvions pas nous offrir, ma mère me traitait d'ingrate.

– "Qu'il est plus aigu que la dent d'un serpent…"

– Elle ne se contentait pas de citer *Le Roi Lear*. Elle pensait que qui aime bien châtie bien. J'ai eu de la chance. Elle était beaucoup plus dure encore avec mes demi-frères.

– Quelle horreur ! J'ignorais que tu avais des demi-frères.

– Nous n'avons pas vécu ensemble très longtemps. Ils sont partis avec mon beau-père et je ne les ai jamais revus.

– Si je comprends bien, tu étais seule avec Alicia ?

– C'était avant Alicia.

– Mais ton père n'était-il pas déjà mort ?

– Alicia était en fait la fille de mon beau-père.

– Je ne le savais pas.

– Cela a-t-il la moindre importance ?

– Non, mais tu ne me l'avais jamais dit.

– Parce que je craignais sans doute ton jugement. Tout cela est très compliqué, bien triste, et beaucoup d'eau a coulé sous les ponts depuis. C'est pour cela que je n'aime pas en parler. Je n'ai pas vraiment de famille, au sens où les autres en ont une.

– Tu as ta tante Mary.

– Je t'en prie, est-ce que nous pouvons changer de sujet ? Je ne sais même pas pourquoi tu l'as abordé, pour commencer.

– Parce que je disais que j'aurais voulu te connaître petite.

– Tu me connais telle que je suis aujourd'hui. Fais-moi confiance, c'est mieux pour toi. Maintenant, ça suffit. » Elle lui tendit la cigarette, se releva et fit quelques pas dans la direction d'où ils étaient venus. Il sentait bien qu'il l'avait blessée en se montrant trop curieux. S'excuser encore une fois ne ferait qu'accroître le malaise ; il se leva à son tour et la suivit, regrettant cette nouvelle occasion de communication manquée.

Il était trop gourmand, il voulait tout d'elle, alors qu'elle lui avait déjà tellement donné. Il savait comment elle préférait son thé et qui était son coiffeur. Il pouvait sans erreur commander pour elle dans une baraque à hot dogs ou dans un restaurant français. Sa star favorite était Janet Gaynor, qui lui avait accordé sa toute première interview. Elle détestait Constance Bennett et ne pouvait pas supporter Charles Boyer, qui l'avait vaguement harcelée sur un plateau. Elle marchait toujours vite, comme si elle était en retard, et conduisait comme une folle. Elle était méthodique et ordonnée, ce qui signifiait qu'il devait ranger sa maison avant qu'elle arrive. Elle se brossait soigneusement les dents et adorait aller chez le dentiste. Son orthographe était meilleure que la sienne, mais son vocabulaire moins riche. Quand elle dactylographiait une chronique, elle se grattait le côté de la tête avec la gomme de son crayon et avançait la lèvre inférieure comme un bouledogue. Elle aimait qu'il l'embrasse dans le cou mais pas sur l'oreille. Elle trouvait son nez busqué et ses yeux trop écartés, ce qui dans les deux cas était faux. Plus que tout au monde, elle aimait dormir. N'en savait-il pas assez ?

Après cette ouverture trop hardie, il serait plus prudent. Si, comme son producteur, il voulait remplacer son amour perdu depuis longtemps par celui-ci, il fallait qu'il soit sûr d'elle – difficile à croire, mais indiscutablement, elle était parfaite. Peut-être était-ce là ce qui l'effrayait le plus.

Le samedi, ils s'entassèrent au Coliseum avec cent mille autres habitants de Los Angeles pour le match de football traditionnel. Pendant les trois premiers quarts-temps, ils attendirent que Kenny Washington se déchaîne. Quand il s'y décida enfin, Sheilah sauta en l'air et cria sa joie comme tous les autres. Typiquement, Scott pensa à Zelda et ne s'en rendit pas compte, et ensuite, alors qu'ils descendaient la longue rampe de béton avec les supporters épuisés et étourdis des Bruins de UCLA, il se sentit étrangement désemparé – une tristesse qui s'accentua encore lorsqu'ils remontèrent Vermont Avenue sur une centaine de mètres vers l'endroit où ils s'étaient garés et qu'ils s'aperçurent que sa voiture avait disparu.

Sheilah le réconforta parce qu'elle savait qu'il avait fini par s'attacher à ce tacot.

« Sans doute des étudiants », dit-elle en jouant l'indifférence, et il continua de croire à cette déclaration convenue même une semaine plus tard, quand la police l'eut retrouvée à Tijuana sans ses pneus.

Il avait reçu l'appel juste avant le déjeuner, et parce qu'on était vendredi et que la fourrière fermait à cinq heures, il lui fallait soit partir tout de suite, soit attendre jusqu'au lundi. Il devait aller chercher son passeport et de l'argent pour payer la police de Tijuana qui avait mis le véhicule à l'abri – *la mordida.* Au téléphone, Sheilah tergiversa, demanda si Bogie ne pouvait pas l'y conduire, mais l'acteur était en tournage hors de la ville.

Si elle était trop occupée, il pouvait toujours prendre le bus. Cela serait seulement un peu plus long, avec tous les arrêts.

« Effectivement », répondit-elle d'un air vague, comme si elle était encore en train d'y réfléchir, puis elle céda.

Elle passa le prendre devant le portail des studios, l'attendit dans la voiture tandis qu'il montait chez lui au Jardin, puis s'arrêtait à la banque. Elle avait dû annuler une interview. Pour lui faire oublier ce dérangement, il choisit de traiter leur escapade vers la frontière comme une folle aventure, plutôt que comme une triste obligation.

« Je ne suis pas allé au Mexique par cette route depuis au moins dix ans, je parie. » Il feuilletait son passeport. Il avait miséricordieusement oublié leur dernier voyage aux Bermudes. Sinon, les tampons s'arrêtaient six ans plus tôt quand il avait renoncé à la clinique de Zurich et ramené Zelda et Scottie à bord de l'*Aquitania.* Les pages précédentes, qui témoignaient de la frénésie de voyages de toute une génération, faisaient état de leurs multiples séjours à Nice, Capri et Biskra. Il paraissait impossible qu'il n'ait pas voyagé à l'étranger depuis, et pourtant la preuve était là. Ernest avait raison : il avait gâché tellement de temps.

« Eh bien ?

– Ça ne fait pas si longtemps… »

Sur sa photographie, il était plus mince, plus blond, avec les pommettes hautes et un sourire carnivore, éclatant de la confiance en soi que donne la chance. Il ne se rappelait pas pour quel voyage elle avait été prise, mais à voir l'éclat humide de ses yeux, il semblait éméché. Il se sentait partagé entre un sentiment de gêne et aussi de pitié pour cet homme vaniteux et léger, si mal préparé pour ce qui l'attendait.

« Les Indiens ont raison. Chaque fois qu'on prend votre photo, on vous vole un peu de votre âme, dit-il.

– Ce qui explique pourquoi Bette Davis a perdu la sienne.

– À quoi ressemble la tienne ? s'enquit-il, en se demandant quelle histoire pouvaient bien raconter les tampons de son passeport.

– Mon âme ou ma photo ?

– Je suis sûr que tu es magnifique dessus.

– Elle ne me ressemble même pas.

– Laisse-moi la voir.

– Non.

– Allez, ne fais pas ta timide.

– Arrête, j'essaie de conduire. »

Il mit une minute à comprendre pourquoi elle se montrait si inflexible. Elle craignait qu'il ne voie son âge véritable. Impossible de lui dire qu'il avait déjà des soupçons, ou que ce n'était pas si rare, alors il laissa tomber, chercha une station mexicaine à la radio et se balança au rythme d'un accordéon langoureux.

À la frontière, il ne s'étonna pas, quand le douanier rendit son passeport à Sheilah, qu'elle en couvre la moitié de sa main avant de le lui tendre pour lui montrer sa photo. Il n'essaya pas de le prendre, il se contenta d'admirer cette version plus jeune et si sérieuse d'elle-même, et la laissa le glisser de nouveau dans son sac.

Après une demi-heure frustrante passée à parcourir les rues poussiéreuses de la ville, ils finirent par trouver la fourrière, réglèrent les frais de parking à l'employé et achetèrent quatre pneus d'occasion que le mécanicien proposa de monter pour cinq dollars supplémentaires, pendant qu'ils dîneraient dans une *cantina*, sur le trottoir d'en face.

« Tu crois qu'ils font la même chose à tous les *gringos* ?

– On ne peut pas se plaindre, c'était pratique que les bons pneus soient disponibles sur place.

– Ce sont sans doute les miens. L'arnaque parfaite. À qui veux-tu que j'aille me plaindre ? »

Le soir tombait déjà quand ils reprirent la route. Il fit le plein et suivit la voiture de Sheilah à travers le carnaval des néons de Tijuana, les trottoirs pleins de rabatteurs en costumes mexicains qui essayaient d'attirer les marins dans des boîtes où ils se feraient tondre. Le mécanicien avait monté les pneus mais il ne les avait pas équilibrés, et la voiture regimbait comme un cheval obstiné, tirant sans cesse à droite. Une fois la frontière franchie, Sheilah prit de la vitesse, comme si elle voulait le semer, ses feux arrière flottant devant lui, irréels, de plus en plus petits, le grand vide noir de l'océan s'étirant sur sa gauche. La *carne asada* était trop pimentée ; une bulle brûlante s'était logée dans sa poitrine et menaçait à chaque minute d'éclater. Il s'imagina une patrouille de policiers découvrant sa voiture sur le bas-côté, renversée, et son corps s'échappant à moitié d'une vitre dans la lumière crue d'un projecteur.

Il régla la radio sur la station de San Diego, et comme par magie, la ville apparut, ses vastes rues illuminées comme la scène d'un théâtre. Son estomac s'apaisa, et ses pensées aussi. L'âge venant, il avait de plus en plus le goût du mélodrame, comme sa mère qui voyait la mort et des désastres partout, alors qu'il aurait dû se sentir reconnaissant. Plus important même qu'avoir récupéré sa voiture, Sheilah avait repoussé un engagement et passé la moitié de la journée à l'aider, sans jamais se plaindre. Il y avait si longtemps qu'il n'avait pas eu quelqu'un sur qui compter que sa générosité – son dévouement – lui apparut comme un don précieux, qu'il n'avait d'ailleurs rien fait pour mériter et qui, dans la chaleur sombre de la Ford fendant la nuit, balaya ses dernières hésitations. Il avait envie de la rejoindre, de lui déclarer sa flamme au bord de la route, de la remercier, aussi sobrement que possible, de l'avoir sauvé.

Telles étaient les braises rougeoyantes qu'il entretenait tandis qu'ils remontaient la côte, à travers les stations balnéaires aux maisons basses, les banlieues ouvrières, puis la ville elle-même, et quand ils atteignirent Sunset Boulevard, puis empruntèrent la route en lacets qui conduisait chez elle, il s'était convaincu que cette expédition les avait rapprochés, mieux qu'aucun dîner, qu'aucune soirée, n'aurait pu le faire. Il fut donc abasourdi de découvrir, en entrant dans la maison, que ses yeux étaient gonflés d'avoir trop pleuré.

« Que se passe-t-il ? demanda-t-il, déconcerté, digne représentant de l'éternel masculin.

– Je n'en peux plus. »

Comme toujours, il commença par songer à Zelda. Il s'apprêtait à la prier d'être patiente et compréhensive, mais Sheilah tourna sur elle-même pour s'éloigner de lui et se mit à fouiller dans son sac à main.

« Quoi que tu aies pu… »

Il ne finit pas sa phrase parce qu'elle lui tendait son passeport comme on brandit un revolver.

« Tu voulais le voir, eh bien, regarde !

– Ça n'a aucune importance.

– Mais si », dit-elle en le lui poussant sous le nez. Il lui écarta la main, mais elle se montra farouchement insistante, et plutôt que de le laisser tomber, il s'en saisit.

La couverture était noir mat, ornée du lion et de la licorne héraldiques en surimpression dorée.

« Quoi que tu aies caché, cela n'a aucune importance.

– Ouvre-le.

– Sheilah…

– Je t'en prie, Scott, l'interrompit-elle. Ensuite, si tu le souhaites encore, nous pourrons parler.

– Si je veux encore te parler ?

– Je ne t'en voudrai pas si tu refuses.

– Tout cela est absurde.

– Tu verras bien que non. »

La réponse lui parut évidente, lumineuse : Donegall. Ils étaient secrètement mariés depuis le début.

Elle prit place à la table de la salle à manger, lui tournant le dos comme pour respecter son intimité. Il s'assit sur le canapé où il lisait habituellement, et il tourna la couverture.

C'était bien elle, plus jeune, avec les cheveux plus ternes, plus plats, qui faisait face à l'objectif avec la raideur compassée d'une accusée.

Sous la photographie, on lisait son nom, mais non, il devait y avoir une erreur, une de ces fautes commises par un employé qui changent le destin d'une famille. À la place de Sheilah Graham, était inscrit : Lily Sheil.

Il tourna les yeux vers elle, en quête d'une explication.

« C'est quoi, ça ?

– C'est mon nom. »

Robinson Crusoé à Malibu

Comme tout le monde à Hollywood, Sheilah n'était pas qui elle prétendait être. Sheilah Graham était un nom d'actrice, choisi à seize ans, quand elle avait fait ses débuts d'actrice dans le West End – non pas dans une pièce d'O'Casey ou de Shaw, mais aux Brompton Follies. Elle était danseuse, enfin, une girl, dont la plastique agrémentait, dans des costumes légers, les spectacles de variétés et les comédies musicales. Elle nourrissait les ambitions habituelles de l'ingénue, mais quand elle avait passé des auditions pour des rôles parlants, on lui avait répondu qu'avec son accent, elle ne pourrait jouer que des femmes de chambre ou de mauvaise vie.

Sa famille n'avait pas d'argent, au contraire de ce que Scott avait escompté. Elle avait grandi dans l'East End, benjamine de six enfants. Son père était mort quand elle n'était qu'un bébé – cela au moins était vrai. Sa mère venait de Kiev, une blanchisseuse qui ne savait ni lire ni écrire. Elle était tombée malade quand Lily avait six ans et l'avait envoyée vivre dans un orphelinat juif où on lui rasait la tête tous les premiers du mois, et où on la corrigeait avec une brosse à cheveux quand elle volait des biscuits moisis dans les cuisines. Elle y était restée jusqu'à quatorze ans, lorsqu'elle fut en âge de gagner de l'argent afin de subvenir aux besoins de sa famille.

Ils vivaient alors à Stepney Green, dans une ruelle obscure derrière une brasserie. Il n'y avait pas d'Alicia, pas de tante Mary, pas de beau-père. Ses demi-frères étaient bien les siens, il n'y en avait d'ailleurs plus qu'un seul, Henry, un déserteur qui dormait sur le canapé et souffrait de terreurs nocturnes. Elle devait partager l'unique chambre avec sa mère, alors aux premiers stades du cancer de l'estomac qui devait l'emporter, et, non sans culpabilité, elle regrettait le dortoir de l'orphelinat.

Elle avait effectivement été présentée à la cour – la photographie était authentique –, mais plus tard, après sa métamorphose. Avant de monter sur les planches, elle avait été couturière, serveuse, manœuvre dans une fabrique d'adressographes, puis femme de chambre dans un hôtel balnéaire à Brighton, et enfin, vendeuse chez une modiste, où l'avait découverte une autre danseuse qui, moyennant finances, l'avait présentée à celui qui deviendrait son impresario. Pour franchir le cap de danseuse à actrice, elle s'était offert des cours de diction en prétendant se former pour devenir gouvernante.

Cela avait marché. Elle commença par quelques petits rôles de figurante : secrétaire ou invitée anonyme à des soirées. Sa beauté lui avait toujours gagné les regards, pas toujours les bons. Aujourd'hui, celle-ci permettait aux directeurs de casting de penser à elle. Elle savait déjà comment se mouvoir avec grâce.

La chance lui sourit pour de bon avec une comédie de mœurs aristocratique, intitulée *Upson Downs*, où elle jouait une innocente professeure de piano que le pouvoir envoûtant de la musique incitait à séduire son élève. Le rôle avait quelque chose de scabreux, avec un bref strip-tease au son de la *Troisième Rhapsodie hongroise* de Liszt. Chaque soir, quand elle saluait le public, elle s'étonnait des sifflets admiratifs et des bouquets de fleurs. Elle en montrait davantage quand elle était girl.

On la cita dans les critiques, son nom s'étalait en caractères gras. Les journaux publiaient des photos flatteuses, qui attirèrent plusieurs célibataires londoniens en vue et bon nombre d'hommes mariés, dont un juge. En coulisses, les héritiers des grands magasins et les armateurs faisaient la queue pour l'inviter dans les meilleurs restaurants, lui offrant des roses et des diamants. Donegall n'était pas le premier aristocrate qu'elle avait séduit. Chaque semaine lui amenait un nouveau prétendant. Ayant tiré le diable par la queue toute sa vie, elle adorait arriver en Rolls-Royce et commander un faisan sous une cloche de verre. Il y avait quelque chose de comique, de presque irréel, dans sa bonne fortune. Elle voyait cela comme un rêve qui ne pouvait que finir en la laissant inchangée.

Malgré leur statut social élevé, ses soupirants n'étaient pas tous des gentlemen. Ayant roulé sa bosse de bonne heure dans des quartiers difficiles, elle savait comment repousser les avances, mais certains d'entre eux se montraient farouchement insistants, puis furieux quand elle leur interdisait sa porte. Un jour, on la força à descendre de voiture sur un trottoir comme une vulgaire prostituée. Une autre fois, elle dut mordre un lord qui refusait de lui lâcher le sein.

La plupart d'entre eux, cependant, voulaient seulement être vus en sa compagnie, sa beauté flattant leur vanité, et après la dernière d'*Upson Downs*, lorsque les journaux s'entichèrent d'un autre joli minois, la demande se fit plus rare. Elle signa un nouveau contrat pour un rôle un peu leste et davantage d'argent encore, mais à la dernière minute, les soutiens financiers se retirèrent et le spectacle fut annulé. Le suivant fut un bide. Elle n'avait pas eu tort de penser que sa célébrité ferait long feu. Elle continuait à travailler, mais au lieu d'une file de millionnaires l'attendant en coulisses, bien souvent, il n'y avait personne. C'est à ce moment-là, après une représentation devant un public clairsemé, qu'elle rencontra le major John Gillam.

Il était d'une trentaine d'années son aîné, autrefois vaillant héros de guerre, blessé à Gallipoli, grand et brun, la moustache fine, et affligé d'une légère claudication. Au contraire de ses autres prétendants, il n'essaya pas de la faire renoncer à son métier. Elle passa vite sur le temps où il lui fit la cour, se contentant de dire qu'il était drôle et gentil. Elle en vint trop vite, comme Scott l'avait redouté, au récit de leur mariage.

Gillam était issu d'une famille de militaires de la haute aristocratie, une lignée de généraux qui remontait aux premiers diplômés de Sandhurst. Ses blessures avaient mis fin à sa carrière, le rendant dépendant de la morphine et de la fortune familiale, qui toutes deux l'avaient perverti et émasculé. Dans le monde des affaires, il était sans défense, toujours à la recherche du coup gagnant. Ses quelques tentatives de rapprochement conjugal avec elle se soldèrent par des échecs, et leur union n'eut bientôt plus de mariage que le nom. En même temps qu'il la présentait à la cour comme le modèle de la femme anglaise, il l'encourageait à rencontrer d'autres hommes, conseil auquel elle résista par principe, mais elle avait dix-huit ans, et la vie au théâtre était pleine de tentations. En y repensant, elle se disait qu'ils ne s'étaient réciproquement pas fait beaucoup de bien.

Elle raconta tout cela à Scott au lit, dans le noir, la tête posée sur sa poitrine, tour à tour honteuse et incrédule, comme si elle ne pouvait pas tout à fait croire à ce passé digne d'une héroïne de Dickens. Elle n'avait jamais confié son histoire à personne auparavant. C'était une des raisons pour lesquelles elle avait rompu avec Donegall : elle craignait d'être découverte. Scott restait immobile à l'écouter, il absorbait toutes ces nouvelles informations, tentant d'en apprécier la véridicité. Il se sentait à la fois trahi et justifié dans ses soupçons. Il avait bien deviné qu'elle cachait quelque chose. Maintenant il savait quoi. Il comprenait qu'elle ait dû dissimuler ses secrets à la face du monde, mais pourquoi se protéger de lui ?

« Tu dois penser que je suis quelqu'un d'abject.

– Pas du tout. »

Il lui dit qu'il la comprenait. Enfant, il avait appris la nécessité de dissimuler la véritable situation de sa famille. Les efforts de Sheilah lui rappelaient ses samedis matin chez Miss Van Arnum et la honte qu'il éprouvait devant ses camarades de Newman parce qu'il était boursier. Il se souvenait de ce premier succès qui lui avait fait tourner la tête, quand tout le monde le réclamait, sauf que, en narcisse rêveur qu'il était, il avait cru que cela durerait toujours. Il ajouta qu'il lui indifférait qu'elle ait été mariée, ce qui n'était qu'en partie vrai. Le passé, c'était le passé, on ne pouvait rien y changer. Elle pleura, soulagée. Durant tout le week-end, ils ne mirent pas le nez dehors, restèrent accrochés l'un à l'autre, comme s'ils venaient de survivre à une terrible tragédie, et firent l'amour maladroitement, avec l'énergie du désespoir, échangeant des confidences sur de petites trahisons sans importance dont ils pouvaient rire ensemble. Ce fut seulement quand il la quitta pour aller travailler le lundi matin qu'il se sentit dépossédé, comme si c'était la fin de leur liaison.

Le temps était gris et il faisait froid dans son bureau, comme dans l'immeuble entier. Une fois de plus, sans raison, il retravailla les dialogues de Paramore : il se levait sans arrêt, arpentait la pièce, se campait devant la fenêtre en se frottant la nuque, fouillant du regard jardins et perrons à la recherche de Mr Ito. Aux réverbères étaient accrochées des clochettes d'argent et des étoiles dorées en fil de fer et en guirlande ; alors qu'il essayait de se représenter le grand boulevard de Saint Paul avec ses tramways rouges recouverts de neige, comme ils devaient l'être en ce moment, il lui vint à l'esprit l'image d'une Sheilah adolescente sur scène, les épaules nues sous les projecteurs, reluquée dans le noir par un public uniquement composé d'hommes. Furieux, il chassa cette vision et poussa brutalement son fauteuil contre la grille d'aération.

Une femme aveugle avec une longue canne blanche essayait d'ouvrir la porte du drugstore quand, derrière lui, il entendit le bouton de porte tourner. Prudemment, il l'avait verrouillée.

« Entrez donc. »

C'était Mank. Il n'était jamais descendu du troisième étage pour le voir, Scott se dit que c'était mauvais signe.

Mankiewicz referma la porte, le sourcil froncé, contrarié d'avoir dû attendre. Il avait la même carrure robuste qu'Ernest, la même assurance, mais une physionomie un peu plus mobile. Avec son cigare à moitié mâchonné et ses grosses chaussures éraflées, il ressemblait à un directeur de cirque ambulant.

« Tracy est hors circuit – appendicite foudroyante. Il va bien, mais il va devoir rester couché pendant un certain temps. J'ai demandé à Mayer de nous donner Franchot Tone. Je sais, il n'est pas parfait, mais il est sans doute ce qu'on peut trouver de plus proche. On a deux semaines pour réécrire le rôle pour lui. »

Deux semaines, cela voulait dire quatre, et donc Scott ne pourrait pas rentrer dans l'Est pour Noël – encore une promesse non tenue. Et puis, Tracy était leur atout maître. Sans lui, qui attirerait les foules ? *Variety* ne manquerait pas d'en faire sa une.

« On a de la veine, dit Mank, ça aurait pu nous arriver en milieu de tournage.

– Pas faux.

– La bonne nouvelle, c'est que nous aimons beaucoup votre travail. Je l'ai déjà annoncé à Eddie, mais je voulais vous le dire en personne, nous vous gardons pour l'année prochaine.

– C'est effectivement une bonne nouvelle. Je vous remercie. » Scott et lui se serrèrent la main pour sceller cette alliance, et il le raccompagna à la porte.

Cette décision l'étonnait, mais il éprouvait de la reconnaissance parce qu'il avait fait très peu de chose ces six derniers mois. Il allait devoir écrire à Zelda et à Scottie pour leur dire qu'il ne rentrerait pas, mais il le ferait plus tard. D'abord il fallait qu'il appelle Sheilah. Même sans vouloir y lire un signe trop favorable, ce renouvellement de contrat devait être fêté, il y avait là quelque chose de rassurant pour eux deux, espérait-il.

Elle n'était pas chez elle, ce qui ne signifiait rien de précis. Et pas non plus à son bureau. Il reposa le combiné et se laissa tomber dans son fauteuil. La bonne nouvelle était déjà moins fraîche, son piquant s'émoussait. Avec quelle facilité Sheilah l'avait berné, et depuis tant de temps ! Il n'était pas plus malin que Donegall. Elle n'avait jamais eu l'intention de lui avouer la vérité. Elle n'était avec lui que parce qu'il était marié et qu'il n'y avait aucune chance qu'il lui demande jamais de changer de vie, alors que depuis le début, il se sentait tellement coupable de ne pas pouvoir lui faire cette promesse.

Toute la journée, il caressa des idées de meurtre, il appela et appela encore, jusqu'à craindre que quelque chose ne soit arrivé. Avant de rentrer chez lui, il fit un détour par chez elle. Sa voiture n'était pas là, les rideaux étaient tirés. Il se dit, avec cette logique propre aux comédies romantiques, qu'elle l'attendait peut-être chez lui, et il se dépêcha de rentrer, pour trouver son bungalow vide.

Manifestement, elle devait travailler à l'extérieur, mais cette idée ne suffit pas à l'apaiser. Elle paradait sans doute au bras de quelque jeune séducteur, posant pour les photographes comme s'ils formaient un couple, tandis qu'il était seul à la maison. Le lundi était toujours une soirée calme au Jardin, chacun s'efforçant de se remettre du week-end. Bogie et Mayo étaient sur un tournage, il commanda donc son dîner chez Schwab's et tenta de se distraire en lisant le journal de la veille, priant pour que le téléphone qu'il gardait sous la main finisse par sonner, prêt à répondre qu'il était heureux d'entendre sa voix.

Quand il sonna enfin, à dix heures et demie, il sursauta. Il laissa passer trois sonneries avant de décrocher, comme s'il était occupé.

Elle le pria de l'excuser. Elle avait voulu téléphoner plus tôt, mais à la dernière minute, on lui avait proposé de réaliser l'interview qu'elle avait dû annuler, et naturellement, elle avait saisi cette chance, sauf qu'il lui avait fallu se rendre en voiture au bout du monde, à San Simeon.

Il mit une seconde à comprendre, et même alors, cela lui parut incroyable. Elle avait repoussé un rendez-vous avec Marion Davies pour lui.

« Pourquoi tu ne me l'as pas dit vendredi ? J'aurais parfaitement compris.

– Je n'en avais pas le droit. Tout doit demeurer secret jusqu'à l'impression. En tout cas, ça m'a pris très longtemps, et ensuite, ils m'ont invitée à rester dîner, et décemment, je ne pouvais pas refuser, n'est-ce pas ? Marion est charmante, mais elle parle énormément. C'était étrange d'être là, avec les domestiques qui nous tournaient autour comme des mouches. J'avais l'impression d'être au château de Dracula. Tu sais qu'elle l'appelle le Chef – il trouve ça drôle –, mais ils se sont montrés extrêmement aimables, et l'article sera très bon, je crois.

– J'en suis sûr. » Il aurait voulu paraître dur et distant, mais il ne parvint pas à résister à son enthousiasme. Il s'imaginait la scène : la petite Lily Shiel, assise à la table de William Randolph Hearst. « Toutes mes félicitations.

– Merci. Et toi, ta journée ?

– La MGM renouvelle mon contrat, et donc, tu n'es pas près de te débarrasser de moi.

– C'est merveilleux ! Il va falloir aller fêter ça ! Demain je ne peux pas, mais mercredi, sans faute.

– Que se passe-t-il demain ?

– Une soirée de gala à l'Egyptian pour soutenir un musée.

– Il me plaît, à moi, ce musée.

– Je suis désolée. J'aimerais tellement pouvoir t'y emmener.

– Qui est ton cavalier ?

– Leslie Howard.

– Alors, c'est parfait, je suppose. »

Il lui donna des nouvelles de Tracy.

« On me l'a dit.

– Hollywood est vraiment une petite ville.

– Une petite ville pleine de commères.

– Et toi, la plus active de toutes.

– Je m'y emploie. Alors, mercredi ?

– Mercredi », répondit-il, et il la laissa raccrocher.

Après la folie furieuse du week-end, cela l'irrita qu'ils se parlent de façon aussi désinvolte, comme si rien ne s'était passé. Elle était une personne complètement différente, une femme qu'elle lui avait permis de connaître seulement après qu'il fut tombé amoureux de son image extérieure. Peut-être était-ce toujours vrai. Cela l'avait été avec Zelda, même si dans son cas, il s'était illusionné tout seul. Pourquoi était-il toujours attiré par des femmes compliquées ? À moins que toutes les femmes, tous les êtres humains en définitive, ne le soient. Lui ne pensait pas l'être, enfin, pas particulièrement. Il avait fait tout ce qui était en son pouvoir pour se simplifier la vie, réduisant toutes les complexités à une pièce unique, un bureau, une lampe. Un crayon et du papier.

Après m'être inquiété pendant des mois pour savoir si oui ou non mon nom figurerait dans un générique, écrivit-il, *j'apprends que la MGM a considéré que j'étais suffisamment bon pour me garder, alors même qu'il ne l'a pas été une seule fois. Je me réjouis de cette confiance et de la chance qui m'est donnée de pouvoir continuer à éponger nos dettes, mais cela signifie qu'il me faut remettre nos projets de Noël à la mi-janvier, au plus tôt. Nous venons de remplacer Spencer Tracy, dont l'appendice a mal supporté le scénario. Je suis tout à fait désolé pour Scottie, parce que je voulais l'emmener lécher les vitrines de Gimbel's et Macy's en souvenir du bon vieux temps, et peut-être la conduire au Plaza pour admirer le sapin de Noël. Les Ober seront ravis de l'avoir avec eux, mais je me rappelle être resté dans les dortoirs de Newman pour Thanksgiving une année, et cela n'avait rien eu d'une fête. Il faudra que nous fassions quelque chose de spécial pour elle à Pâques. Si ta mère ne peut pas te prendre chez elle à Noël, nous pourrons peut-être faire un saut à Montgomery le mois prochain pour la voir. Le Dr Carroll pense lui aussi qu'il est bon pour toi d'aller là-bas régulièrement, si c'est là que tu souhaites finalement retourner.*

Quand il eut terminé, il était presque minuit. Il prit ses clés, longea la piscine déserte, remonta l'allée de la maison principale, traversa Sunset Boulevard jusqu'à la boîte aux lettres devant chez Schwab's, en ouvrit le lourd couvercle, puis le laissa retomber. Même si tout ce qu'il avait dit était vrai, il avait le sentiment d'être fourbe et lâche, et sur le chemin du retour, il chercha des yeux les fenêtres sombres d'Alla pour y apercevoir son spectre accusateur. Il n'y avait rien, hormis les étoiles, les palmiers, les haies obscures qui bordaient les allées. Il entendait l'écho de ses pas comme si quelqu'un le suivait, et quand il atteignit son bungalow, il verrouilla la porte.

La nuit suivante, comme pour le rassurer, Sheilah lui téléphona après son gala de charité. Leslie Howard s'était comporté en vrai gentleman.

« C'est ce que j'ai entendu dire.

– Arrête.

– Il danse bien ?

– Moins bien qu'Hemingway.

– Qu'est-ce que tu portais ? »

Ils s'attardèrent au téléphone, incapables de raccrocher. De nouveau, il ne fut aucunement question de ses révélations et, par délicatesse, il ne les évoqua pas.

Le mercredi, ils s'éloignèrent résolument de Hollywood et dînèrent dans le centre-ville, au Palm Court du Biltmore, un salon tout en acajou, cuivre et marbre, fréquenté par des banquiers et des magnats du pétrole. Il demanda une table à côté de la fontaine au milieu de la salle. Là, près de l'eau qui clapotait, ils discutèrent de leurs projets de Noël comme des jeunes mariés qui préparent leur voyage de noces.

Catalina serait bondée, Santa Barbara était trop loin. Sheilah penchait pour Malibu, si elle réussissait à obtenir le bungalow. Lui avait envie d'un endroit sans passé, les montagnes par exemple. Ne préférerait-elle pas la neige ? Ils pourraient louer un chalet au bord du lac Arrowhead ou du lac Big Bear et paresser au coin du feu.

« Il fait si humide là-bas, et puis il n'y a aucun restaurant.

– Frank Case n'y possède-t-il pas aussi une maison ? »

Posément, elle replaça son couteau à beurre sur l'assiette et fixa Scott droit dans les yeux. « S'il faut vraiment tout te dire, j'y suis allée pour le mariage d'une amie. Il y a des témoins si besoin est. Et si, effectivement, j'y étais avec quelqu'un, quelle importance cela aurait-il ?

– Aucune.

– Manifestement si. »

Il n'avait aucune envie d'une querelle en public et il s'excusa gentiment. Ils étaient censés fêter un joyeux événement.

Il avait l'habitude des scènes – les cris, les verres que l'on brise –, mais Sheilah n'était pas Zelda. Elle avait débuté sa carrière de journaliste comme correspondante locale et en avait gardé une patience de chercheur d'or. Elle se montra tacitement d'accord pour ne pas gâcher la soirée, et charmante durant tout le repas. Au vestiaire, elle le laissa même lui passer son étole de renard sur les épaules. Elle attendit qu'ils soient dans la voiture, loin des oreilles indiscrètes.

« Tu n'as pas le droit de me parler comme ça, commença-t-elle avant qu'il ait pu tourner la clé de contact. Je ne le supporterai pas. »

Il s'excusa de nouveau, espérant que l'orage était passé.

« Je savais bien que je n'aurais rien dû te dire. Je me doutais que ce serait trop lourd.

– Je me réjouis que tu l'aies fait. Mais tu dois reconnaître que ça fait beaucoup.

– Tu n'as aucune raison d'être jaloux.

– Ce n'est pas pour ça que je suis jaloux. Je le suis parce que je suis un homme et que tu es une jolie femme. Si je ne l'étais pas, il y aurait quelque chose qui clocherait en moi.

– Je reste persuadée de ce que je t'ai déjà dit. Il faut que tu réfléchisses avant de parler. »

Tandis qu'il le reconnaissait d'un air contrit, il pensa en son for intérieur que les torts étaient partagés, c'était un sujet trop sensible pour chacun d'eux.

La soirée devait être festive, mais alors qu'ils remontaient la route en lacets au-dessus de Sunset Boulevard, elle annonça qu'elle avait un rendez-vous de bonne heure le lendemain. Il l'escorta jusqu'à sa porte, l'embrassa pour lui dire bonne nuit, attendit que la lumière extérieure s'éteigne, puis il reprit sa voiture, réfléchissant à ce qui avait bien pu aller de travers. Il aurait dû lui dire que, d'une certaine façon, il préférait celle qu'elle était désormais. En homme du Midwest qui s'était fait tout seul, il avait une grande admiration pour ceux qui s'étaient construits sans l'aide de personne.

Si, comme il le pensait, elle voulait le punir pour son absence de confiance, alors de quoi le récompensa-t-elle, ce samedi matin, quand elle vint vers lui, la peau tiède et rosie par sa douche ? Excuses ou réconciliation, c'était bien loin, en tout cas, de l'abandon mélancolique du week-end précédent. Il y avait en elle une espièglerie alanguie – elle éclata de rire par exemple en cachant son visage sous l'oreiller – et de nouveau, il se demanda ce qui avait changé, si effectivement quelque chose avait changé. À moins que ce ne fût sa manière à elle de dire qu'ils avaient réussi sans dommage à surmonter cette épreuve.

Il était trop faible. Il ne savait rien refuser à une femme. Malgré toutes ses préventions, il accepta de passer le réveillon à Malibu.

Pratiquement toute sa vie, à Noël, il s'était trouvé loin de chez lui. Quand il célébrait cette fête à Paris, à Rome ou sur la rive nord de Long Island, il ne pouvait s'empêcher de songer avec mélancolie à l'enfant aux yeux écarquillés de surprise qu'il avait été, les congères s'amoncelant au long de Summit Avenue, la cathédrale glacée embaumant les rameaux de sapin fraîchement coupés et la fumée des cierges, ou au jeune homme, plus tard, qui rentrait de

Newman avec ses camarades, à bord du train de nuit en provenance de Chicago, les rafales de neige balayant l'obscurité comme des comètes. Noël, c'étaient des bougies sur la cheminée, son père découpant la dinde que sa grand-mère McQuillan avait achetée, et sa mère lui demandant de réciter le bénédicité – ces mêmes rituels tout simples pratiqués dans le monde entier et qui lui paraissaient aujourd'hui d'autant plus émouvants qu'ils avaient disparu. Toutefois, dans le vent léger du désert portant le parfum des bougainvilliers en fleur, ce paisible passé éclairé à la lueur des bougies semblait irrémédiablement lointain, comme si rien de tout cela n'avait jamais eu lieu.

Certes, il vieillissait, mais ce n'était pas seulement de la nostalgie. À l'image de l'architecture hétéroclite de cette ville, les traditions, ici, étaient empruntées, et dans bien des cas les greffes n'avaient pas pris. On pouvait toujours entourer de guirlandes lumineuses le tronc des palmiers, et décorer de petites ampoules brillantes les baraques où l'on vendait des hot dogs et du jus d'oranges pressées, l'atmosphère n'en était pas plus festive pour autant. À chaque coin de rue ensoleillé de Beverly Hills, des évangélistes agitaient leurs clochettes, des pères Noël de pacotille et des choristes emmitouflés dans leurs écharpes étouffaient de chaleur et harcelaient les touristes en manches de chemise pour célébrer une fête qui semblait à des années-lumière. Sa méfiance était naturelle, inscrite dans ses gènes. Sa peau lui disait que ce n'était pas la bonne saison – que le soleil était encore trop proche.

J'ai été désolée d'apprendre ce qui était arrivé à ta voiture, écrivit Zelda, *et me réjouis que tu l'aies arrachée aux griffes de ces Mexicains. Félicitations pour le renouvellement de ton contrat, même s'il est triste que Scottina et toi ne puissiez pas être ici pour Noël. Le grand hall est décoré de rouge vermillon et d'or, et il y a aussi des cohortes d'anges fabriqués avec des boules de coton par des écoliers venus ici nous offrir un bien joli concert. J'ai la possibilité d'aller au Ringling Museum à Sarasota la semaine prochaine, pour suivre un cours de dessin d'après modèle vivant, si tu crois que nous pouvons nous le permettre. J'espère que oui, parce qu'il faut vraiment que j'apprenne à mieux représenter les corps. Ce pourrait être mon cadeau de Noël, si tu veux. Maman est ravie à l'idée de m'avoir chez elle pour les fêtes, pourvu que Sara soit là pour l'aider. Je lui ai dit que moi, je pourrais lui donner un coup de main, mais elle m'a répondu que Sara lui rendait les choses plus faciles. Moi aussi, j'aimerais bien savoir vous rendre les choses faciles, à elle et à toi, mais je suppose que nous avons tous notre lot sur cette terre, n'est-ce pas, mon bécasseau ? Le mien, en ce moment, c'est de me tenir occupée et d'organiser mon avenir, plutôt que de désespérer de ne jamais voir le bout du tunnel. Je te promets que tout cela sera oublié quand tu viendras le mois prochain. En attendant, je te suis reconnaissante. À toi, pour toujours.*

Son écriture était nette et paisible, et ainsi qu'il l'avait déjà fait depuis que Mank lui avait annoncé la nouvelle, il argua que ce n'était pas de sa faute s'il ne pouvait pas être auprès d'elle. Ce n'était pas un mensonge, mais il eut honte, exactement comme, un peu plus tard, il se sentit gêné d'acheter des cadeaux pour Scottie et Sheilah en même temps.

Quoiqu'elle fût juive à l'origine, en tant que Mrs Gillam, Sheilah avait fait sienne la Nativité avec la ferveur d'une convertie, et elle insista pour qu'ils achètent un sapin de Noël. À Saint Paul, il aurait simplement sauté dans sa voiture et serait allé à la campagne, où un paysan sirotant du chocolat chaud au coin du feu lui aurait tendu une scie et montré un champ d'épicéas bleus et de sapins norvégiens chargés de neige. Là, ils se rendirent sur le parking d'un vendeur de voitures d'occasion et en choisirent un parmi plusieurs spécimens en bien piteux état, alignés comme des prisonniers le long d'une palissade, tandis qu'un haut-parleur déversait des chants de Noël à tue-tête. Le vendeur lui réclama cinquante cents supplémentaires pour emballer l'arbre dans de la toile à sac et l'arrimer sur le toit de sa Ford. Puis, sur Ocean Boulevard, quand il freina pour s'arrêter à un feu rouge, le sapin se décrocha et partit comme une torpille, ou la dépouille d'un marin qu'on jette à la mer, rebondissant sur le capot, avant de continuer son chemin jusqu'au carrefour, où il finit par s'immobiliser. Ils le sauvèrent grâce à l'aide amusée d'un travailleur agricole qui avait justement un morceau de corde à linge au milieu des outres d'eau suspendues à sa Ford A, mais non sans que Scott fût pris d'une brève attaque de panique, qui se transforma en rage contre le sapin et contre l'idée même d'en avoir un chez eux. Quand ils réussirent enfin à le ramener à bon port, elle ne voulut pas l'installer près de la cheminée, mais sur le patio, devant la baie vitrée qui donnait sur l'océan, comme si c'était son habitude de faire.

Ils fouillèrent le varech de la plage à la recherche d'une étoile de mer appropriée. Il se hissa sur la pointe des pieds pour la fixer à la cime.

« C'est bon, cette fois ? demanda-t-il.

– Pour l'instant. N'est-ce pas tout simplement parfait ? »

La fête de Noël de la MGM le déconcerta encore plus : une bacchanale d'une journée sur le site entier, parrainée par ses patrons juifs qui en étaient ostensiblement absents.

« Personne n'aime Main Street plus que L.B., expliqua Dottie.

– Et donc, poursuivit Alan, L.B. adore Noël.

– Moi j'adore Noël, dit Dottie. C'est Main Street que je hais.

– Et L.B.

– Et L.B. » Alan et elle trinquèrent.

Bien qu'on eût prolongé son contrat, Scott déclina l'invitation, ce qui rendit cette journée plus étrange encore. C'était opération « portes ouvertes » aux studios, les stars, les menuisiers et les secrétaires se mélangeaient librement, la cantine transformée en dancing. Les salles de projection, normalement réservées aux délibérations les plus sérieuses entre producteurs, étaient envahies de spectateurs déchaînés, ivres de cocktails au lait de poule, à qui on projetait des films porno tirés d'une collection privée. Des couples se bécotaient dans les escaliers et, à travers les portes verrouillées des bureaux, on entendait des encouragements tendres et obscènes. L'ascenseur du

Poumon d'acier empestait l'herbe. Quand Scott décampa, Oppy chevauchait comme un jockey le lion qui gardait les marches de l'entrée.

Scott lui proposa de le ramener en voiture, mais il refusa. « La nuit a à peine commencé. Écoute, vieux, tu aurais pas cinq dollars pour un pote ? Je suis un peu à sec. »

Quoique dûment averti, Scott les lui prêta.

En partant des studios, au lieu de se sentir soulagé, il eut l'impression de dériver et regretta de ne pas être resté. Malgré tous les problèmes qu'ils avaient connus, il s'était toujours arrangé pour fêter Noël avec Zelda et Scottie, même si cela voulait dire dîner le soir du réveillon dans la cafétéria d'un hôpital, et alors qu'il remontait paisiblement l'autoroute qui longeait la mer, aveuglé par le soleil couchant, laissant la ville derrière lui, il était certain d'être en train de commettre une erreur.

Un tablier autour des reins, un foulard sur les cheveux, Sheilah l'attendait. Elle faisait cuire une tourte à la citrouille, dont l'odeur embaumait le bungalow. Elle avait fait le ménage, disposé des fleurs dans des vases, et il se dit qu'il aurait dû lui apporter des roses. Quand il lui proposa de l'emmener au Malibu Inn le lendemain, elle lui montra le réfrigérateur plein à craquer. Ils avaient tout ce qu'il leur fallait sous la main.

Avant qu'elle n'attaque les ultimes préparatifs du dîner, ils enfilèrent leurs pull-overs et allèrent admirer le couchant, marchant main dans la main le long des cabanes de pêcheurs aux volets clos et des bateaux bâchés. Le ciel était couleur cerise, et les mouettes regagnaient le rivage par petits groupes. Elle semblait se réjouir que la plage fût toute à eux, comme si elle l'avait prévu.

« Nous verrons bien combien de temps ça va durer », dit-elle, parce que le lendemain, c'était le réveillon de Noël.

Le dîner se composait de côtelettes d'agneau, de pommes de terre à la lyonnaise et de haricots verts saupoudrés d'amandes effilées. Sur la foi de cet unique repas, il reconnut qu'elle était meilleure cuisinière que Zelda, ce qui n'était pas très difficile. Elle avait dû travailler tout l'après-midi. Ensuite, comme un mari dévoué, il fit la vaisselle. Quand le soleil eut disparu, la fraîcheur s'installa et il alluma un feu. Ils se blottirent ensemble sur la causeuse, puis chacun se plongea dans son livre : l'image même de la conjugalité. Les bûches sifflaient et craquaient, jetant des étincelles. Il remarqua le silence, interrompu de temps à autre seulement par une vague ou l'approche d'une voiture sur la route.

La tourte était trop lourde. À neuf heures, il ne parvenait déjà plus à garder les yeux ouverts. Elle lui montra leur chambre, et après l'agression de la salle de bains glaciale, ils bondirent dans le lit, s'agrippant l'un à l'autre pour se réchauffer sous les couvertures.

Le lendemain matin, il s'étonna d'avoir dormi d'une traite. La mer était calme, la lumière si vive qu'il réussit à discerner un drapeau grec sur un cargo qui se dirigeait vers le port. La plage était déserte dans les deux directions. Ils s'y promenèrent, emplissant un seau de crabes, d'oursins plats et de guirlandes d'algues pour le sapin. Elle avait emprunté son pull-over, beaucoup trop grand pour elle, et en lui tournant autour comme une enfant, elle le frappait avec les manches vides en éclatant de rire, le forçant à la poursuivre. Il l'attrapa, l'embrassa, lui reprit la main et ils continuèrent leur chemin. La journée se poursuivit dans le même calme, et pendant un instant, alors qu'il pataugeait à son côté dans l'eau qui étincelait, le visage illuminé par le soleil, il songea au destin funeste qui les avait poussés sur ces rivages dorés, deux réfugiés fuyant leur passé. Il s'imagina vivant là avec elle, échoués sur leur île déserte privée. C'était un vœu gratuit, et égoïste de surcroît, de vouloir se débarrasser du monde, et pourtant, comme dans toute rêverie éveillée, il comprenait une part de vérité. Sheilah ou Lily, c'était elle qu'il voulait, de même qu'il voulait, contre vents et marées, que se prolongent ces jours paisibles et que cette vie, incroyablement nouvelle, soit sienne.

Pâques 1928

Elle comprit qu'il devrait repartir pour l'Est dès qu'il aurait rendu le scénario. Ce serait plus difficile après avoir passé Noël ensemble. Ils partageaient une sorte de fatalisme forcé, ne discutaient jamais à fond de la situation, ou de son programme là-bas, n'évoquant que le moment où il partirait. Elle paraissait accepter le voyage dans l'esprit même où il le présentait, un devoir regrettable mais nécessaire ; elle savait qu'il ne serait absent que deux semaines, néanmoins quand il obtint finalement l'accord de Mank, elle se renfrogna, ce qui était bien son droit. Il ne pouvait que compatir, n'ayant aucun motif de se plaindre. Le soir d'avant son départ, ils prirent congé avec gravité, comme s'il la quittait pour aller à la guerre. Il rentra au Jardin, dormit seul, et le matin venu, il se rendit à l'aéroport.

Il n'aimait pas prendre l'avion – le bruit et les vibrations lui donnaient la migraine – mais, comme toujours pour les nouveautés, l'étrangeté de la chose l'excitait. La discontinuité le fascinait : passer une porte à un certain endroit, rester immobile pendant quelques heures, et se retrouver ensuite mille cinq cents kilomètres plus loin. Il lui semblait que c'était là un moyen de locomotion très américain, davantage encore que l'automobile, qui n'allait pas seulement plus vite plus loin, mais éliminait radicalement l'expérience temporelle du voyage, sautant par-dessus de vastes zones du pays pour se concentrer uniquement sur l'atterrissage, à l'aide de technologies étranges et onéreuses, jusqu'au point de destination, sauf bien sûr quand on ne l'atteignait pas – une pensée alimentée par une méfiance instinctive et les trous d'air de la traversée. Il aimait l'idée d'un accident d'avion, symptôme des temps modernes, apogée du troisième acte. Comme Icare, son producteur allait défier le soleil, et comme tous les hommes, chuter. Les forces alliées contre lui étaient médiocres mais nombreuses – c'était bien la tragédie de Hollywood. Son personnage, pareil à Thalberg, serait le dernier lion, universellement redouté et flatté, avant d'être traîné à terre par des chiens.

Ils firent escale à Memphis pour se réapprovisionner en carburant, et il trouva l'aéroport sale et désagréablement humide. C'était en fait un hangar en briques percé de vitres ouvrant sur le tarmac. Il faillit se laisser prendre au piège du décalage horaire. Bien qu'il fît nuit noire à l'extérieur, il n'était que trois heures. Le bar le tenta, mais il se retint et fuma une cigarette tout en sirotant un Coca et en regardant les gouttes de pluie rider la surface des flaques. Tandis qu'il fouillait sa mémoire à la recherche de ce vers de Byron qui parle du monde frissonnant sur une feuille, une crevasse de lumière blanche fendit le ciel au-delà des arbres et illumina les nuages. Un coup de tonnerre éclata, tout proche, fit vaciller les ampoules électriques, et les passagers poussèrent des cris de surprise, tels des écoliers dans une salle de classe. Une bourrasque s'abattit sur les vitres, suivie de rafales de pluie. La perturbation qu'ils avaient dépassée en vol venait de les rattraper. Une annonce confirma ses craintes : ils resteraient coincés là jusqu'à ce que la météo s'améliore.

L'ennui de ces aéroports de province… le même que celui que l'on éprouve dans les gares. À cause de l'orage, il arriva avec du retard à Asheville, et le temps de louer une voiture et de rouler jusqu'à Tryon, les visites étaient terminées. Il avait appelé le Dr Carroll pour le prévenir, mais craignait que Zelda n'en fût affectée. La plus légère déception pouvait provoquer une crise.

Il y avait déjà eu un malentendu à propos des mocassins qu'elle voulait pour remplacer son ancienne paire. Aussi légers que des chaussettes et fourrés, ils étaient parfaits pour se promener dans la salle commune, qui pouvait être glaciale en cette période de l'année. Elle voulait de vrais mocassins, confectionnés à la main par des Navajos et décorés de perles de couleur. Dans sa lettre, elle lui demandait de descendre du train à Tucson pour lui en acheter, alors qu'il avait clairement précisé qu'il venait en avion. Pour l'apaiser, il en avait choisi une paire acceptable dans une boutique de souvenirs sur Hollywood Boulevard, sans doute fabriqués au Japon. Avec Zelda, tout cadeau représentait un danger potentiel. Celui-ci, double imposture, paraissait particulièrement explosif. Le problème, comme toujours, était son humeur imprévisible.

La suite qu'il occupait d'ordinaire dans le vieil hôtel était libre au tarif basse saison, mais il n'avait besoin que d'une chambre simple. Le réceptionniste ne s'étonna pas qu'il ne reste qu'une nuit, et il se demanda si, tel un pénitent, il portait les marques visibles de sa souffrance. En se brossant les dents, il songea qu'il n'était plus exactement l'homme qui avait séjourné ici, mais cette pensée lui était peut-être dictée par la vanité. Toutes ces nuits d'ivresse passées sur la véranda, au Jardin, ou sur la Côte d'Azur. Au moins, il y avait une certaine constance dans sa dissipation.

Le lendemain matin, avant qu'il puisse la retrouver, le Dr Carroll l'invita dans son bureau pour lui rendre compte de l'évolution de Zelda. Même si au cours de son séjour au Highland Hospital, sa conduite avait montré des phases radicalement différentes – de la catatonie à une agression en règle des infirmières –, le psychiatre parlait comme si, grâce à son nouveau régime, son état avait connu des progrès constants. De tout l'automne, elle n'avait fait qu'une crise, à son retour de Charleston, et elle avait beaucoup aimé l'excursion à Sarasota.

« Ce sera intéressant de voir si les choses se passent bien à Montgomery, déclara le médecin. Une sorte de test, si vous voulez. »

Il fallait d'abord qu'ils réussissent le séjour à Miami, songea Scott, mais il ne le contredit pas.

« Je sais que Mrs Sayre et vous avez parfois eu des différends. »

Sa belle-mère était une vieille fouine complaisante qui se mêlait de tout et dont les enfants avaient une fâcheuse tendance à se suicider.

« Au fond, dit Scott, je pense que nous voulons la même chose. Nous sommes seulement en désaccord sur le calendrier. Après ce qui est arrivé la dernière fois, je veux être sûr que Zelda est prête. Je m'en remets à votre jugement.

– Je ne dirais pas que nous en sommes là, loin s'en faut. C'est plutôt un galop d'essai pour moi. J'espère qu'elle se sentira bien là-bas, par conséquent nous voulons aussi peu de tensions que possible. »

Quelle audace, oser le chapitrer sur la seule parole de cette femme !

« Je ferai de mon mieux », promit Scott, sans en dire davantage.

Dans le hall, il découvrit, une fois de plus, une nouvelle version de Zelda : elle se tenait debout près de ses bagages, son chapeau à la main, comme si elle attendait le bus. Elle avait maigri, portait les vêtements laissés par quelqu'un d'autre, et ses cheveux, coupés au rasoir, étaient plats. Quand elle sourit, il remarqua que sa dent avait été remplacée. Il ne l'avait pas vue depuis cinq mois et il voulait s'excuser encore de l'avoir laissée là. Alors qu'ils s'embrassaient, il fut saisi par la peur irrationnelle d'avoir toujours sur lui le parfum de Sheilah.

« Joyeux Noël, mon chéri, dit-elle, ce qui le déconcerta un instant.

– Et bonne année.

– Regarde-toi un peu, tu as la peau aussi brune que le poil d'un ours, et tes cheveux sont tellement blonds ! » Elle tendit la main pour les toucher, comme si elle voulait s'assurer qu'ils n'étaient pas faux.

« C'est le soleil. Ta nouvelle dent est parfaite.

– Elle te plaît ? » Elle retroussa les lèvres et tourna la tête pour qu'il puisse admirer le travail du dentiste. De plus près, la couronne lui parut plus blanche que ses autres dents.

« Beaucoup.

– Je voulais me faire belle pour toi.

– Tu as réussi.

– Je suis tellement heureuse que tu aies pu venir.

– Je regrette de ne pas avoir été là pour Noël. »

Chaque parole qu'il prononçait le condamnait-elle au mensonge ? Il se revit sur la plage avec Sheilah, revit leur sapin décoré de coquillages. Il y avait un cercle de l'enfer réservé aux hommes déloyaux. Peut-être était-ce là sa punition : chaque fois qu'il reviendrait, il la trouverait encore et toujours occupée à l'attendre, le cœur empli d'espoir.

En les accompagnant à la voiture, le médecin refit la liste des médicaments qu'elle devait prendre, tel un arbitre expliquant les règles à deux boxeurs. Il avait préparé une copie de l'ordonnance pour Scott. Après tous ses discours sur la nécessité d'une vie saine, il fut choqué par tout ce qu'elle devait ingurgiter. En plus du Séconal, qu'il reconnut parce qu'il y en avait dans sa propre armoire à pharmacie, le reste était nouveau pour lui, il s'agissait surtout de tranquillisants. Il se demanda si elle était droguée en ce moment même.

« Amusez-vous bien, leur conseilla le psychiatre, en leur donnant congé d'un signe de la main.

– Nous n'y manquerons pas », répondit-elle.

Autrefois, ils auraient effectivement pris du bon temps à voler jusqu'à Miami et à séjourner au Biltmore avec la plèbe. Ici, durant leur folle jeunesse, complètement ivres, ils avaient fait un jour un parcours de golf avec Babe Ruth, plongé nus dans l'immense piscine imitant des bains romains, et habillé les statues de la terrasse avec leurs sous-vêtements. Aujourd'hui, la splendeur des lieux lui rappelait seulement combien lui coûtait une nuit. Ils nageaient, jouaient au golf, et un matin ils se levèrent de bonne heure pour aller pêcher en haute mer. Ils dînaient chaque soir dans le grand salon, mais jamais vacances ne lui avaient paru moins reposantes.

Le psychiatre avait raison, elle était d'humeur agréable, et même douce, mais être avec elle chaque minute qui passait était éreintant. Comme cadeau de Noël à retardement, elle lui offrit un autoportrait, avec des yeux de chat, les pommettes saillantes, nimbée du long voile doré d'une prêtresse, et levant solennellement trois doigts. Il réussit à feindre une surprise ravie tout en ne sachant où il allait pouvoir le cacher dans sa villa. Elle s'extasia devant les mocassins, de même qu'elle adorait les œufs au plat qu'on lui montait dans sa chambre, les perruches du grand hall et le terrain de croquet, on aurait dit qu'elle était en permanence un peu éméchée. Le monde était toujours « parfait », « ravissant » et « divin ». Il pensa qu'elle était simplement heureuse de ne plus être enfermée, de se retrouver avec lui. Elle avait toujours eu une personnalité un peu grandiloquente, et naturellement elle voulait présenter sous le meilleur jour possible ce temps passé ensemble, comme si cela avait pu le ramener à elle, mais pareille exaltation sirupeuse était un peu exagérée. Son enthousiasme lui apparaissait comme un numéro d'actrice dépourvu de subtilité, il espérait presque que le masque se fendille et qu'elle montre de nouveau sa vraie personnalité souffrante. Son allégresse permanente avait quelque chose d'inhumain. Perdant peu à peu patience, il commença à se dire que c'était peut-être un produit de sa propre imagination, une conséquence de sa culpabilité. Aussi bien qu'elle pût se comporter, il trouverait toujours quelque chose à lui reprocher.

Ils faisaient une partie de tennis un matin quand il comprit qu'elle ne jouait pas la comédie. Elle était meilleure que lui et luttait farouchement pour gagner. Jeune fille, un de ses passe-temps favoris était de battre les garçons à plate couture devant tout le club. Elle l'écrasait régulièrement, mais ce jour-là, il avait facilement l'avantage, donnant de la voix pour l'encourager à courir après ses volées. Alors qu'elle pliait ses jambes pour renvoyer un coup droit facile, elle s'emmêla les pieds au moment de frapper et tomba, roulant sur son épaule tandis que la balle atterrissait dans le filet.

« Tout va bien ?

– Joli coup », cria-t-elle en s'époussetant. Tout son flanc droit était une gigantesque tache verte.

« Tu es sûre ?

– Parfaitement. 30-0. »

C'est seulement quand ils changèrent de côté qu'il vit qu'elle avait le menton éraflé, une plaque rouge framboise où le sang perlait.

« Tu es blessée. »

Elle posa le doigt dessus et rit comme s'il s'agissait d'une plaisanterie.

« Ça doit faire mal ?

– Un peu. »

Elle semblait plus amusée qu'inquiète ; au fil de la semaine, il remarqua qu'elle réagissait invariablement de cette manière. Un dauphin bondissant hors de l'eau, un morceau de beurre tombant sur la nappe – elle regardait tout avec la même admiration éblouie. Les médicaments qu'elle prenait la rendaient imperturbable, et il se demanda si ce n'était pas la façon qu'avait trouvée le Dr Carroll de la protéger du monde. Il ne pouvait pas imaginer une situation qui plaise davantage à la mère de Zelda.

Ils passaient leur temps à nager, manger et danser. C'était comme une pantomime, légèrement ralentie. Quand venait l'heure du coucher, chacun prenait ses somnifères, et ils dormaient séparément. Elle ne venait plus le déranger comme autrefois et, allongé dans son lit à écouter sa respiration, il se disait qu'il devrait être reconnaissant. Elle était parfaitement charmante, n'exigeait rien d'autre de lui que sa compagnie. À n'importe quel autre moment, il se serait senti soulagé, alors pourquoi s'imaginait-il se glisser discrètement dans la salle de bains pour jeter aux toilettes les médicaments de Zelda ? Et pourquoi pas les siens aussi ?

Au matin, elle se mit une couche de fond de teint sur le menton pour que personne ne pense qu'il l'avait battue, mais malencontreusement, elle rouvrit sa blessure en s'essuyant avec sa serviette au petit déjeuner. Elle lui sourit tandis que le sang dégoulinait comme un jaune d'œuf. Il appela le serveur et régla l'addition.

La situation n'avait rien de très gai, et pourtant, à l'approche de la fin du séjour, il se surprit à désirer le voir se prolonger. Mrs Sayre finirait par gagner la partie, il n'en doutait pas. Au bout du compte, Zelda rentrerait au bercail. D'ailleurs, c'était ce qu'il désirait lui aussi, il ne voyait pas de meilleure solution. Depuis longtemps déjà, ils avaient tous deux renoncé aux devoirs qu'ils avaient l'un envers l'autre, ne formant plus qu'un simulacre de couple. Il lui souhaitait seulement aujourd'hui de vivre paisiblement, entourée par ceux qu'elle aimait. Cela ne pouvait se réaliser qu'à Montgomery, et néanmoins, pendant qu'il l'aidait à monter à bord de l'avion, il eut l'impression de l'abandonner à son sort.

Sa cousine Sara les attendait à l'aéroport avec leur chauffeur, Freeman, dans son uniforme défraîchi. Alors que deux des trois sœurs de Zelda vivaient là, elles avaient toutes charge de famille, et Sara, n'en ayant aucune, avait été nommée aide de camp de Mrs Sayre. C'était une femme profondément croyante, avec un corps concave et un visage émacié qui trahissaient la lassitude et la déception que le monde lui avait causées. Elle embrassa Zelda et examina son menton, lançant à Scott un regard de reproche, puis elle lui prit la main comme si elle risquait de s'échapper. Il aida le chauffeur à porter les bagages, malgré les suppliques de l'intéressé : « Non, monsieur, je vous en prie. » Au bord du trottoir, sous la vigilance d'un policier, était stationnée la magnifique et vénérable LaSalle du juge Sayre, dont l'ornement du capot en nickel et la grille du radiateur étincelaient, sans doute astiquées par le chauffeur. Les femmes de la famille, qui en avaient hérité à la mort du juge sept ans auparavant, en faisaient peu de cas, aucune d'elles ne sachant conduire.

Sara fit asseoir Zelda entre elle et Scott – comme si, de nouveau, elle menaçait de s'enfuir – et la LaSalle prit la direction de la ville. Le pays était plat et la terre partout exploitée : champs de coton, pinèdes d'où l'on tirait du bois de construction et de l'essence de térébenthine. Scott se souvint de la terre rouge qui s'infiltrait sous les tentes à Camp Sheridan et donnait à leurs sacs de couchage une teinte rouille. C'était autrefois une ferme, elle avait été rachetée une fortune par le ministère de la Guerre, et on y avait rapidement installé un mess et une caserne. Les pluies de printemps transformaient la terre en un bourbier rouge carmin, et en été il n'y avait pas le moindre arbre pour se protéger de la chaleur. Mais ils étaient jeunes et rêvaient de gloire et de violence. Tout en rouspétant contre les vicissitudes de la vie militaire, ils traitaient de haut la population locale. Le vendredi soir à la nuit tombée, les cheveux soigneusement mouillés, ils prenaient le bus sur cette même route, envahissaient les salles de cinéma et s'attroupaient autour des distributeurs de boissons à la recherche de filles, pillant la ville qui leur vidait les poches. C'est à ce moment-là qu'il l'avait rencontrée, au cours de cet été héroïque où ils s'apprêtaient à embarquer en rangs serrés pour l'Europe. Contre toute attente, la guerre avait pris fin comme une histoire d'amour ratée, ils n'avaient pas connu la souillure du sang ennemi, mais ressenti la honte de leurs désirs contrariés. Des années plus tard, alors qu'elle se remettait de sa première crise, ils s'étaient réfugiés là, louant une maison non loin de celle de ses parents, et par un beau jour de printemps il était parti en voiture dans la campagne pour aller arpenter les champs boueux, retrouver les traces des allées et de l'esplanade centrale du camp, mais la terre avait été retournée trop souvent et il n'était pas sûr que ce fût le bon endroit, de toute façon ; il reconnut que c'était justice que ce passé presque glorieux ait disparu sous le soc de la charrue, oublié de l'histoire comme les tentes des Spartiates ou les armées de Napoléon.

« J'adore cette vieille grange », s'exclama Zelda devant une relique branlante et délavée par le temps.

Sara ne cacha pas sa désapprobation : « Mr Connor ne laissait jamais les choses comme ça à l'abandon.

– Tad est-il toujours à la filature ?

– Il est reparti à Mobile. C'est vraiment dommage. Personne ne comprend ce qui lui passe par la tête.

– Et il peut être tellement adorable ! »

Elles continuèrent à jacasser, Zelda imitant l'accent traînant et chantonnant de Sara qui diphtonguait chaque voyelle, et redevenant à mesure qu'ils approchaient de la ville l'image même de la belle du Sud. Elle adorait les commérages, même si, avant le lendemain, et peut-être dès ce soir, son arrivée ferait l'objet de tous les bavardages autour des tables familiales et dans les meilleurs restaurants. Localement, elle était considérée comme un exemple à ne pas suivre, sa chute indubitablement liée à une notoriété précoce. Il avait parfois vu des enfants courir vers la maison en la montrant du doigt et en faisant des grimaces. Un jour, devant le Grand Theatre, une bande de gamins avait forcé un attardé mental d'environ dix ans à lui crier « Bryce », le nom de l'hôpital public de Tuscaloosa. Scott avait poursuivi le gosse pour lui donner une leçon, l'avait ramené en le tirant par le col, mais Zelda, en le voyant en larmes, l'avait consolé.

Devant eux, le dôme du Capitole, siège du pouvoir et symbole des privilèges, surplombait la ville comme une cathédrale médiévale. Fidèle serviteur de la loi, le juge avait installé sa famille sous son ombre tutélaire, dans une large rue bordée d'ormes, dûment nommée « Pleasant Avenue ». Dans ce quartier, les maisons ne dataient pas d'avant la guerre de Sécession, elles ne possédaient ni vastes portiques ni logements d'esclaves, c'étaient des constructions massives en briques bâties au tournant du siècle, pareilles à celles qu'on trouvait à Saint Paul, dotées de quatre cheminées et d'une galerie circulaire, ainsi que de mansardes pour le personnel cachées sous les toits, comme si tous les architectes de l'époque avaient signé une convention. La demeure des Sayre, quand il l'avait vue pour la première fois, lui avait rappelé celle de sa grand-mère McQuillan dans les moindres détails – jusqu'au vitrail de l'escalier, qui pour lui représentait les fortunes ancestrales et avait l'antique majesté d'une église. Ces maisons partageaient une apparence de solidité durable, tout à la fois rassurante et étouffante. Dans pareille demeure, rien ne change jamais, et même si le juge était patient avec sa fille, bien qu'assez distrait, et si sa mère l'idolâtrait, Scott avait compris pourquoi Zelda était si impatiente d'en partir. L'abandonner là aurait été comme la condamner à revivre le passé enseveli.

Aujourd'hui, alors que la LaSalle ralentissait pour s'engager dans l'allée, la maison paraissait telle qu'en elle-même, avec sa pelouse et ses haies de buis soigneusement entretenues et les piliers blancs de sa galerie. Zelda se pencha par-dessus Scott et baissa la tête pour voir les fenêtres du premier étage. Elle n'était pas venue là depuis plus d'un an, l'avant-dernier été, pour son anniversaire. Avant la fin de son séjour, elle s'était murée dans le silence, passant tout son temps dans le jardin, coiffée du vieux canotier de son père, emplissant le carnet de croquis qu'on lui avait offert d'études de fleurs assez peu réussies, même si sa mère s'extasiait et lui demandait de lui en offrir une encadrée pour son anniversaire.

La voiture s'immobilisa. Après tous ces bavardages, Zelda s'était tue et elle accepta la main qu'il lui tendait. Sara était déjà descendue. Mais Zelda ne bougeait pas.

« Prête ? demanda-t-il.

– Oui », répondit-elle avec un mouvement volontaire du menton, comme pour se convaincre.

De part et d'autre du perron, il restait quelques poinsettias, et une guirlande de pommes de pin ornait la porte d'entrée, qui s'ouvrit avant que le chauffeur ait pu s'en charger.

Appuyée sur sa canne, Mrs Sayre apparut en chancelant, un châle de tricot drapé sur une robe d'intérieur informe. Elle avait eu Zelda assez tard, et quand Scott avait fait sa connaissance, seuls les contours de sa bouche présentaient une ressemblance avec sa fille. Depuis la mort du juge, elle se négligeait et avait beaucoup grossi, ses joues étaient grises, constellées de taches brunes, elle avait des grains de beauté sur les paupières – autant de signes de vieillissement que la mère de Scott, morte trop jeune, n'avait eu le temps d'exhiber. Avec ses lunettes à double foyer et le désordre de ses cheveux gris cendré, elle aurait constitué une bien pitoyable adversaire s'il n'avait su combien elle était experte dans l'art de mettre en avant sa propre vulnérabilité.

« Et voilà mon bébé ! s'exclama-t-elle.

– Maman ! » fit Zelda.

Mrs Sayre la prit dans ses bras, l'attirant contre sa poitrine et la berçant de droite et de gauche. « J'avais tellement peur de ne pas revoir ce jour », dit-elle assez fort pour que tout le monde l'entende, en bien mauvaise actrice, et Scott regretta de ne pas pouvoir se réfugier dans la voiture. « Mais que t'es-tu fait au visage ?

– C'est entièrement de ma faute. Nous jouions au tennis et je me suis emmêlé les pieds.

– Je me demande pourquoi, déjà, on te laisse t'adonner à des sports aussi dangereux. Je pense qu'on devrait mieux s'occuper de toi, si tu veux mon avis. » Elle posa les yeux sur Scott comme si elle venait de découvrir sa présence. « Je vous remercie d'avoir fait l'effort de venir jusqu'ici. Nous vous en sommes très reconnaissantes. »

Ce détour était prévu depuis le début, et le « nous » savamment calculé, mais il décida de se montrer diplomate : « Je vous en prie.

– Je regrette que Scottie ne soit pas là.

– Moi aussi.

– Comment va la petite chérie ?

– Au mieux. Elle vous embrasse. »

Le juge lui aurait serré la main et l'aurait conduit à l'intérieur, tout en le régalant des intrigues politiques liées à la dernière affaire dont il était en charge, mais Mrs Sayre resta auprès de Zelda comme si elle était son infirmière. Sara et lui les suivirent au salon où un sapin de Noël étincelant de guirlandes se dressait près de la cheminée. À sa tablette étaient accrochées des chaussettes portant chacune le prénom d'un des enfants Sayre. Même mort, Anthony, le frère de Zelda, était représenté. Scott non. Plus tard, quand ils montèrent s'installer à l'étage, il s'aperçut que Freeman lui avait attribué l'ancienne chambre d'Anthony, dans le couloir du fond, comme s'il était un locataire.

Pour la paix de Zelda et la sienne, il décida, dans l'esprit de Noël, de ne pas retenir ces vexations. Quand Mrs Sayre pérora sur le succès des anciens prétendants de sa fille, évoqua le désastre de son dernier voyage à Baltimore, ou raconta, comme une histoire drôle, l'épisode où Zelda, enfant, avait fait toute nue le tour de la piscine du club, il s'appliqua à se rappeler que d'ici cinq jours il serait à New York en train de déjeuner avec Max et Ober.

Le clou du séjour était le dîner de Noël avec les sœurs de Zelda, Rosalind et Marjorie, accompagnées de leurs familles. Comme si de bonnes actions pouvaient le racheter, il se porta sans cesse volontaire pour les tâches ménagères et les courses, parcourant la ville en voiture à côté de Freeman, s'attirant des regards surpris, jusqu'à ce que le malheureux lui demande d'une voix plaintive s'il ne voulait pas s'asseoir à l'arrière. Ainsi réprimandé, il regarda défiler les panneaux publicitaires et la devanture des boutiques sans plus parler. Cette ville était celle de Zelda, un homme du Nord était incapable d'en comprendre l'âme. Plus qu'aucun autre endroit où ils avaient vécu, ces rues étaient chargées de souvenirs, des couches de passé empilées les unes sur les autres. Un arrêt de tramway, un kiosque à musique dans un parc, un canon de l'armée sudiste gardant une place – où qu'il aille, il retrouvait les décors vides de leurs premières amours.

Bien qu'encouragée à revisiter ses lieux favoris, Zelda ne sortait pas. Elle errait dans la maison en mocassins comme une prisonnière, jouant aux cartes avec sa mère et écoutant des disques sur le phonographe, tandis que Sara astiquait l'argenterie. On lui confia seulement la préparation des marque-places des invités, que sa mère admira à grand bruit comme si elle était Picasso. L'après-midi elle faisait la sieste sur son lit étroit, dans son ancienne chambre décorée d'éventails peints à la main et de roses en papier datant des années de guerre. Ses étagères étaient emplies de livres de comptines, son placard, de robes en organdi pleines de fanfreluches. Le visage tourné vers le mur, les genoux repliés, elle aurait pu encore être une petite fille.

La chambre d'Anthony, elle aussi, était d'un autre âge, avec son gant de base-ball au cuir raidi par les ans, ses trophées de natation ternis et sa boîte de cigares emplie de billes. Toute la nuit, seul dans son lit froid, Scott repoussait les images des dernières minutes de son beau-frère – la fenêtre, la lente chute. À Saint-Raphaël, il avait eu un cauchemar où lui-même tombait d'une falaise, on l'avait poussé, ou bien il avait reculé d'un pas de trop, et il battait l'air de ses bras, comme s'il avait pu reprendre son équilibre. Zelda et lui s'étaient querellés, et le balcon de leur hôtel surplombait les rochers, ce qui expliquait ce rêve. Pourtant, chaque nuit, il redoutait cette sensation. Il ne parvenait pas à y voir un soulagement.

Sans qu'on puisse l'accuser d'arbitraire, Mrs Sayre avait choisi le 25 janvier pour célébrer Noël. Le matin, un feu brûlait dans l'âtre, et ils regardèrent Zelda faire glisser le contenu de sa chaussette sur le tapis. Il s'était assuré qu'elle avait pris ses médicaments pour qu'il n'y ait pas de problèmes, et avait eu l'impression de se rendre complice. Parmi les noix, les oranges, les sucres d'orge, le père Noël lui avait apporté une collection de fusains sans doute hors de prix. Elle les montra à tout le monde, souriant à l'objectif, et Scott, à qui personne n'avait demandé de participer à cet achat, se sentit jaloux. Sara offrit à sa cousine un foulard d'un fin tissu couleur lilas, que Zelda noua autour de son cou et ne quitta plus de la journée. De sa mère, elle reçut un pyjama de soie rose thé, un couvre-lit en chenille avec des taies d'oreiller cousues main assorties, un bracelet porte-bonheur en or, une boîte de cerises enrobées de chocolat, et enfin, apporté par Sara depuis sa cachette au fond de la bibliothèque, et orné d'un ruban rouge, un chevalet de grande taille – autant de présents qu'elle ne serait jamais autorisée à rapporter au Highland Hospital.

« C'est pour ton atelier quand tu rentreras à la maison, expliqua sa mère. Je me suis dit que nous pourrions aménager le solarium.

– Merci, maman.

– Joyeux Noël, mon bébé.

– Oui, merci, dit Scott. C'est excessivement généreux.

– Ne croyez pas que nous vous avons oublié. » La mère de Zelda lui tendit un cadeau de la taille d'un livre, mais plus léger, aussi rigide que du verre sous le papier d'emballage argenté.

« Vous n'avez encore ouvert aucun des vôtres », protesta-t-il, mais il s'attaqua néanmoins au sien et découvrit une photo encadrée du juge et de Mrs Sayre, en compagnie de Zelda, Scottie et lui-même, habillés pour la messe, avec la LaSalle à l'arrière-plan. Ça devait être le jour de Pâques. Zelda et sa mère portaient des lys. Scottie, vêtue d'un tablier blanc étincelant, ne lui arrivait pas encore à la taille. La photo avait dû être prise dix ans plus tôt, avant la Grande Dépression, et il ne comprit pas la logique de ce cadeau : pourquoi le lui offrait-elle maintenant ? « Je vous remercie, c'est très gentil.

– Regardez au dos. »

En manière de légende pour la postérité, elle avait écrit le nom de chacun et ajouté : *Pâques 1928*.

« C'est la dernière fois où nous avons été tous réunis pour une fête. »

Voulait-elle dire que c'était de la faute de son gendre, ou bien exprimait-elle un regret général ? Il ne trouva rien à répondre pour la contredire et montra le cliché à Zelda.

« Regarde un peu comme Scottie était adorable, déclara-t-elle.

– Elle l'est toujours.

– C'est bien ce que je veux dire.

– Oui. » À la réflexion, il se jugea trop susceptible. Il prendrait toujours la défense de Scottie contre sa mère, de même qu'il la protégeait elle contre la sienne.

« Je vous remercie encore », dit-il, et quand tout cela fut terminé, il rangea la photo dans sa chambre avec l'autoportrait de Zelda.

On passa la journée à préparer le dîner, c'est-à-dire que Mrs Sayre envoya Sara tous les quarts d'heure vérifier ce que faisait Melinda, la cuisinière. Suivant une tradition bien établie, on servirait une oie. Au milieu de l'après-midi, quand Zelda monta faire la sieste, la graisse crépitait dans la poêle et la maison embaumait, ce qui rappela à Scott les fêtes chez sa grand-mère. Mrs Sayre craignait qu'ils n'aient enfourné la volaille trop tôt, mais comme chaque fois qu'elle exprimait une inquiétude, il s'agissait surtout de manifester son autorité, et aucune mesure ne fut prise en conséquence.

Les sœurs de Zelda et leurs familles respectives arrivèrent toutes en même temps, comme si elles avaient formé une caravane de voitures. Le juge et Mrs Sayre avaient eu leur cadette si tard dans la vie que la plupart de ses neveux et nièces étaient plus âgés qu'elle. Tandis que Mrs Sayre trônait dans son fauteuil à bascule, leurs enfants formèrent un cercle autour du sapin, et Zelda tint le rôle de l'elfe du père Noël et distribua les cadeaux. Scott resta à l'écart entre ses beaux-frères, avec lesquels, au fil des ans, il avait souvent fait équipe au cours de garden-parties ou sur un parcours de golf. Pendant qu'ils sirotaient leur bourbon, Scott se contenta d'une limonade. D'ordinaire, ils parlaient football, mais la saison était terminée. Tous deux avocats, ils travaillaient au Capitole : c'étaient des hommes solides, calculateurs, aussi soucieux de ce qui se passait au bout du couloir qu'en Europe, mais on ne pouvait désormais plus ignorer la menace. Un pays après l'autre, une grève après l'autre, les communistes attaquaient insidieusement le système. Il songea à Dottie et à Ernest, se remémorant leurs arguments, mais à quoi bon, et bientôt la conversation dériva vers Hollywood qu'ils considéraient, n'y ayant jamais mis les pieds, comme un fabuleux pays de conte de fées. Ils lui posèrent les questions qui intéressaient tout le monde, comme si, entre deux dossiers, ils lisaient la presse à scandale : Clark Gable était-il plus petit à la ville qu'à l'écran ? Garbo n'adressait-elle effectivement la parole à personne en dehors du plateau ?

« Garbo est en fait très intelligente », leur confia-t-il, puis il bluffa en leur racontant qu'elle parlait six langues et avait surpris un couturier arménien qui s'occupait des costumes à la MGM en conversant avec lui dans sa langue maternelle. C'était de la pure invention, pour les faire rêver. Il ne l'avait jamais rencontrée, mais il savait, à l'instar de *Photoplay*, qu'ils ne voulaient pas l'entendre dissiper le mystère, au contraire ils désiraient qu'il l'entretienne.

Les enfants ne montrèrent aucun intérêt pour les cadeaux des adultes, et Mrs Sayre les envoya jouer dans la bibliothèque sous la surveillance de Sara. Zelda s'apprêtait à les suivre, mais sa mère la rappela. Scott craignit que la scène du matin ne se rejoue, mais les cadeaux de ses sœurs témoignaient d'un esprit plus pratique – un pull-over en poil de chameau, des chaussettes en laine, un paquet de mouchoirs en lin. Scott leur avait acheté des parfums français, des balles de golf et, sur les conseils de Freeman, leurs pralines favorites, et il reçut en retour un agenda relié en cuir, un stylo et un crayon à ses initiales qui le séduisirent aussitôt.

Le dîner lui aussi se déroula pour le mieux. À la plus grande surprise de Mrs Sayre l'oie était parfaitement savoureuse. De même que Sara, abstinente convaincue, Zelda et lui ne touchèrent pas au punch au champagne, contrairement aux autres convives adultes qui se laissèrent vite aller à une jovialité relâchée. Il n'avait eu aucune envie de venir, mais en voyant Zelda rire avec tout le monde et les ombres des bougies danser sur les murs, il se réjouit d'avoir pu lui offrir un vrai Noël.

En invité reconnaissant, il commit l'erreur le lendemain de s'approcher de sa belle-mère et de la remercier de les avoir ainsi conviés. Jusque-là, il s'était appliqué à ne jamais se retrouver seul avec elle, sachant qu'elle en profiterait pour plaider sa cause, mais c'était le dernier jour et, bien qu'une partie de lui eût souhaité filer sans dire un mot, il ressentit le besoin de faire preuve de courtoisie. Ils étaient assis de part et d'autre de la cheminée, elle au fond de son fauteuil à bascule, lui sur un pouf bas, comme un paysan au service d'une reine mère.

« Je dois reconnaître, dit-elle, que la différence est considérable. Je ne me rappelle pas l'avoir jamais vue aussi bien.

– C'est grâce aux médicaments.

– Manifestement, cela fonctionne.

– Elle ne vous paraît pas un peu abrasée ?

– Elle me semble heureuse. Je me réjouis tellement de l'avoir eue ici.

– Je me demande comment elle se comporterait avec une dose moindre.

– Je croyais que vous seriez ravi, après ce qui s'était passé la dernière fois.

– Je souhaite qu'elle aille bien, mais je voudrais aussi qu'elle soit elle-même.

– Elle est davantage elle-même qu'elle ne l'a été depuis très longtemps. Elle s'est montrée charmante avec tous, c'est ce que je vais dire au Dr Carroll.

– C'est justice.

– Je trouve vraiment qu'elle a fait des progrès. »

Plutôt que de se quereller avec elle, il choisit de faire machine arrière. Chacun à sa façon voulait ce qu'il y avait de mieux pour Zelda, et pourtant, discuter du sort de sa femme avec sa belle-mère lui apparaissait comme une trahison, en partie parce que, pour cette dernière, le bien-être de Zelda importait sans doute moins que l'idée de la reprendre sous son aile. Il tenait une position tout aussi retranchée, fondée sur le ressentiment, pour ne pas dire sur une véritable détestation. Tant qu'elle était malade, il restait persuadé que s'il la laissait rentrer chez sa mère, jamais elle n'irait mieux. Mais si, éventualité que Mrs Sayre, avec un optimisme digne de Pollyanna, ne pouvait se résoudre à envisager, elle allait ne jamais guérir, ne serait-elle pas mieux à la maison ?

Ce soir-là, il aida Zelda à faire ses bagages, et le lendemain matin, il les descendit au rez-de-chaussée, puis les porta à la voiture, malgré les protestations de Freeman. Il pensait que les adieux seraient larmoyants, mais à cause des médicaments, elle avait l'air plus déconcertée qu'autre chose et laissa sa mère, l'œil humide, renifler sur son perron en agitant sa canne tandis qu'ils reculaient dans l'allée. Derrière la vitre de la LaSalle, elle regarda les champs défiler sans le moindre commentaire, affalée contre lui, comme épuisée. Le vol agité au-dessus des Smokies ne la décontenança pas, non plus que la route de montagne aux multiples lacets. Peu lui importait, semblait-il, l'endroit où ils allaient.

« Oh comme c'est dommage, dit-elle en contemplant les rhododendrons. La neige a complètement fondu.

– Je croyais que tu n'aimais pas la neige.

– Ici oui. Cela me rappelle la Suisse. »

Les lieux d'autrefois, voulait-elle dire, Gstaad et Saint-Moritz, pas la clinique avec sa cage d'escalier grillagée et ses toilettes carrelées de blanc. Pourquoi le passé était-il toujours à double tranchant, ou bien la faute en était-elle au présent, si médiocre et si vide ? Il s'efforça de ne pas penser à Sheilah, à la vie qui l'attendait à Los Angeles.

« Si je parviens à obtenir un congé, je voudrais que nous passions les fêtes de Pâques ensemble, toi, Scottie et moi. On pourrait peut-être retourner à Virginia Beach.

– Ce serait bien.

– Je vais demander au Dr Carroll. »

Que ce soit possible ou non, il avait ressenti le besoin de lui promettre quelque chose, comme pour compenser son départ. Il enregistra son retour à la réception, la serra un moment dans ses bras, puis resta auprès d'elle jusqu'à ce qu'une infirmière vienne la chercher pour la reconduire dans son service.

« Au revoir, mon bécasseau. Joyeux Noël.

– Joyeux Noël à toi aussi. » En la regardant s'éloigner, il regretta de ne pas prendre les mêmes médicaments qu'elle.

Mrs Sayre avait déjà parlé au médecin ; apparemment elle lui avait téléphoné pendant qu'ils étaient dans l'avion. « On dirait que cette sortie a été une réussite.

– Pas tout à fait », répondit Scott, et il décrivit comment au fil du séjour, Zelda s'était de plus en plus renfermée.

Le psychiatre hocha la tête, comme si tout cela était parfaitement normal. Ils pouvaient baisser les doses et voir comment elle réagissait, quoique, comme pour tous les régulateurs d'humeur, cela risquait d'en limiter l'efficacité.

« Mais dans l'ensemble, insista le médecin, vous diriez que ça s'est bien passé ? »

Il le reconnut, de mauvaise grâce. Ce ne fut que le lendemain, dans le froid glacial de New York, après avoir vu Max et Ober et s'être arrêté, pour se réchauffer, dans plusieurs de ses anciens lieux de prédilection sur la 3e Avenue, qu'il trouva enfin ce qu'il aurait dû répondre. « Va te faire foutre », lâcha-t-il dans le bar, à l'adresse de personne en particulier, avant de le répéter avec une satisfaction sublime et amusée. Il se retrouva dans la rue, chancelant, parce qu'il venait de recevoir un coup de poing dans la figure, et il sentit le goût du sang sur ses lèvres. Il lui parut bon de se battre – il y avait du vrai là-dedans, comme s'il avait fait ce qu'il fallait, même s'il avait désormais face à lui plusieurs adversaires hilares, qui l'encerclaient et le frappaient chacun leur tour. Même quand il tomba à terre, il continua de penser que sa réponse était la seule appropriée.

Infidélité

Il détestait rentrer pour trouver la maison vide : le silence immobile lui apparaissait comme un reproche. Au courrier, rien d'autre qu'une facture impayée de la blanchisserie. Il avait oublié d'éteindre la lumière de la cuisinière, et dans le réfrigérateur le lait avait tourné. Au moins, Bogie était de retour.

« Ta belle-mère est gauchère, je suppose », dit-il en faisant pivoter le menton de Scott pour examiner les dégâts.

Mayo proposa de lui appliquer de l'anticerne sur l'œil, et même si personne ne pouvait rien à sa lèvre enflée, il se laissa faire comme un acteur qui passe au maquillage.

Sheilah se déclara déçue, comme il l'avait escompté, mais elle esquissa une grimace de sympathie en lui tâtant le visage. Les choses se dérouleraient-elles ainsi chaque fois qu'il retournerait dans l'Est ? Elle parlait comme s'il fallait mettre fin à cette situation, alors que lui-même avait perdu cet espoir depuis longtemps. De plus, venant d'elle, cette déclaration semblait imméritée et injuste, et cela aboutit à une crispation et à une impasse. Il ne comprenait pas. En Alabama, il rêvait sans cesse de la revoir et maintenant, elle lui donnait la migraine. Elle avait de bonnes nouvelles – son agent lui avait décroché une audition pour une émission de radio largement diffusée, une rubrique de cinq minutes par semaine –, mais la joie du retour était gâchée. Il n'évoqua pas ses plans pour Pâques, et elle ne lui proposa pas de passer la nuit avec elle. D'une certaine façon, il s'en réjouit.

Pour se rétablir, il se remit à l'écriture. Une perturbation avait gagné les côtes et plongé la ville dans le brouillard : le temps idéal pour s'enfermer. Le matin, il se levait tôt et travaillait plusieurs heures à la table de sa cuisine, la pluie martelant le toit. Pendant des années, ils avaient vécu des nouvelles qu'il publiait, mais à un moment donné, à l'époque des problèmes de Zelda, il avait perdu le goût de ces histoires d'amours naissantes dont le *Saturday Evening Post* était si friand. Les dernières avaient paru dans *Collier's*, qui payait la moitié, et dans *Esquire*, qui payait encore moins. Ober avait peut-être accepté de viser moins haut, mais pas Scott. Il continuait de penser qu'il était aussi bon que les autres, et quand il terminait un paragraphe qui lui avait coûté des efforts, il hochait la tête avec la satisfaction d'un artisan, allumait une Raleigh de plus, et poursuivait sa tâche.

Aux studios, il évita soigneusement Eddie jusqu'à ce que sa lèvre désenfle. Il se faisait apporter son déjeuner et travaillait tard, négociant les dernières révisions avec Paramore, qui avait profité de son absence pour tout remanier une fois de plus. Toutes les deux heures, de nouveaux mémos arrivaient de l'étage au-dessus. Margaret Sullavan ne pouvait-elle pas être dans un fauteuil roulant plutôt que dans un lit, afin de rendre la scène plus dynamique ? Fallait-il vraiment que la voiture soit une Dailer ? Pourquoi pas une Ford ? La semaine suivante, le tournage devait commencer sur le plateau n° 11. Les décors étaient déjà prêts.

« Je ne comprends pas pourquoi tu perds ton temps, disait Dottie. Mank va tout changer de toute manière.

– Je préfère que ce soit mon texte qu'il change, plutôt que celui de ce salopard. »

Les yeux ronds, Alan regarda longuement Dottie. « On ne peut pas discuter ce genre de logique.

– Les nazis restent tout de même les méchants ? s'assura-t-elle, et Scott se rappela l'avertissement d'Ernest.

– C'est la seule chose sur laquelle nous soyons d'accord.

– Alors, tu as fait tout ce que tu pouvais. Il est temps de pousser l'oiseau hors du nid.

– Et de pondre un nouvel œuf, dit Scott.

– Tu connais la chanson », conclut Alan.

Le moment où il rendit son scénario fut décevant. Il donna la dernière partie de son brouillon à sa secrétaire, qui transmit les pages dactylographiées à la secrétaire de Paramore, laquelle les remit à Eddy, qui les fit passer à Mank, lequel, après une attente de plusieurs jours, les renvoya à Scott assorties d'un tampon officiel de la MGM portant la mention « APPROUVÉ ». Son nom apparaissait en premier, mais Paramore avait complètement changé la grande scène de l'hôpital.

Pour protéger son travail, il lui fallait être sur le tournage. Il plaida sa cause devant Eddie, mais Mank ne voulait aucun des deux dans ses jambes. Il ne servait à rien de se plaindre. Il avait pour la première fois au terme de trois séjours à Hollywood son nom au générique, et pour un film prestigieux de surcroît. C'était sans doute une grande victoire, même si maintenant, il se retrouvait désœuvré.

Ma poupée chérie, écrivit-il, *je veux m'excuser de ne pas avoir pu te rendre visite quand j'étais à New York. J'avais espéré m'échapper un après-midi et t'arracher, ainsi que ton amie Peaches, aux horreurs de la cantine, mais je me suis fait piéger par une affaire absolument absurde dans cette ville. Je te dirai seulement que j'étais épuisé physiquement et moralement, et que j'aurais été de piètre compagnie. Ta mère et moi avons survécu à l'épreuve de Miami, et elle s'est réjouie de retrouver sa maison. Le médecin lui a prescrit de nouveaux médicaments pour réguler son humeur, mais ils sont trop puissants, à mon avis. Elle s'est montrée adorable, sans la vitalité, toutefois, qui fait d'elle la femme exceptionnelle qu'elle est. J'espère qu'elle sera davantage elle-même à Pâques, et que tu pourras nous rejoindre. Je te donnerai tous les détails en temps utile.*

Quant au latin, accroche-toi. Même si cela peut te sembler un fardeau pour l'instant, tu découvriras que c'est indispensable et que les meilleures écoles exigent qu'on le maîtrise. Il ne te reste que trois mois. Pour le bien de nous tous, accomplis ce dernier effort. Tu auras tout l'été ensuite pour flâner. Pense au mois de juin comme à une ligne d'arrivée. Je ne plaisantais pas quand je t'ai parlé d'Europe. Au train où vont les choses, ce sera peut-être la dernière chance de visiter ces pays en toute liberté, et même si nos dettes ne sont pas encore complètement épongées, j'ai volontiers tendance à considérer ce voyage comme un investissement. Tout dépend bien sûr de ce dont tu as envie.

Quand tu en auras l'occasion, écris-moi ce que tu en penses. Parfois, j'ai impression de parler dans le vide.

Il trouvait cela naturel : après avoir passé chaque minute en compagnie de Zelda, il se sentait seul. Sheilah, qui le punissait en l'évitant, ne faisait qu'empirer les choses. La saison des pluies était arrivée, des coulées de boue interdisaient l'accès aux canyons. Il avait une nouvelle à écrire, mais il se levait tard, puis gâchait son temps au bureau en lisant Conrad et en scrutant les haies à la recherche de Mr Ito.

Bogie comprenait. Ces laps de temps entre deux contrats présentaient un réel danger.

« L'oisiveté… », dit-il en levant son verre à la santé de Scott et en pinçant les fesses de Mayo.

C'était vrai. Enfant, il élaborait toujours un projet qui n'avait rien à voir avec l'école. Dans la maison de Summit Avenue, seul dans son nid d'aigle, il dessinait les imposantes demeures du trottoir d'en face, numérotant les innombrables portes et fenêtres, et prenait des notes détaillées sur toutes les allées et venues de ses voisins. En première, parallèlement, il tenait un journal sur les filles qui lui plaisaient, et il consignait dans un cahier chaque penny gagné et dépensé. Ces activités secrètes ne l'avaient finalement mené nulle part, il les avait abandonnées mystérieusement en route, tout comme son roman policier inspiré par Sherlock Holmes, et remplacées par sa nouvelle obsession. À Princeton, alors qu'il était censé bûcher pour ses examens, il écrivit une comédie musicale. À l'armée, un roman. Rien n'avait changé. Il était toujours ce garçon, au comble du bonheur quand il poursuivait une de ses propres chimères, perdu quand aucune ne le hantait.

L'idée d'écrire son roman de Hollywood le tentait. Il avait trouvé son producteur ; il lui restait à apprendre les détails du métier. Depuis le début, à sa manière brouillonne, il n'avait cessé d'accumuler des notes. Il comprenait suffisamment ce monde pour se lancer, il en avait été éloigné de force, de toute façon.

Ce fut Joan Crawford qui le sauva. La fin du contrat de l'actrice approchait, et après le bide de *L'Enchanteresse*, il lui fallait un grand succès. Alors qu'elle était la plus grande star des studios, au fil des ans la palette de ses rôles s'était réduite. Elle n'était plus la garçonne aux grands yeux étonnés, ni la vendeuse pleine de gouaille, et il lui manquait naïveté et douceur pour incarner un premier rôle romantique. Elle était cantonnée désormais aux personnages de femme bafouée, sentimentale à sa manière, qui supportait toutes les humiliations au deuxième acte, pour mieux prendre une revanche douce-amère au troisième. Eddie vint en personne porter la nouvelle à Scott. Hunt Stromberg voulait qu'il adapte pour elle une nouvelle parue dans *Cosmopolitan*, un triangle amoureux au titre alléchant : *Infidélité*.

« Ça tourne au stéréotype, commenta Dottie ; et une seconde, scandalisé, il crut qu'elle parlait de lui.

– Elle joue l'épouse trompée.

– Alors c'est vraiment une œuvre d'imagination…, dit Alan.

– Elle a couché avec tout le monde à Hollywood, à part avec Lassie, insista Dottie.

– Hunt va te plaire, déclara Alan. Il n'est pas du tout comme Mank. Il ne se prend pas pour Shakespeare, lui. »

La nouvelle en elle-même ne valait pas grand-chose. Un riche homme d'affaires invite sa jolie secrétaire à dîner dans sa somptueuse maison pendant que sa femme voyage en Europe. Le lendemain matin, l'épouse rentre avec quelques heures d'avance et les surprend en plein petit déjeuner. Tandis qu'ils restent assis paisiblement à table tous les trois, servis par le fidèle majordome, l'homme comprend que c'en est fini de son couple et imagine la grande maison vide et envahie d'échos. De ces deux scènes, Scott était censé tirer un film entier.

Il rencontra Stromberg l'après-midi même, non pas dans une salle de conférences bondée, mais en privé, d'homme à homme, dans le bureau du réalisateur aux murs couverts de bibliothèques en acajou. Il était jeune, d'une génération différente de celle de Mankiewicz et consorts, dégingandé dans son costume de tweed, l'allure typique de l'assistant universitaire. Comme Scott le soupçonnait, il avait lu *Gatsby*. Il lui résuma le film qu'il attendait comme si Scott avait pu refuser.

« Nous voulons quelque chose de moderne, d'adulte, mais d'exaltant aussi. Il faut que les trois personnages emportent la sympathie du spectateur. Sinon, ça ne marchera pas. »

Scott avait envie de dire qu'avec Joan Crawford, ce serait mission impossible, mais il se contenta de hocher la tête en prenant des notes.

« L'histoire peut se passer n'importe où, le domaine dans lequel travaille le mari et tout ce genre de choses n'ont aucune importance. Elle n'a pas besoin d'être sa secrétaire, elle peut être chercheuse ou pianiste, il faut seulement qu'on l'aime, ou au moins qu'on comprenne pourquoi elle fait ce qu'elle fait.

– Par amour ? proposa Scott.

– Réfléchissez-y. J'ai pensé à Myrna Loy pour jouer la fille. »

Scott ne pouvait pas imaginer une combinaison plus difficile. D'une façon ou d'une autre, il fallait qu'elle soit innocente – elles l'étaient toutes, sinon le public leur tombait dessus à bras raccourcis. Dans son expérience, quand on aimait, on était vulnérable plutôt que pur, sauf que la passion rendait égoïste, elle enfermait, et on était si concentré sur la recherche de son propre bonheur qu'on en oubliait le monde entier – une erreur qu'il avait failli commettre avec Lois Moran. Il avait ressenti cette même indifférence meurtrière chez Zelda lors de cet horrible été à Juan-les-Pins, et la reconnaissait en lui-même à l'égard de Sheilah. Comment montrer cette froideur qui s'empare du mari sans le rendre méprisable ?

Il était libre d'imaginer n'importe quelle solution, ce qui, au départ, rendit le défi plus insurmontable encore, mais signifiait aussi qu'il était le seul maître du scénario. Tout le monde lui disait que travailler avec Stromberg constituait pour lui une grande avancée, et il comprenait pourquoi. Alors que Mank utilisait ses scénaristes les uns contre les autres, Stromberg reculait d'un pas et le laissait inventer sa propre façon de raconter l'histoire.

La première chose qu'il lui fallait déterminer, c'était comment utiliser Joan Crawford. Il l'étudia comme on observe une actrice dans un bout d'essai, sautant le déjeuner pour s'asseoir dans la vieille salle de projection obscure de Thalberg, avec un Coca et un cendrier ébréché, et la regarder arquer les sourcils et sourire d'un air narquois dans *Fascination*, *La Passagère* et *Souvent femme varie*, tentant de repérer ses atouts. Elle avait de belles pommettes, et ses vêtements soulignaient élégamment sa silhouette, mais elle ne jouait pas avec naturel. Ses personnages de femme bafouée manquaient de profondeur, de nuances. Quand elle était censée être heureuse, son sourire était trop éclatant ; quand on la trompait, elle enrageait comme une harpie : elle sonnait faux, mais surtout, elle était ridicule. D'un bout à l'autre, elle paraissait mièvre et hypernerveuse, à une intéressante exception près.

Dans chaque film, durant la plus grande partie du deuxième acte, on lui demandait de surmonter son immense chagrin et d'aller de l'avant. Après avoir perdu famille et statut social, elle en était réduite à exercer des petits boulots pour subvenir à ses besoins. Serrant les dents, elle essorait le linge, faisait la plonge, décapait les planchers, d'abord à contrecœur, puis, au fur et à mesure de son rétablissement, avec une énergie et une fierté qui le frappaient par leur authenticité. Voilà ce qui avait fait d'elle une star, et non pas son hystérie larmoyante. Sous ses longues robes de soirée sophistiquées dessinées par Adrian, elle était dotée d'une force bien réelle et d'un esprit pratique. Son personnage devrait être fort, sans doute davantage que celui de son mari. Oui, et ce dès le tout début du film, une sorte de Lady Macbeth qui le poussait dans les bras de sa secrétaire – mais avec des ambitions plus nobles, une femme de progrès, attachée à une cause humanitaire.

« Au moment de la rupture, elle ne s'effondre pas, expliqua-t-il à Stromberg. Lui, oui. Puis, quand il se rend compte de ce qu'il a fait, c'est à elle que revient la décision de le reprendre ou pas – ce qui fonctionne, puisque le film doit tourner autour d'elle. Son public la suivra, quoi qu'elle fasse.

– Et la secrétaire ?

– Elle l'aime vraiment, ce n'est qu'une enfant. On va la faire jouer avec un air un peu naïf, une fleur de province au grand cœur. C'est elle qui souffre le plus de la situation. »

Stromberg y réfléchit en tirant sur sa pipe.

« D'ici combien de temps pourriez-vous me montrer une première mouture ?

– Six semaines.

– Vous en avez huit. Je compte sur vous pour me rendre quelque chose de bien. »

Il en aurait bien besoin de huit. Au bout de la première semaine, il n'avait que l'ouverture, un plan long sur un banquet de mariage dans les jardins suspendus du Waldorf, là où Ginevra et lui avaient autrefois dansé sous les étoiles. Au travers de jumelles de théâtre identiques, deux vieilles femmes, dans un immeuble voisin, espionnent les différents couples pour deviner l'état de leur vie sentimentale. Sur une musique de fond, la caméra fait un panoramique et on aperçoit les figurines en sucre sur la pièce montée, les jeunes mariés qui s'avancent pour leur première danse, les fiers parents qui applaudissent, une demoiselle d'honneur et son cavalier qui s'éloignent main dans la main entre les parterres de roses, des anges qui s'embrassent au-dessus d'une fontaine, jusqu'à ce qu'on découvre Joan Crawford et son mari, dans le coin le plus reculé du jardin, à l'angle du parapet, qui se détournent l'un de l'autre pour plonger le regard dans les profonds canyons de Manhattan, chacun perdu dans ses pensées. « Oh mon Dieu, gémit l'une des grands-mères, que leur est-il arrivé ? »

Il aimait cette question, la façon dont elle donnait le ton, mais ensuite il s'enlisa dans plusieurs faux départs. La matière première était si maigre que c'était un peu comme écrire un scénario original. Après avoir hésité sur la profession de la protagoniste pendant plusieurs jours, il décida qu'elle serait créatrice de mode, sauf qu'il ne connaissait rien à ce monde et qu'il dut aller voir les costumières pour se renseigner un peu.

Il avait déjà la femme et le mari, c'étaient deux personnages faciles. Coincée entre les deux autres, la secrétaire posait davantage de problèmes et, comme il l'avait fait pour Vivien Leigh dans *Vive les étudiants*, il prit Sheilah pour modèle.

Ils étaient de nouveau ensemble après une nouvelle campagne de poèmes et de roses, une promesse supplémentaire de ne plus boire, ou du moins d'essayer. Il n'osait pas lui avouer qu'en moyenne, il n'avait jamais été aussi abstinent depuis des années. La Saint-Valentin approchait : l'occasion rêvée pour se racheter. Il réserva une table au Cocoanut Grove et se rendit chez Bullock's pour acheter un smoking, non sans faire un détour par le rayon femmes, bloc-notes et crayon en main.

Bullock's, Schwab's, le Troc – partout où il allait, il se représentait Joan Crawford, imaginant son personnage en train de détailler toutes les femmes qu'elle croisait dans la rue. Il se mit à s'intéresser aux tissus et aux ourlets, et à regretter violemment l'épidémie de pantalons.

Un midi où il se rendait à la cantine des studios après avoir travaillé toute la matinée, il tomba nez à nez avec elle – impossible de ne pas identifier ce long visage hautain. De près, elle paraissait plus petite, la taille rendue terriblement étroite par les régimes. Elle ne le reconnut pas et il dut se présenter.

« C'est moi qui suis en train d'écrire votre prochain film.

– Ah », fit-elle en souriant, comme s'il venait de dissiper un mystère, et elle brandit le doigt dans sa direction comme une institutrice. « Deux choses. Je ne meurs jamais dans mes films, et jamais un homme ne m'abandonne. Appliquez-vous et écrivez, monsieur Fitzgerald.

– Je m'y emploie », répondit-il, alors qu'il était déjà très en retard sur son planning.

Il s'attendait à ce que Stromberg s'inquiète de ses progrès, mais le seul mémo qu'il reçut était lié à la question de la censure. Depuis l'annonce du tournage dans *Variety*, la Ligue pour la vertu avait saisi le bureau de Hayes afin qu'il intervienne. Pour les apaiser, Stromberg avait décidé de changer le titre et d'appeler son film *Fidélité.*

« Très malin, commenta Oppy.

– Il lui faudra donner plus de gages pour convaincre la censure, dit Dottie.

– Il y a un baiser discret, indiqua Scott. Rien d'autre.

– La discrétion, c'est pire, en réalité, rétorqua-t-elle. Ce type trompe sa femme. À la rigueur, si tu fais de lui un salaud, mais alors il faut qu'il finisse mal. Et elle aussi.

– Il y a un temps où ça aurait passé la barre, soupira Oppy, il voulait dire cinq ans plus tôt, avant le code Hayes.

– Ça m'étonnerait beaucoup que L.B. marche, intervint Alan. Cette histoire ressemble davantage à un film que la Warner pourrait tourner. »

Stromberg lui dit de ne pas s'inquiéter. Scott y vit un défi – une irrésistible gageure, vraiment –, mais alors qu'il ébauchait le premier acte, il ne perdit pas de vue la propension de Mayer au puritanisme et essaya d'anticiper l'effet de son écriture, revenant en arrière, travaillant de plus en plus lentement, jusqu'à ânonner chaque indication scénique, au lieu d'enchaîner une scène après l'autre comme il le devait.

Tard un après-midi, alors qu'il réglait un échange humoristique entre Myrna Loy et le mari, Dottie entra sans frapper, Alan sur ses talons. Ils s'approchèrent de son bureau et se mirent à chuchoter comme si on pouvait les espionner à travers les grilles d'aération. Ils venaient de voir le nazi dans l'ascenseur.

La cabine montait et s'était arrêtée pour laisser descendre un messager. Le nazi était resté à bord, poursuivant son chemin vers le quatrième étage.

« Je suis sûre qu'il est venu surveiller les premiers rushs de ton film, déclara Dottie.

– Déjà ? s'étonna Scott, car ils venaient à peine de commencer à tourner.

– Il sait exactement ce qu'il cherche, répliqua Alan. Il a lu le scénario dès le jour où tu l'as rendu.

– Qu'est-ce qu'on est censés faire ?

– Prie seulement pour que ce soit Mank qui les lui montre, répondit Dottie. C'est sans doute un sacré salopard, mais il est aussi juif.

– Au contraire de L.B., qui n'est qu'un eunuque, dit Alan.

– Tu connais sa secrétaire, poursuivit Dottie en désignant le téléphone. Appelle pour savoir s'il est là. »

Scott hésita, se demandant pourquoi elle ne le faisait pas elle-même, puis il se sentit lâche. Il songea à Ernest qui s'était cogné la tête durant le raid aérien.

La secrétaire de Mank fit la vérification demandée. Ils se dirigeaient en ce moment même vers la salle de projection.

« Venez », dit Dottie en se précipitant vers leur bureau qui donnait sur Main Street. Là, en contrebas, elle aperçut, qui traversaient la place bordée de palmiers en direction de la cantine, Mank et le dénommé

Reinecke en pleine conversation. Le réalisateur gesticulait nerveusement. Scott se dit immédiatement que l'Allemand était plus vieux et pas très robuste – vraiment pas une menace. Il portait un chapeau melon et un costume noirs, comme un banquier de Charing Cross, et tenait une mallette dont Scott se dit, de façon absurde, qu'elle contenait des documents ultrasecrets et une arme.

Alors qu'ils s'approchaient du kiosque à journaux, Mank arrêta Reinecke comme pour le convaincre de quelque chose. L'Allemand renversa la tête en arrière et éclata de rire, et Mank lui tapota sur l'épaule comme un vieux copain.

« Première règle du métier, lança Dottie. Toujours les chauffer avec une bonne blague. »

Ils contournèrent le bâtiment de la comptabilité et disparurent. Scott songea que Dottie aurait peut-être voulu qu'il les suive comme un détective et se glisse dans la cabine pour les espionner, mais elle avait une meilleure solution : elle allait appeler Harry, le projectionniste, et lui demander de veiller au grain.

« Je suppose que vous vous livrez à ce petit jeu depuis un certain temps.

– Nous aimons bien savoir ce qui se passe.

– Même si ça ne sert pas à grand-chose, reconnut Alan.

– Ne sois pas naïf, mon chéri. Il n'y a rien de plus important dans ce monde que de savoir qui est ton ami et qui est ton ennemi. Tu n'es pas d'accord, Scott ? »

Elle lui décocha un sourire félin, et il ne put que se déclarer d'accord.

Ils se séparèrent, chacun retournant à son travail, mais il était désormais incapable de se concentrer.

Ils se réunirent de nouveau après que la secrétaire de Mank leur eut fourni un tuyau. Il était six heures moins le quart. Dans les allées obscures entre deux plateaux, machinistes et figurants flânaient, attendant la sirène de la reprise. Dottie traversa le bureau de la production et ressortit par-derrière, comme s'ils étaient suivis.

Harry leur tenait la porte latérale ouverte. Il avait des allures de grand-père, grand, maigre et chauve comme une ampoule électrique, et portait un gilet digne d'un barman du Far West. Scott le connaissait pour s'être fait projeter les films de Joan Crawford, mais ils ne s'étaient pratiquement jamais parlé. C'était un de ces employés des studios qui ne supportaient pas les bavardages. Alan lui donna cinq dollars pour avoir accepté de rester aussi tard et, pareils à des nababs, ils s'installèrent au premier rang.

Les lumières s'éteignirent, le projecteur ronronna et l'écran devint blanc. Un compte à rebours défila lentement, pour être remplacé par une ardoise avec une inscription à la craie sur laquelle se fit la mise au point, l'image devenant de plus en plus nette. Bien qu'il ait travaillé sur ce film durant plusieurs mois, en voir le titre le rendit soudain plus réel, et pendant un instant il se sentit envahi d'une fierté incommensurable. Le deuxième assistant fit le clap avant de sortir du champ, révélant ainsi l'intérieur du café Alfonso.

La scène était une de celles du début entre Robert Taylor et Margaret Sullavan. Lui et deux de ses amis mécaniciens venaient d'engager une course-poursuite avec la Buick du riche petit ami de la jeune femme en route vers la ville, et l'avaient gagnée dans leur vieille guimbarde. À présent, alors que ses deux compères se réjouissaient bruyamment à l'arrière-plan, Taylor essayait de la séduire. Le ton était badin, Margaret Sullavan repoussant gaiement chaque avance, ce qui n'incitait que plus Taylor à pousser son avantage. Scott avait apporté son scénario pour vérifier qu'ils n'avaient rien changé. Une seule réplique aurait pu être jugée discutable. Des trois anciens combattants, Erich était le plus fruste, le plus apolitique, mais elle ne cessait de le confondre avec ce communiste en croisade interprété par Franchot Tone. La phrase en question disait : « C'est toi qui étais tellement bouleversé par l'état dans lequel se trouve ce pays ? »

« C'est toi qui étais tellement bouleversé par l'état dans lequel se trouve ce pays ? » répéta-t-elle.

Tout était exactement conforme à ce que Scott avait écrit.

« Enfin, pour l'instant, dit Dottie. Note bien tout ça. Ce salaud n'était pas là pour faire une promenade de santé. »

La scène suivante se déroulait aussi au café, même si elle avait lieu beaucoup plus tard dans le scénario. Ils les avaient probablement toutes tournées à la suite en utilisant le même décor. Franchot Tone expliquait à Margaret Sullavan qu'Erich avait plus besoin d'elle que lui-même. C'était un dialogue sur lequel Scott et Paramore s'étaient querellés, et tandis qu'on l'interprétait devant lui sur l'écran, il s'aperçut, avec un sentiment d'incrédulité qui lui donna la chair de poule, que tout avait été réécrit. Ils n'avaient conservé aucune de ses répliques.

« Espèce de salopard !

– C'est tout Mank, ça, répondit Dottie comme s'il avait dû s'y attendre.

– Le personnage reste quand même sympathique, commenta Alan. Ce bon vieux camarade Franchot.

– C'est exactement ce qu'ils vont vouloir changer, dit Dottie. Le communiste ne peut pas être le héros.

– Alors ils vont devoir modifier beaucoup de choses, déclara Scott. En particulier, la fin. »

La scène suivante avait elle aussi été complètement caviardée. Et dans celle d'après, il ne demeurait que quelques bribes du dialogue original.

« Bon sang, mais pourquoi est-ce qu'il a besoin d'un scénario si c'est pour en faire ça ?

– Bienvenue à Hollywood ! s'exclama Dottie.

– Et ce que tu vois là n'est que le brouillon. Attends un peu qu'ils fassent les coupes au montage », ajouta Alan.

Cette perspective lui fit regretter d'avoir vu ces séquences de rushs. Maintenant, il se sentait tout à fait impuissant, et le lendemain, il eut bien du mal à se remettre au scénario de *Fidélité.* Pour rattraper le temps perdu, il rapporta son texte à la maison et travailla sur sa table de cuisine alors que tout le monde, au Jardin, était déjà allé se coucher. Il l'emporta aussi chez Sheilah pendant le week-end, volant quelques heures de travail le dimanche après-midi. Il allait se rendre malade, prédit-elle, et comme si elle l'avait ensorcelé, cela arriva.

Tout commença par une toux, un raclement sourd au fond de sa gorge, puis des quintes sèches qui le laissaient hors d'haleine et en larmes, les poumons oppressés. Il accusa l'humidité, se fabriquant une lavallière à l'aide d'une serviette de toilette qu'il porta à l'intérieur de la maison, comme il l'avait fait au cours de cet été si humide à Baltimore, quand il essayait de terminer son roman et que Zelda, dans une crise de folie, avait mis le feu à la maison. Il était convaincu que c'était une récidive de sa tuberculose, le début d'un affaiblissement inévitable ; son seul recours, comme Stevenson ou Lawrence avant lui : un sanatorium désert… Puis un matin, après une nuit sans sommeil, il expectora dans l'évier et son crachat était vert. Rien qu'un rhume de poitrine.

Il était suffisamment remis le jour de la Saint-Valentin pour emmener Sheilah au Cocoanut Grove. Peu lui importait la pluie. À l'intérieur, les palmiers se balançaient, la cascade murmurait doucement derrière l'orchestre. Ils dansèrent sans s'arrêter toute la soirée, et entre deux plats, à cette même table où ils avaient flirté pour la première fois, il lui offrit une paire de boucles d'oreilles, avec la pierre qui correspondait à son signe astrologique, le saphir, et elle en pleura de joie. Il ne lui confia pas que Zelda lui avait envoyé une carte et que cela lui faisait un effet étrange de passer la journée avec une autre femme.

À la fin de la soirée, il était fatigué et, bien qu'il fût tard et qu'il dût aller travailler le lendemain, il savait qu'elle s'attendait à ce qu'ils passent la nuit ensemble. Les choses se répétaient entre eux suivant un schéma inexorable, longue période de sécheresse et tendres réconciliations, et tandis qu'ils remontaient chez elle par les collines, songeant à la suite, ils restaient silencieux. Il la raccompagna jusqu'à sa porte, et elle la tint ouverte pour qu'il entre.

Après son dernier faux pas, il lui était reconnaissant de vouloir encore de lui et il fit tout, sans promettre l'impossible, pour se montrer digne de cette nouvelle chance. C'est au lit qu'ils arrivaient le mieux à se parler, comme si faire l'amour n'était qu'un préliminaire. Elle compara la faiblesse qu'elle avait pour lui à une maladie ou à un péché. Cela lui était égal. D'une façon qu'elle ne parvenait pas à s'expliquer, elle avait besoin de lui. Quand ils étaient séparés, lui avoua-t-elle, allongée sur lui, elle cessait de manger.

« Tâte un peu mes côtes. Là. »

Il ne savait pas s'il devait se sentir effrayé ou flatté. Il avait de la peine pour elle et décida de s'amender. Autrefois, il avait du talent pour le bonheur, même si à l'époque il était plus jeune et que la fortune lui souriait. Mais n'était-il pas de nouveau en veine, aujourd'hui ? Lorsqu'il était ainsi avec elle, il réussissait à oublier le passé. Personne d'autre n'avait ce pouvoir, et néanmoins, au bout du compte, il avait peur de la décevoir.

Ils étaient en train de faire l'amour pour la deuxième fois, bien après minuit, avec beaucoup de tendresse, quand, au bord du plaisir, repoussant ses limites, il se sentit pris de vertige. Il était à genoux derrière elle, le dos cambré, et la chambre, éclairée par le seul clair de lune, passa de la pénombre à l'obscurité, comme lors d'une panne d'électricité. Un rideau de franges pourpres dansa devant ses yeux, telles ces images que l'on voit après le déclenchement d'un flash. Une sensation de flottement exalté l'envahit, comme s'il s'éloignait peu à peu de son corps. Il crut qu'il allait s'évanouir. Pour ne pas tomber du lit, il s'accrocha à la taille de Sheilah.

« N'arrête pas », gémit-elle.

Et il continua. L'étrange sensation s'estompa, comme dans un match de boxe lorsqu'on a été frappé au visage et que l'impression de choc recule peu à peu. Il était rentré de nouveau en lui-même. Il respira, le monde lui revint dans toute sa plénitude, chaud, doux et sombre, et il s'y abandonna sans regret.

« Tu te sens bien ? demanda-t-elle, maintenant allongée à ses côtés, parce qu'il haletait encore.

– Tu finiras par m'épuiser complètement. »

Le lendemain matin, s'interrogeant sur cet étrange passage à vide, posté à la fenêtre de son bureau et observant l'entrée du drugstore, il se dit que ce devait être une sorte d'extase, une surcharge du système nerveux. En partie parce qu'il travaillait trop, et en partie parce qu'il manquait de sommeil. Il ne pouvait s'empêcher de penser à Zelda. Ils s'étaient adonnés à tous les plaisirs, et pourtant même au plus fort de leurs débordements, alors qu'ils consommaient sans compter Pernod et cocaïne et reproduisaient page après page le Kama-sutra, jamais il n'avait connu pareil transport.

Il attendit que cela se reproduise au cours des nuits qu'il passa chez elle, la réveillant pour une nouvelle joute sportive, tentant de recréer les mêmes conditions, jusqu'à ce qu'elle proteste. Avait-il une idée de l'heure qu'il était ?

Fidélité aussi lui échappait. Jamais il n'arriverait à respecter le délai de huit semaines. Pâques approchait et il craignait que Stromberg, comme Mankiewicz, ne confie le scénario à quelqu'un d'autre en son absence. Il n'avait pas le choix : il avait promis à Scottie.

La solution qu'il trouva, comme d'habitude, fut de travailler davantage. Quand il rentrait des studios, il se faisait du café et continuait à écrire.

« On dirait vraiment que tu as des actions dans ce film », plaisanta Bogie en lui apportant du bouillon de poule préparé par Mayo. Il eut le bon sens de ne pas s'attarder. Il déposa le bol dans le réfrigérateur et s'éloigna sur la pointe des pieds.

C'était plus facile tard le soir quand tout le monde dormait au Jardin, mais, calant sur une réplique, il releva alors les yeux, et l'horloge de la cuisinière disait trois heures moins le quart. Il avait perdu trop de temps sur le début. Maintenant, tout ce qu'il pouvait faire, c'était ébaucher les scènes suivantes et les développer à son retour.

Au milieu de tout cela, comme tout le monde aurait pu le prédire, Hitler envahit l'Autriche, faisant de *Fidélité* une histoire par avance ennuyeuse et, de surcroît, dérisoire. Par solidarité, Dottie cessa de travailler sur son film et se lança dans une campagne de collecte de fonds pour les populations déplacées. Scott l'envia de pouvoir s'offrir ce luxe. Comme Oppy, il ne fut pas autorisé à s'arrêter.

Deux semaines avant Pâques, après avoir achevé une grande scène, il se leva de sa table, ébloui et perclus de douleurs. Il n'en avait pas terminé, mais il lui fallait une pause, et il n'avait plus beaucoup de cigarettes. L'horloge indiquait qu'il avait le temps de passer chez Schwab's avant la fermeture à minuit, il prit donc ses clés, sa veste, descendit l'escalier et traversa le patio. Un brouillard humide s'était abattu sur la ville, les réverbères de l'allée étaient entourés d'un halo flou. Même s'il faisait trop froid pour nager, la piscine était éclairée, ainsi que les troncs striés des palmiers dont les frondaisons s'agitaient sous la brise. À l'étage supérieur de la maison principale, tel un phare dans les ténèbres, une seule fenêtre brillait d'un éclat jaune. Au centre, comme sur un tableau officiel, s'y profilaient les contours d'une silhouette au visage indistinct.

Il s'immobilisa. Le seul bruit perceptible était le murmure de la fontaine.

La silhouette ne bougeait pas. Il pensa que c'était peut-être une plaisanterie – un portemanteau ou un mannequin de couture placé là par Benchley pour lui faire peur.

Pourquoi aurait-il été effrayé ? Il n'était plus un enfant. Il avait ses propres fantômes, dont un qui courrait toujours plus vite que lui, aussi loin qu'il aille.

Mais si c'était Alla… Il attendit pour voir si, comme la dernière fois, elle allait esquisser un geste dans sa direction.

La silhouette le regarda – peut-être pour le juger, peut-être par pure curiosité réciproque, il n'aurait su le dire.

Il agita la main en signe de reconnaissance, mais ensuite, il se sentit stupide. Il consulta sa montre : il ne lui restait que cinq minutes.

Quand il releva la tête, la fenêtre, et même toute la maison, étaient plongées dans le noir.

« OK, dit-il, tu m'as bien eu », et il poursuivit son chemin, les sourcils froncés, jetant un coup d'œil de temps à autre pour voir si la silhouette retranchée dans l'obscurité l'observait toujours. Ce n'était pas un fantôme, probablement juste une invitée d'une nuit, aussi épuisée que lui, mais qui ne parvenait pas à trouver le sommeil.

Traversant Sunset Boulevard, au milieu du pâté de maisons, il dut laisser passer une voiture. Alors qu'elle approchait, le moteur ronronnant de plus en plus fort, ses phares projetèrent des ombres sur les palmiers. Comme sortie de son imagination, c'était la Daimler de *Trois camarades* – une berline noire qui rutilait à la lumière des réverbères. Il n'aurait pas été surpris de voir Reinecke au volant, un Luger dans sa main gantée. Tel était bien le problème avec Hollywood : tout se transformait en scénario. Il se représenta la voiture faisant une embardée et, en un éclair, son propre réflexe de dernière minute. Dottie, Alan et Ernest s'uniraient pour le venger.

La voiture le dépassa en vrombissant, filant à vive allure pour ne pas manquer le feu vert du carrefour, puis traversa le reflet des néons rouges de Schwab's avant de poursuivre par LaBrea Avenue, le bruit du moteur s'estompant peu à peu jusqu'à ce qu'on n'entende plus que le bourdonnement de l'enseigne lumineuse. Désormais déserte, la route paraissait aussi large qu'une rivière. Il traversa à l'oblique pour tenter de gagner du temps. Mais avant qu'il ait atteint le trottoir d'en face, le néon clignota et s'éteignit.

Son premier réflexe fut de courir, mais après être resté assis toute la journée, il ne réussit qu'à trottiner en boitillant. Une fois de plus, tout conspirait pour lui rappeler son âge. Il était presque plus en colère contre sa propre faiblesse qu'à cause du magasin qui fermait trop tôt.

À l'intérieur, les lumières étaient encore allumées. Un serveur, qu'il connaissait parce qu'il lui avait si souvent servi un chili con carne ou un verre tardif, vidait la caisse enregistreuse. L'horloge derrière le distributeur de boissons indiquait qu'il avait encore trois minutes.

Il posa la main sur la poignée de la porte, s'attendant à ce qu'elle soit verrouillée. Elle s'ouvrit sans résister, mais à moitié seulement. Il lui fallut pousser davantage et, soupirant sous l'effort, il sentit un élancement dans l'épaule qu'il s'était cassée quelques années auparavant pour montrer ses talents de plongeur. Il serra les dents, craignant de s'être déchiré quelque chose, et s'aperçut que les lumières autour de lui faiblissaient. La sensation qu'il avait espéré retrouver grandit en lui, sauf que cette fois il était seul. Même à cet instant précis, alors que les rayons du magasin devenaient pourpres, une partie de lui pensa qu'il devait se tromper, que son corps sombrait dans la confusion. Comment avait-il pu durant tout ce temps prendre un passage à vide pour de la joie ? Il ouvrit la bouche pour appeler à l'aide, mais il manqua soudain de souffle, et avant d'avoir pu s'agripper au présentoir de magazines contre le mur, il perdit connaissance.

Le traitement

Le médecin ne voulait pas parler de crise cardiaque. Il diagnostiqua une angine de poitrine et prescrivit à Scott des piqûres de fer et de calcium, ainsi qu'un flacon de minuscules comprimés de nitroglycérine qu'il était censé avoir toujours sur lui. Il lui fallait prendre du repos et réduire sa consommation de cigarettes. Ne plus courir, éviter les escaliers et, durant les quelques semaines à venir au moins, ne pas avoir de relations sexuelles – autant de règles que Sheilah se chargea de lui faire respecter avec le sérieux et l'efficacité d'une bonne sœur.

Elle s'installa au Jardin, limita le nombre de ses visiteurs et l'empêcha de quitter son lit. Stromberg accepta de bonne grâce de reporter la date de remise du scénario, ce qui permit à Scott de rattraper son retard. Il se fabriqua une table de travail portative à l'aide d'un plateau, et écrivit, comme Flaubert, adossé à ses oreillers. À cinq heures, elle l'obligeait à s'arrêter en lui prenant son bloc-notes, ramassait par terre les feuilles éparses pour les taper à la machine plus tard. Il avait le droit de lire ou d'écouter les nouvelles d'Europe pendant qu'elle préparait à dîner, alors que tout ce dont il rêvait, c'était un gin bien tassé en compagnie de Bogie et de Mayo. Même s'il aimait être choyé, il supportait mal d'être traité comme un invalide ; dès le troisième jour, il commença à penser à sa fugue.

Ils se querellaient fréquemment à propos de son voyage dans l'Est. Elle craignait pour lui une trop grande fatigue, bien que le médecin lui eût formellement donné son autorisation. Elle revenait sur le sujet tous les jours, expliquant que Scottie comprendrait. Elle devait venir cet été, de toute façon. Cloué au lit, il ne parvenait pas à éluder la question, et répondre pied à pied à chaque nouvel argument l'épuisait. Il ne pouvait que s'en tenir à ce qu'il lui avait déjà dit : il avait promis à Scottie et déjà fait toutes les réservations pour ce voyage.

« Ce n'est jamais qu'une semaine.

– Et ensuite un mois pour te remettre. Ce n'est pas bon pour toi, surtout en ce moment.

– Il faut que j'y aille, tu le sais.

– Je préférerais que tu t'en abstiennes.

– Je préférerais aussi. » Il pouvait faire cette concession, mais cela ne suffisait pas, et loin de là. D'ailleurs rien n'aurait suffi, mis à part une reddition pure et simple ou une rupture totale. Il comprenait pourquoi les amants parfois en venaient au meurtre.

Pour leur dernière nuit, elle changea les draps et ils dormirent ensemble dans son lit étroit, terriblement conscients des ordres du médecin. Elle n'avait pas cédé d'un pouce, et il fallait qu'elle lui rappelle tout ce qu'il laissait derrière lui. Malgré le pyjama flottant qu'il portait et le soutien-gorge qu'elle n'avait pas quitté, elle le provoqua. Elle se retourna et il se pressa contre la douceur de son postérieur.

« Désolée, dit-elle, mais il va falloir que tu attendes.

– Ça ne va pas me tuer, tu sais ?

– Là, tu as raison.

– Je suis prêt à tenter le coup.

– C'est trop généreux de ta part, mais après, ce n'est pas toi qui devras dire au médecin ce qui s'est passé.

– Qu'est-ce que tu lui diras ?

– Je lui expliquerai que je me suis décarcassée pour t'aider, mais que tu as refusé de m'écouter.

– Ce n'est pas très gentil, n'est-ce pas, surtout si l'on considère que je viendrai juste de mourir ?

– C'est vrai, rétorqua-t-elle. Tu n'écoutes pas. Tu n'en fais qu'à ta tête et ensuite tu me demandes de prendre soin de toi quand tu t'effondres. »

Il aurait voulu lui montrer que c'était une grossière simplification des choses, mais il n'en eut pas l'énergie.

« C'est de ma faute, dit-elle.

– Mais non.

– Écoute un peu ce que je m'efforce de te dire. C'était exactement pareil avec ma mère. Elle allait prendre du bon temps, et moi, je devais préparer le dîner et coucher mes petits frères. J'avais dix ou onze ans à l'époque. Rien n'a changé. »

Il avait envie de lui dire qu'il était presque guéri, mais il savait qu'il valait mieux ne pas la contredire.

« Je comprends, reprit-elle. Les gens sont comme ils sont. Mais me feras-tu le plaisir cette fois d'essayer de ne pas te faire de mal ? Je ne supporte pas de te voir dans cet état. »

Pourquoi se sentait-il harcelé par la seule personne au monde qui voulait prendre soin de lui ? À n'importe qui d'autre, il aurait pu mentir.

« Je vais essayer », promit-il, mais il le regretta aussitôt.

Le lendemain matin, la requête de Sheilah prit des allures de prophétie, flottant dans l'air quand il l'embrassa avant de monter dans l'avion. Toutefois, alors qu'ils dépassaient la Sierra et survolaient les immenses étendues désertiques, son humeur s'allégea et il se concentra sur ce qui l'attendait, comme si durant ces longues heures de vol, un plan ingénieux n'allait pas manquer de lui venir à l'esprit – totalement impossible, puisqu'il ne savait pas dans quel état ils trouveraient Zelda. Scottie se tiendrait sur ses gardes, à distance, lui laissant le soin comme toujours de les rapprocher tous les trois. Il avait emporté son scénario en espérant pouvoir télégraphier à Stromberg, avant Pâques, qu'il avait terminé. Mais au lieu d'écrire, il observa ce qui l'entourait, prenant des notes sur les autres passagers. Salt Lake City, Denver, Omaha. D'escale en escale, ils traversèrent le continent, l'hôtesse de l'air les approvisionnant en sandwiches et journaux à chaque arrêt, les aidant à transformer leurs sièges en couchettes. Pour ne pas risquer de les renverser, il but ses deux cuillerées de chloral à la bouteille et s'endormit quelques minutes plus tard. Quand l'hôtesse le réveilla, ils étaient presque arrivés à Baltimore, le jour se levait déjà de l'autre côté des hublots. Il sirota son café en songeant à Sheilah, encore endormie sur sa colline, et regretta que le voyage ne fût pas déjà terminé.

Scottie l'attendait à la gare dans un élégant tailleur bleu marine qu'il ne lui connaissait pas, sans doute offert par Anne Ober. Dieu du ciel, il leur devait tant !

« Mais que tu es chic ! s'exclama-t-il en la prenant par l'épaule. Rappelle-moi de la remercier. Comment va le latin ?

– *Bonum.*

– Ah, *bene factum.* Crois-moi, tu ne le regretteras pas cet été.

– Au cas où je rencontrerais un gentil cardinal…

– À propos, pas un mot à ta mère. Je ne le lui ai pas dit. Lui as-tu écrit comme je te l'avais demandé ?

– Oui, papa, dit-elle d'un air sombre.

– Ne réagis pas comme si c'était une telle corvée. Une lettre par mois, ce n'est vraiment pas grand-chose.

– Ça ne me dérange pas d'écrire. Le problème, c'est ce qu'elle répond. Est-ce qu'elle t'a raconté qu'elle compte faire le tour de la Provence à bicyclette ?

– Non. » Il la fixa du regard comme s'il pouvait s'agir d'une plaisanterie.

« À l'en croire, elle y va cet automne avec une femme de l'hôpital. Elles sont invitées dans un château.

– Elle est sans doute perturbée.

– Oui, c'est ce que j'ai pensé.

– La vérité, c'est que le médecin ne veut plus qu'elle prenne de vacances sans surveillance. Je suppose qu'ils ont dû avoir des problèmes.

– Ça ne m'étonne pas. Donc, elle ne va pas en Provence ?

– Non, mais cela veut dire qu'une infirmière va l'accompagner partout.

– Ça promet !

– Je me dis que ce sera peut-être plus facile comme ça. » Il comprenait l'inquiétude de sa fille. Une étrangère apporterait son lot supplémentaire de complications, ce serait un témoin de plus de leur gêne. Il ne lui confia pas combien d'argent cela lui coûtait.

Quand le train arriva, tout en sachant qu'il ne devrait pas, il lui prit son sac des mains et grimpa avec les deux bagages sur le marchepied. La voie ferrée longeant le rivage, il trouva deux sièges du côté gauche de la voiture et ils purent ainsi admirer les criques et les marais qui défilaient derrière la vitre. La marée était basse, des mouettes arpentaient la vase. Une cabane de pêcheur, dont il avait gardé le souvenir depuis un voyage précédent, avait brûlé. Scottie ne parlait pas, elle recopiait des conjugaisons tandis qu'il feuilletait *Collier's*. Le père et la fille avaient atteint le moment où ils ne se voyaient plus que pendant les vacances, leurs vraies vies se croisant bien rarement. Scottie était une compagne de voyage agréable, fine observatrice et spirituelle, mais souvent il ressentait la distance que produisait tout ce temps passé loin l'un de l'autre, comme s'il ne l'intéressait plus vraiment. Et, bien sûr, le fossé irait en s'élargissant. Dès l'automne, elle partirait vivre sur son campus.

« Tu veux lire quelque chose ? demanda-t-il en lui tendant son scénario. Il faut que tu me promettes d'être sans pitié.

– Je te le promets. Quelqu'un d'autre l'a-t-il lu ?

– Tu es la première. »

Elle rangea ses devoirs de latin et se plongea dans le scénario, crayon en main, comme une correctrice, laissant parfois échapper un gloussement ou un murmure pensif. Quand elle se redressait, la mine crissait sur le papier. Comme tout enfant, elle ne pouvait résister au plaisir de corriger un parent. Il se contenta de se cacher derrière son magazine, parcourant une nouvelle analyse du conflit européen, jetant de temps à autre un regard à sa fille pour voir où elle en était. Si seulement elle pouvait se concentrer de la même façon sur ses études, pensa-t-il, mais à son âge, il était pareil, et même pire, pour être honnête. À Princeton, il avait gâché la plus grande partie de sa deuxième année pour s'adonner aux joies du théâtre jusqu'au milieu de la nuit. C'était impossible bien sûr, mais il aurait aimé lui épargner ses erreurs.

Quand elle tourna la dernière page, il fit comme s'il ne l'avait pas remarqué.

Elle lui donna gaiement une tape sur la cuisse du revers de la main. « Alors, qu'est-ce qui se passe après ?

– À ton avis, que faudrait-il qu'il se passe ?

– Dans une histoire d'amour, il peut se produire deux choses, dit-elle, répétant ce qu'il lui avait expliqué maintes fois.

– Uniquement deux ?

– Le bonheur ou la détresse.

– Alors, dans ce cas ? »

S'il lui avait transmis quelque chose, c'était bien le don de raconter des histoires. Ils en étaient à batailler sur les suites possibles, quand le chef de train traversa la voiture : « Prochain arrêt Norfolk. Norfolk, prochain arrêt. »

Il aurait tellement préféré rester à bord de ce train et longer la côte jusqu'en Floride.

Il imaginait que l'infirmière porterait une blouse comme, à l'hôpital, une de ces matrones qui conduisaient leur patiente jusqu'au brouhaha de la salle d'attente, mais la blonde qui attendait aux côtés de Zelda était voûtée et portait un ensemble jupe et pull-over marron, de ceux qu'affectionnent les maîtresses d'école. Avec leurs poitrines et leurs maigreurs identiques, elles ressemblaient à des jumelles restées vieilles filles, sauf que de plus près, on s'apercevait que l'infirmière était ridée et étonnamment laide sous son maquillage, que son gros nez en trompette lui donnait l'air ébahi de quelqu'un qui vient de se cogner contre une porte en verre.

Zelda paraissait ne pas avoir changé depuis Noël, jusqu'à ce qu'elle sourie. Elle s'était malencontreusement débrouillée pour ébrécher sa nouvelle dent et la canine voisine – une sorte de crevasse en zigzag. Comme toujours, en la retrouvant, il mesura combien il savait peu de chose de sa vie au Highland Hospital. Il l'étreignit un moment contre lui, avant de laisser place à Scottie.

« Je vous présente mon amie, Miss Phillips. Par pure coïncidence, elle vient de Philadelphie, ce qui permet de se souvenir de son nom facilement.

– En réalité, je suis originaire de Pottstown, précisa l'infirmière en leur serrant la main.

– Miss Phillips est là pour s'assurer que je ne déchire pas mes vêtements et que je ne cours pas dans les rues comme une folle.

– Tu as recommencé à faire tout ça ? demanda-t-il.

– Non, il faisait trop froid ces derniers temps. Et toi ?

– Trop de travail.

– Fais attention à tout ce que tu dis, elle aime encore plus que toi prendre des notes sur les gens.

– Mais tu disais qu'elle était ton amie.

– Oui, bien sûr, mais elle est très scrupuleuse.

– C'est une qualité, dit-il. Nous avons tous besoin de quelqu'un comme ça. Soyez la bienvenue.

– Je vous remercie », répondit Miss Phillips.

Le tramway qui conduisait à la plage n'était plus tout jeune : il grinçait de toutes parts et sentait la poussière de graphite et l'ozone. Il n'y avait nulle part où prendre Miss Phillips à l'écart et lui demander ce que le Dr Carroll espérait d'eux. Tout cela lui donnait l'impression d'une expérience sans paramètres définis. Tandis qu'ils restaient silencieux, il sentit qu'elle observait tout et remarquait qu'il jouait un rôle de tampon entre Zelda et Scottie. Pour défendre sa famille, il avait envie de dire que leurs problèmes, tout comme ceux de Zelda, s'ils paraissaient évidents, n'en étaient pas plus faciles à résoudre.

Le Cavalier Hotel, à l'instar du Beachcomber, était un établissement d'un autre âge, avec des niveaux superposés comme un gâteau de mariage, un casino et un dancing surplombaient les vagues, deux mamelons sur des pilotis couverts d'algues vertes, guettant le prochain ouragan. Avant la naissance de Scott, le magasin de son grand-père Fitzgerald avait fourni les fauteuils, canapés et têtes de lit en osier blanc des trois cents chambres, et enfant – jusqu'à ce que son père mène cette affaire à la banqueroute –, il passait là une semaine chaque été, explorant les cages d'escaliers labyrinthiques et les enfilades de salons et de galeries, si bien que se retrouver dans ces lieux prenait pour lui les allures d'un retour au bercail doux-amer. La dernière fois qu'il y était venu, deux ans auparavant, Zelda et Scottie s'étaient disputées, et même si elles demeuraient maintenant campées sur des positions retranchées et qu'il se sentait lui-même plus faible, il espérait que Miss Phillips le seconderait sans parti pris et l'aiderait à désamorcer les tensions.

Sa présence modifiait aussi les dispositions de couchage. Au lieu de partager l'intimité d'une suite, chacun d'eux trois avait sa chambre, une dépense considérable mais indispensable, et qui avait le mérite d'éloigner de Zelda et lui les pièges de ces retrouvailles. Il s'attendait à ce qu'elle proteste, mais elle suivit Miss Phillips jusqu'à leur porte, comme la personne sous tutelle qu'elle était, et entra pour défaire ses valises.

Le dîner était à six heures au salon Neptune : la moquette, les rideaux, les murs et même les lustres en cristal formaient un véritable camaïeu de bleus, comme s'ils étaient les hôtes d'un royaume sous-marin sur lequel régnaient des serveurs qui n'étaient plus très jeunes. Là, toujours vêtue de son ensemble marron, Miss Phillips énonça les horaires édictés par le Dr Carroll : petit déjeuner à huit heures, promenade sur les planches de la plage, tennis, déjeuner frugal, une demi-heure de digestion, puis parcours de golf – l'idée étant que les journées se déroulent au même rythme qu'à l'hôpital.

« Huit heures, c'est un peu tôt en vacances, gémit Scottie.

– Je me lève à six heures tous les jours, qu'il pleuve ou qu'il vente, dit Zelda.

– S'il pleut, on jouera tout de même au tennis ?

– Non, on restera à l'intérieur et on jouera au majong, répondit Scott. Si on se retrouvait tous sur la promenade de la plage aux environs de neuf heures, qu'en dites-vous ? »

Scottie voulut aussi s'opposer au coucher de bonne heure, mais son père lui fit un signe de tête pour qu'elle comprenne que cette règle ne s'appliquait pas à eux, ce qu'il lui expliqua clairement quand Zelda et Miss Phillips eurent disparu. Il savait que pour Scottie, c'étaient les vacances de printemps, mais il leur fallait se montrer patients. Cela ne durerait qu'une petite semaine.

« Je déteste les jeux de société avec maman. Elle finit toujours par piquer sa crise. »

Il regarda alentour, comme si Zelda risquait d'entendre, alors qu'une pièce entière les séparait. « Elle ne peut pas s'en empêcher.

– Alors elle ne devrait pas jouer.

– Je suppose que c'est bon pour elle.

– Comment ça ?

– Ma poupée, sois un peu gentille.

– J'essaierai.

– Je te remercie. »

Dans le passé, il s'était toujours efforcé de les maintenir séparées, ce qui signifiait parfois qu'il devait s'interposer et recevoir des coups de l'une et de l'autre. Il put être présent au petit déjeuner et se montrer aimable, avant d'aller se promener avec elles le long de la plage, mais son médecin lui avait interdit de jouer au tennis. Il espérait utiliser ce temps pour écrire, mais quand l'heure arriva, il ne put se résoudre à laisser Scottie seule et il s'assit au bord du court, en compagnie de Miss Phillips, pour les regarder échanger des balles avec les entraîneurs du club.

Des deux, Zelda était de loin la meilleure joueuse, parfois même trop battante, poursuivant des balles qu'elle n'avait aucune chance de rattraper, tandis que Scottie se cantonnait derrière sa ligne, heureuse de frapper la balle au deuxième rebond, une faute que Zelda dénonçait à grands cris comme si sa fille ne connaissait pas les règles. Son revers était faible, et comme les moniteurs tentaient d'améliorer son geste, Scott remarqua que sa fille perdait patience.

« Eh bien voilà », cria-t-il quand elle réussit à en faire passer une au-dessus du filet, et elle lui adressa une grimace.

Après l'échauffement, ils jouèrent en double, Zelda et Scottie contre les moniteurs, qui renvoyaient leurs volées sans effort et les laissaient gagner sur leurs meilleurs coups.

Alors qu'une balle arrivait droit en milieu de terrain, Zelda s'écria : « Pour toi », mais Scottie n'était pas prête. Elles restèrent à se regarder tandis que la balle filait entre elles et allait heurter le fond du court.

« Règle générale, expliqua l'entraîneur. On ne crie jamais "pour toi", mais toujours "pour moi".

– Pas si la balle est de son côté », protesta Zelda.

Scottie décida de ne pas lutter.

« Il faut vous parler. Si la balle est à peu près au milieu et que vous n'entendez pas votre partenaire, c'est qu'elle vous la laisse.

– Même si elle est de son côté ?

– Même si elle est de son côté. »

À partir de ce moment, comme pour montrer qu'elle avait raison, Zelda cria que toutes les balles du milieu étaient pour elle, passant systématiquement devant Scottie, jusqu'à ce que le moniteur lui demande d'en laisser quelques-unes à sa partenaire. Scottie envoya voler la première au-dessus de la clôture, et Scott dut partir à sa recherche dans un enchevêtrement de prunus maritimes.

« Merci, lui dit-il ensuite.

– Pourquoi est-ce qu'elle ne peut simplement pas jouer toute seule ?

– Ce n'est pas ce qu'elle veut. Elle veut jouer avec toi.

– J'aimerais bien que tu viennes au golf avec nous.

– Miss Phillips sera là. »

L'idée ne sembla lui apporter aucun réconfort et, bien qu'inspiré cet après-midi-là, il fut sans cesse troublé par leur image sur le parcours, trois points blancs dérivant sur l'immense tapis de verdure. Comme doué de prescience, il avait anticipé le rapport complet que lui fit Scottie, les critiques acerbes, l'inévitable prise de bec avec l'instructeur, une réédition de ce qui s'était produit le matin. Dans sa phase latente, Zelda avait un comportement facile à prévoir. Miss Phillips avait aidé de son mieux, la prenant à part et présentant des excuses à l'intéressé, mais l'épisode entier avait eu quelque chose de déplaisant, et le lendemain, elles devaient jouer à la même heure.

« Je te l'avais dit, grommela Scottie.

– Je sais, je sais », répondit-il.

Au dîner, quand il demanda à Zelda si elle était contente de sa partie de golf, elle déclara qu'elle savait bien driver mais que ses coups d'approche étaient un désastre. « C'est difficile quand on ne s'entraîne pas régulièrement. Et toi, tu as bien avancé ?

– Même problème…

– Au moins, tu n'avais personne tout le temps derrière ton dos pour te dire comment tenir ton crayon.

– Il voulait vous aider, intervint Miss Phillips.

– Eh bien, c'est raté », rétorqua Zelda en plantant sa fourchette dans sa salade avec un grand sourire.

Compte tenu de leurs différentes restrictions alimentaires, seule Scottie avait droit au dessert. Durant toutes ces années, sa silhouette avait été un sujet de discorde entre elle et sa mère, et plutôt que de remettre le feu aux poudres, elle y renonça et commanda un café. Ils se retirèrent dans un salon pour une partie d'euchre, une nouvelle torture pour la malheureuse Scottie. Quand l'horloge sonna huit heures, il lui demanda comment allait son latin, lui donnant ainsi la permission de s'éclipser : elle saisit l'occasion avec enthousiasme et embrassa son père sur la joue.

« Eh bien, pas de bise pour ta mère ? » demanda Zelda, et docilement Scottie se pencha vers elle.

« As-tu remarqué, reprit Zelda quand la jeune fille eut disparu, qu'elle ne m'adresse pratiquement jamais la parole ?

– Elle ne sait sans doute pas quoi dire.

– Mais j'adorerais l'entendre parler de ses cours, de ses amies et de ce qu'elle écrit. À toi, elle raconte tout ça. À moi, jamais. »

Il se fit l'écho de cette plainte auprès de Scottie et ajouta, en une espèce de mémo : « Tu n'as pas besoin de lui confier quoi que ce soit d'important. Fais-lui un peu la conversation, c'est tout.

– C'est bien le problème avec elle. Tu lui racontes un truc et elle a l'air de t'écouter avec attention, et puis, tout d'un coup, la voilà qui te parle de sa randonnée à bicyclette dans le sud de la France. Elle n'entend que ce qu'elle veut bien entendre.

– Je comprends. Essaie simplement d'être gentille avec elle.

– Mais je suis gentille. C'est elle qui dit des choses affreuses et ensuite qui joue les innocentes. »

Il l'interrompit d'un geste. « Je sais comment elle peut se comporter. Essaie. S'il te plaît.

– J'aurais préféré rester à l'école.

– Mais non.

– Si, je te jure.

– Ma poupée.

– Ne m'appelle pas comme ça.
– Poupée, poupée, poupée.
– C'est pas juste.
– Rien n'est jamais juste. Il nous faut seulement faire de notre mieux. »

Plus tard, dans sa chambre, à la lumière brûlante d'une lampe de bureau, il reprit son scénario, conscient de leurs présences endormies dans les chambres attenantes, ainsi que de la navette des ascenseurs. Il fumait trop et il avait besoin d'un Coca pour se rafraîchir la gorge, mais le service en chambre était cher, et il ne voulait déranger personne. Peu après minuit, quand il eut terminé d'écrire sa scène et commencé la suivante, il prit sa veste et monta au bar, le Crow's Nest, pour un dernier verre. En regardant les bateaux de pêche dont les phares dansaient dans le lointain, il laissa le gin frais lui apaiser les nerfs. Un seul lui suffisait pour l'aider à trouver le sommeil en échappant au coup de massue du chloral.

Ce gin du soir devint la récompense qu'il s'octroyait pour avoir supporté la journée. Avec elles, les vacances se passaient toujours de la même façon. Il était stupide d'avoir cru que ce pourrait être différent. Zelda insulta le moniteur de golf et se vit interdit l'accès au parcours, en conséquence de quoi, elles eurent quartier libre l'après-midi. Scott se joignit à Zelda et Miss Phillips pour une longue balade thérapeutique le long de la plage, tandis que Scottie choisissait de prendre le soleil et de lire en paix – une décision qu'il jugea diplomatique, mais que Zelda ressentit comme un affront, déclarant en privé que leur fille était paresseuse et malveillante. Il fit pression sur chacune d'elles prise séparément, une tentative d'apaisement maladroite qui les peina toutes les deux et lui donna la migraine. Elles réussirent à éviter la franche dispute, mais les repas étaient un terrain miné, et dès qu'il était parvenu à les envoyer se coucher et pouvait enfin se mettre à écrire, il rêvait déjà de cette première gorgée de gin glacée.

Le Jeudi saint, il ne parvint pas vraiment à écrire. Jamais il n'aurait fini à Pâques, et il se consola avec un deuxième double gin, puis un troisième, contemplant la pleine lune et son reflet d'argent sur la mer avec une compassion mélancolique. Face à son obscur reflet, il repensa à toute une série d'endroits agréables qu'ils avaient connus : Annecy et le lac de Côme, leur premier été au White Bear Lake, leur premier voyage aux Bermudes. Tant de balcons d'hôtel, tant de nuits douces, les portes-fenêtres ouvertes sur les étoiles. À Monte-Carlo pendant le carnaval, au dîner, elle ne portait rien sous son kimono vert jade et elle avait détaché sa ceinture dans les jardins du palais, l'attirant en elle comme une geisha, tandis que dans les ruelles étroites, les fêtards masqués dansaient. Il était jeune et croyait que rien ne changerait jamais.

Le Crow's Nest était désert, mais le barman fit tout de même retentir une cloche de bateau pour annoncer la dernière tournée. « Je vous sers autre chose, monsieur ?

– Non, ça ira, merci », et, se sentant vertueux, il signa la note en ajoutant son numéro de chambre.

Le couloir tangua sous ses pieds comme s'il se trouvait sur le pont d'un transatlantique, ce qui lui arracha un sourire et lui fit hocher la tête. Dans l'ascenseur, il tenta d'appuyer sur le bouton mais manqua son coup et son index heurta le panneau de bois dur. La seconde fois, il y arriva à l'aide de son pouce, et pourtant les portes ne se refermaient toujours pas.

« Mais j'ai appuyé », grommela-t-il en tapant plus fort.

Pendant la descente, il s'adossa à la paroi comme s'il allait s'endormir sur place. L'ascenseur ralentit, s'arrêta et les portes s'ouvrirent. Leurs chambres étaient situées sur la gauche, il vérifia malgré tout les pancartes pour s'en assurer, les numéros dansant sous ses yeux. Il tourna dans la direction de la flèche, en décrivant un trop grand cercle sur la moquette chamarrée, il corrigea alors sa trajectoire, visa le centre et, relevant la tête, il s'aperçut qu'il n'était pas seul.

Au bout du long couloir, comme un fantôme dans le halo incertain d'une applique, une femme lui faisait face. Petite et blonde, elle portait apparemment une chemise de nuit. Un instant saisi de panique, il s'imagina que c'était Miss Phillips surveillant ses allées et venues, mais soudain, comme si elle s'était égarée ou qu'elle eût perdu quelque chose, la femme fit demi-tour et partit dans l'autre sens. Soulagé, il laissa son visage se détendre et entreprit de suivre à pas lents le brouillard blanc de sa silhouette qui s'éloignait. Elle flottait à quelques pas devant lui, telle une apparition. Autour d'eux, l'immense hôtel dormait, et avec la logique embrouillée de l'ivrogne, il se dit que c'était un fantôme venu lui montrer une vision déplaisante de lui-même.

Un peu plus loin, le couloir obliquait vers la gauche et passait par un vaste solarium avant de rejoindre leur aile. Il n'aurait pas été surpris de la voir poursuivre son chemin en traversant le mur. Elle disparut à l'angle, l'attirant à sa suite. Quand il atteignit le bout du couloir, il vit qu'elle s'enfuyait, filant dans la galerie inondée par le clair de lune d'un pas familier et enfantin, les plantes de ses pieds pareilles à des éclairs blancs, et il comprit obscurément que ce n'était pas un spectre qui tentait de lui échapper, mais Zelda.

Tel celui d'un chien de chasse, son instinct lui dicta de la suivre. Il n'avait pas la moindre idée de la raison pour laquelle sa femme errait dans les couloirs, il savait seulement qu'elle aurait dû se trouver dans sa chambre et que Miss Phillips se révélait parfaitement inutile.

Il continua à marcher, chancelant, en zigzag. Elle était plus rapide que lui, et de surcroît, il avait bu, mais ce n'était pas une course, plutôt une partie de cache-cache. Elle avait déjà perdu.

Il savait exactement où elle allait et il abandonna la poursuite, espérant qu'elle regagnerait discrètement sa chambre et ferait semblant de dormir. Un peu comme quelqu'un qui voudrait régler cette affaire discrètement, voilà ce qu'il espérait.

Une fois pesamment passé le dernier tournant, il s'arrêta hors d'haleine. Elle s'était immobilisée au milieu du couloir et elle l'attendait. Elle tenait un lourd vase empli de lys devant elle, comme un bouclier.

« Ne m'approche pas !

– Chut…, dit-il en avançant les mains. Tout va bien.

– Va-t'en !

– Ne t'inquiète pas. Nous allons repartir vers ta chambre, maintenant.

– À l'aide ! À l'aide ! » hurla-t-elle en levant le vase au-dessus de sa tête, non sans renverser de l'eau et mouiller le plastron de sa chemise de nuit. L'espace d'une seconde, elle se laissa distraire et il en profita pour s'approcher furtivement. Elle recula, brandissant son arme comme si elle s'apprêtait à l'assommer avec, mais à la place, elle se retourna et fracassa le vase contre une porte.

Le verre vola en éclats, provoquant une détonation puissante, les tessons se dispersèrent et les fleurs tombèrent sur la moquette.

« À l'aide ! cria-t-elle encore en martelant la porte de ses poings. Aidez-moi, je vous en prie ! » et, avant qu'il ait pu la rejoindre, elle pivota sur elle-même et s'enfuit en hurlant dans le couloir.

Il se lança à sa poursuite, oubliant tous les conseils de son médecin.

« À l'aide ! Il veut me tuer ! »

Même si cela n'avait aucun sens désormais, elle tentait de regagner sa chambre. Elle courait comme une enfant, infatigable, le semant facilement. Un jour à Sheppard Pratt Hospital, un train de marchandises s'approchait lentement sur la voie qui longeait le parc dans lequel ils se promenaient, et elle lui avait soudainement lâché la main pour se précipiter vers le convoi. Il était plus jeune, ses poumons n'étaient pas encore encrassés, mais même alors, elle avait réussi à atteindre le talus avant qu'il la plaque au sol.

Le couloir paraissait interminable, une suite infinie de portes, de miroirs et de consoles sur lesquelles étaient posés des vases. Il la pourchassa, ses forces baissaient à vue d'œil, mais il la conservait en ligne de mire. Il aurait surtout voulu qu'elle cesse de crier. Il ne parvenait plus à reprendre son souffle.

Elle luttait contre le bouton de porte quand il finit par la rejoindre. Elle avait sans doute oublié la clé. Il s'approcha lentement pour ne pas l'effrayer. « OK, ça suffit maintenant », parce qu'elle tournait frénétiquement le bouton comme si un meurtrier la menaçait. Il lui saisit le bras, mais elle réussit à se dégager et le frappa au visage. Il tenta de l'attraper par les poignets, en agrippa un, mais elle le gifla plusieurs fois de sa main restée libre, lui faisant presque perdre l'équilibre. Dans la bagarre, elle le repoussa en arrière et le projeta contre le mur.

Il tomba aux pieds des sauveteurs de Zelda, deux hommes dont les jambes poilues émergeaient des peignoirs de l'hôtel. Il s'était heurté la tête, et la sensation de chaleur qu'il ressentait pouvait bien être du sang. Alors qu'il se tâtait le crâne pour mesurer les dégâts, ils le forcèrent brutalement à se relever, le secouant avec violence quand il essaya de se libérer.

« Lâchez-moi ! »

De toutes parts dans le couloir, des clients sortaient de leur chambre pour voir ce qu'il se passait. Ils restaient sur le seuil de leur porte et le fixaient du regard comme un criminel, tandis que Zelda se recroquevillait. Dans sa chemise de nuit, avec ses dents cassées et ses cheveux en bataille devant les yeux, elle était l'image même d'une démente.

« C'est un fou, s'écria-t-elle. Il s'est échappé d'un hôpital psychiatrique.

– C'est faux.

– La ferme, dit l'un des hommes en lui coinçant la trachée sous son bras.

– Il a déjà tenté de me tuer, c'est pour ça qu'on l'a enfermé.

– Elle ment.

– Il perd la raison quand il boit. Il me bat.

– Encore un mensonge. »

L'homme pressa plus fort contre sa gorge. « Je t'ai dit de te tenir tranquille.

– J'ai appelé la police », claironna une vieille dame.

Scottie sortit de sa chambre. « C'est mon père, déclara-t-elle à celui qui retenait Scott. Que se passe-t-il ?

– Il est saoul, dit l'homme.

– Pas du tout. Elle errait dans les couloirs au milieu de la nuit. »

Miss Phillips ouvrit sa porte, clignant des paupières dans la lumière. Zelda courut se cacher derrière elle, comme pour se protéger.

« Demandez-le-lui, dit Scott.

– Il a tenté de me tuer, répéta Zelda.

– Je l'ai trouvée qui tournait en rond là-bas », dit-il en désignant les ascenseurs par-dessus l'attroupement.

« Zelda, est-ce vrai ? » demanda l'infirmière.

Comme un chien que l'on gronde, elle recula.

« Vous étiez censée la surveiller, lui reprocha Scott.

– Désolée de vous avoir tous dérangés, dit Miss Phillips à la foule, en levant la main comme une institutrice. Je ne sais pas ce qui est arrivé. Cette femme est ma patiente et sous mon entière responsabilité. Ça ne se reproduira pas. » Sur ce, elle poussa Zelda à l'intérieur et referma la porte de la chambre.

« Je vous l'avais dit », grogna Scott à l'adresse d'un de ses geôliers.

Ni l'un ni l'autre ne s'excusèrent. Quand Scott insista pour qu'ils le fassent, l'un d'eux lui répondit qu'il devait s'estimer heureux qu'ils ne se soient pas montrés plus violents. Maintenant que Zelda avait disparu, la foule se concentra sur ce nouveau drame.

« Papa, arrête », le supplia Scottie, et avant que les choses ne tournent mal, elle le tira vers sa chambre.

« Merci », dit-il piteusement. Il s'assit devant le bureau, tâtant la bosse douloureuse en train de se former à l'arrière de son crâne. L'excitation retombée, il se sentait épuisé, comme s'il avait perdu un combat. Il soupira en songeant que tout ce chaos aurait pu être facilement évité. Comme c'était stupide ! « Je suis vraiment désolé.

– Je suppose que rien ne devrait plus me surprendre.

– À Noël, elle n'était pas comme ça. Encore heureux que ce soit moi qui l'ai trouvée. Qui sait ce qui a bien pu lui traverser l'esprit ?

– Mais toi, qu'est-ce que tu faisais là ? »

La question le blessa. Voyant qu'il hésitait à répondre, elle croisa les bras comme un procureur.

« J'étais allé boire un petit verre au bar, là-haut. Je ne pensais pas que ça prendrait une tournure pareille. »

Elle hocha la tête devant cet aveu, comme s'il avait manqué à sa parole. Coupable ou innocent, il était sans arme face à la déception de sa fille.

« Je devrais aller voir où elles en sont. » Il se releva et plaqua l'oreille contre la porte, espérant que les gorilles n'étaient plus là. Derrière un susurrement semblable à celui du murmure de l'océan emprisonné dans un coquillage, il distingua les pas assourdis de quelqu'un qui s'approchait, puis trois coups frappés à la porte voisine.

« S'il vous plaît ? fit une voix masculine d'un ton cérémonieux. Mr Fitzgerald ?

– Reste ici », dit-il à Scottie en remettant de l'ordre dans sa veste et ses cheveux.

Ce n'était pas la police, mais le détective de l'hôtel, un Anglais arborant une fine moustache et un dentier bon marché. Il avait reçu une plainte, plusieurs en fait. Scott s'excusa. Sa femme avait les nerfs malades. Cela ne se reproduirait plus. Il y veillerait.

Restait la question des dégâts matériels. Il lui faudrait en parler au gérant de l'hôtel.

« Bien entendu, dit Scott. Je prendrai tout à ma charge. Je vous remercie. »

Il pensait que tout s'était bien passé – le type avait l'air plutôt brave –, mais le lendemain matin, le gérant le fit appeler après le petit déjeuner et lui présenta une note soigneusement préparée qui incluait, entre autres, vingt-cinq dollars pour le vase. Le Cavalier était un hôtel familial, le sermonna le gérant, aussi compassé qu'un banquier. Il regrettait de ne pouvoir tolérer ce genre de conduite. Ils ne lui laissaient pas le choix. Poliment mais fermement, il expliqua qu'il était obligé de leur demander de partir.

Au lieu de partager seulement le dîner de Pâques avec les cousins de Zelda, à Norfolk, ils durent s'inviter chez eux pour tout le week-end, à l'étroit dans les anciens lits des enfants, ce qui mortifia Scottie. Zelda avait recommencé à prendre ses tranquillisants et elle traversa les journées comme une somnambule. Lui n'écrivit pas, et il ne but pas une goutte d'alcool avant d'avoir pris congé de Zelda et de Miss Phillips, et raccompagné Scottie à son train pour New York. Il reprit l'avion de nuit, sirota une petite bouteille de gin et s'imagina ce que Miss Phillips allait écrire dans son rapport. Il en acheta une autre au petit déjeuner à Kansas City, et quand ils atterrirent à Albuquerque, il avait décidé d'épouser Sheilah. Il lui téléphona d'une cabine pour lui annoncer la nouvelle.

« Tu lui as demandé le divorce ?

– Oui », dit-il, mais quand elle vint le chercher à l'aéroport, elle s'aperçut qu'il était ivre, et il reconnut qu'il n'en avait pas encore parlé à Zelda. Elle le déposa au Jardin et lui expliqua qu'il était inutile de l'appeler.

« À nos prochaines ex », dit Bogart en levant son verre à la santé de Mayo, et Scott l'imita.

À nouveau seul, cloîtré chez lui, en peignoir et chaussons, il était déterminé à finir son scénario. Pas une goutte durant la journée, mais les soirées étaient parfaites pour rester éveillé à contempler les étoiles ; certains matins cependant, il n'entendait pas son réveil et ensuite, il ne parvenait pas à se concentrer. Le personnage joué par Joan Crawford tenait davantage à sa liberté qu'à son désir de vengeance : la difficulté était de réussir à montrer cela à l'écran. Après une dizaine de faux départs, il conçut une scène au cours de laquelle le mari rentre à la maison pour plaider sa cause, mais découvre que sa femme va s'envoler pour l'Europe, définitivement, cette fois. Les domestiques sont en train de recouvrir les meubles, les bagages sont chargés dans la Rolls, elle attend devant la porte.

« Tu n'as qu'à m'écrire, dit-elle en passant devant lui sans s'arrêter.

– Où veux-tu que je t'écrive ?

– Londres, Paris, répond-elle avec un geste distrait de la main. Ça m'est complètement égal. »

Il travaillait encore à améliorer les derniers détails de cette scène, quand Stromberg l'appela. Les studios avaient décidé d'abandonner le projet. Mayer ne l'aimait pas, par principe, et de toute façon, ils ne réussiraient jamais à obtenir l'accord de la censure. Scott continuerait d'être payé, Stromberg trouverait une autre idée pour le tenir occupé, mais pour l'instant il pouvait prendre une semaine de vacances et se reposer.

« Vous n'avez même pas encore lu les nouvelles pages ?

– Je suis sûr qu'elles sont excellentes. Je suis déçu, moi aussi. Ça arrive. Ça vaut ce que ça vaut, mais sachez que Miss Crawford vous apprécie beaucoup. L'important maintenant, c'est de vous vider la tête. Allez donc à Palm Springs pendant deux trois jours, et revenez-nous en pleine forme. »

Scott s'abstint de répondre qu'il rentrait précisément de vacances, ou qu'il n'avait plus personne avec qui partir. Il raccrocha, prit place à la table de sa cuisine et, comme s'il n'avait pas eu le réalisateur au téléphone, que la mauvaise nouvelle ne fût qu'une rumeur, il continua à pétrir sa scène, réfléchissant à la logique qui sous-tendait chaque réplique, jusqu'à ce que, peu à peu, la pâte lève.

Les quelques jours suivants, sachant qu'il n'aurait plus jamais la possibilité d'améliorer ce scénario, il se pencha sur les dernières corrections comme on se précipite sur la ligne d'arrivée. Même après avoir apporté ses pages à la secrétaire de Stromberg, plutôt déconcertée, il continua encore à régler quelques détails, et pour apaiser le peu de conscience professionnelle qu'il lui restait, il essaya de lire Keats. Devant son insuccès, il alla frapper à la porte de Bogie et Mayo. Il était trois heures de l'après-midi, un jeudi, et ils étaient sortis, ainsi que Dottie et Alan, Don Stewart et Benchley – tous travaillaient, alors qu'il était payé à ne rien faire.

Il commença par le gin qu'il avait caché dans la boîte métallique de Quaker Oats, au fond du placard de la cuisine, et qu'il se servit bien frais sur un lit de glaçons. Il augmenta le volume de son transistor afin d'entendre la musique depuis l'extérieur, et s'assit sur son perron, les yeux fermés et le visage tourné vers le soleil. *Fascinatin' rhythm, got me on the go. Fascinatin' rhythm, the neighbors want to know*, chantait Ella Fitzgerald. Stromberg lui avait conseillé de se vider la tête. Elle ne pouvait pas être plus vide, songea-t-il, puis il revit Zelda hurlant dans le couloir, Scottie tentant de le protéger, et Sheilah lui demandant de ne plus téléphoner avant d'avoir complètement cessé de boire. Il pencha son verre, et la vague des glaçons vint heurter sa lèvre supérieure.

Bogie et Mayo furent les premiers à rentrer, suivis de Don Stewart et de sa petite amie japonaise, de Sid et Laura Perelman, de Pep West et sa femme, de Dottie et Alan, d'Ogden Nash… la petite troupe augmentant peu à peu jusqu'à ce que Benchley arrive avec une bande de starlettes, dont l'une vint s'asseoir sur les genoux de Scott, lui plantant son décolleté généreux sous le nez et se moquant des gens qui dansaient. Les torches étaient allumées, le phonographe braillait à tue-tête depuis le balcon. Il dansa sur plusieurs airs endiablés avec la starlette et perdit son verre. Le gin avait été remplacé par du whisky-soda, et Mayo s'amusait à asperger d'innocentes victimes avec un siphon. Il se souvint d'être rentré à l'intérieur à un certain moment et d'avoir joué aux fléchettes, les yeux bandés, l'une de celles lancées par Alan atterrissant dans un tableau avant que Dottie ne décide d'emporter les autres, et aussi d'avoir mangé un steak carbonisé qu'il tenait entre ses mains comme un sandwich.

Il se réveilla seul, étendu sur le carrelage : le soleil pénétrait par la fenêtre au-dessus de l'évier, inondant la cuisine et faisant étinceler la vaisselle sale. L'épaule qu'il s'était autrefois cassée était douloureuse, ses muscles affaiblis tremblaient, et il craignit d'avoir connu un nouvel épisode d'angine de poitrine en dormant. Ses médicaments étaient dans sa poche de pantalon. Il en prit deux, mais en se déshabillant pour aller se doucher, il eut un mal fou à lever le bras pour retirer sa chemise et il comprit qu'il avait dû se blesser d'une façon ou d'une autre.

Bogie et Mayo n'étaient pas là, ou ne répondaient pas. Il pouvait conduire avec une seule main, sauf qu'il ne savait pas où aller. Sheilah pourrait penser qu'il faisait tout pour s'attirer sa compassion, et c'était sans doute vrai, néanmoins elle était la seule personne qu'il connaissait, et puis il était trop fatigué et avait trop mal pour s'arrêter à ce genre de considérations, et donc, plutôt que de jouer les braves soldats stoïques, il l'appela.

« Tu n'as pas bu, j'espère ? » demanda-t-elle.

C'était tout ce qui l'intéressait.

« Non », répondit-il avant d'enfouir la bouteille au fond de la poubelle.

En la revoyant, il se rendit compte qu'il s'était comporté comme un imbécile. Elle avait tout deviné, et pourtant elle était venue.

Elle le conduisit aux urgences, où on lui fit des radios et où une infirmière lui mit le bras en écharpe. Ce n'était qu'une entorse. Ils lui donnèrent des calmants et le laissèrent repartir avec Sheilah.

Dans la voiture, saisi par un élan de gratitude, il s'excusa. Il ne savait pas pourquoi il se comportait de la sorte. Il devrait peut-être cesser de retourner dans l'Est. Une seule chose était claire : il avait besoin d'elle.

Comme tout vainqueur, elle posa ses conditions. C'était simple. Il accepterait de suivre le traitement et quitterait le Jardin, comme si ses amis exerçaient sur lui une mauvaise influence. Il savait que c'était faux, mais tout autant qu'elle, il voulait prendre un nouveau départ. Le lundi suivant, une infirmière vint à domicile avec une sacoche pleine de seringues, elle s'assit au chevet de son lit, lui épongea le front avec des compresses froides et le fit vomir dans une bassine en émail jusqu'à ce qu'il se vide complètement. Tandis qu'il dormait, purifié et malheureux, Sheilah plia ses vêtements, mit ses livres dans des cartons, et déménagea le tout à Malibu. Le jeudi, quand elle le conduisit jusqu'au bungalow, sa chambre était prête et l'attendait.

Marie-Antoinette

Là, au bout du continent, tous les jours étaient les mêmes, le ciel et l'océan, primitifs et infinis, seulement interrompus par le passage d'un bateau, d'un avion, d'un dirigeable égaré. Pour payer ses factures, il écrivait un scénario qui faisait de la Révolution française une histoire d'amour tragique pour Greta Garbo. Il s'installait à un pupitre d'enfant, rencogné dans une mansarde exposée à tous les vents, et il arpentait mentalement les jardins de Versailles. Les vagues se brisaient et moutonnaient, reculaient avant de déferler à nouveau. Le mât portant le drapeau des voisins faisait office d'aiguille de cadran solaire, son ombre avançant peu à peu sur le patio, égrenant les heures de l'après-midi. Sur sa commode était posée une photographie d'eux deux à Tijuana, lui arborant un sombrero et elle montant un âne : un cadeau pour son anniversaire. On était en mai, le mois idéal pour les pique-niques au Bois. Il avait cru qu'ils se verraient davantage, comme à Noël, réfugiés ensemble à l'abri du monde, mais la chronique que tenait la jeune femme et son émission de radio l'occupaient terriblement, sans parler de toutes ses avant-premières. Que valait l'amour à côté de l'impitoyable ambition de la jeunesse ? Depuis le belvédère, il apercevait le sommet de l'île de Catalina, et à ses moments de plus grand découragement, alors qu'il regardait les derniers rayons du soleil qui se couchait sur la mer, affrontant une brise venue de l'ouest, il ressentait le frisson glacé de l'exil.

Il n'était pas totalement seul. Elle avait engagé une cuisinière, Flora, qui venait en bus de San Pedro cinq jours par semaine, et finissait le chemin à pied ; elle adressait au passage un signe de la main au gardien dans sa guérite, foulant une allée sablonneuse où passait d'ordinaire la Rolls de Barbara Stanwyck ou de Dolores Del Rio, chantant et parlant toute seule comme si elle jouait dans une comédie musicale. Elle venait de Louisiane et l'appelait Monsieur Scott, le forçant à manger avec la familiarité moqueuse d'une infirmière ou d'une nounou. « Je n'avais jamais rencontré un homme adulte qui ait aussi peur d'un petit gombo. » Elle lui faisait penser à Ettie, leur gouvernante à Ellerslie, qui vidait dans l'évier toutes les bouteilles d'alcool qu'elle trouvait et lui cachait ses revolvers quand il avait trop bu. À l'instar d'Ettie, Flora le traitait comme un enfant capricieux, un rôle qu'il aimait à endosser dans son état de fragilité. Ils déjeunaient ensemble en écoutant les nouvelles venues d'Europe, sur le vieux poste Philco de Frank Case, puis il retournait travailler. À six heures, elle lui servait son dîner, avant de rejoindre en se dandinant l'arrêt de bus devant le Malibu Inn, par le même chemin qu'il empruntait lui-même plus tard pour aller s'acheter une tablette de chocolat Hershey ou un paquet de cigarettes.

L'épicerie vendait aussi de l'alcool, les bouteilles rangées dans un ordre militaire, y compris son Gordon favori. Il finirait assurément par craquer, pour l'instant il tenait bon et n'avait acheté que quelques bières inoffensives qu'il vidait comme des bouteilles d'eau.

La nuit, il était complètement seul. La plupart des maisons voisines étaient fermées pour la saison. Mis à part la lumière dans la guérite du gardien, la Colonie était entièrement plongée dans l'obscurité, et quand on se déplaçait à pied, on n'y voyait rien. L'allée était envahie de frondes de plantes diverses, aussi sèches que des balles d'avoine. Fuyant devant ses pas, des lézards filaient en soulevant les feuilles. Sur sa gauche, ininterrompu jusqu'à la route, s'étendait un champ de luzerne et de moutarde sauvage. Des cerfs descendaient des collines pour brouter les nouvelles pousses, des coyotes sur leurs talons, hurlant à toute heure. Un jour, il en vit un traverser la route à toute allure, avec dans sa gueule un lapin qui agitait encore ses pattes. L'animal s'arrêta pour le fixer de ses yeux dorés, comme s'il représentait une menace, avant de se glisser sous la clôture du bas-côté. Scott était trop habitué à la ville, au confort de rencontrer d'autres passants, aussi illusoire que soit ce type de contact. Il se réjouissait d'apercevoir le gardien dont la torche dansait dans le noir, ainsi que le pêcheur solitaire qui jetait sa ligne à la lumière d'une lampe-tempête, comme s'ils avaient été de vieux amis.

Malgré le murmure apaisant des vagues, il dormait très mal. L'étage n'était pas chauffé et le lit était froid sans elle. Il bourrait la cheminée et se couchait sur le canapé sous un amas de couvertures humides, se demandant comment elle avait réussi à le convaincre de quitter le Jardin. Certaines nuits, sous l'effet du chloral, il aurait juré avoir distingué des voix parmi les rouleaux, des airs de musique égrenés, un petit groupe de gens qui l'appelaient devant sa porte – un chant des sirènes qui le trompait chaque fois. Le matin, il soufflait sur les braises, posait une nouvelle bûche sur la grille et remontait les couvertures à l'étage pour que Flora ne s'aperçoive de rien.

Sheilah venait le week-end et les soirs où elle réussissait à se libérer. Ils se promenaient sur la plage au couchant, faisaient griller des chipolatas et jouaient au ping-pong sous les étoiles, mais elle n'avait pas d'horaires fixes, était contrainte d'accepter des changements de calendrier à la dernière minute, et quand elle devait annuler une de ses visites, il boudait, errant d'une fenêtre à l'autre, les heures de solitude s'étalant sous ses yeux aussi grises et indistinctes que l'océan – aussi triste sans doute que Zelda quand il revenait sur ses promesses.

Ma très chérie, écrivit-il. *Je suis désolé que tout soit allé si mal. J'aurais dû deviner que tu te débattais dans les difficultés, mais je luttais moi-même contre mes propres problèmes. Je ne me sentais pas bien depuis un certain temps et j'espérais que cette semaine m'aiderait à me rétablir, un plan qui avec le recul me semble avoir été exagérément optimiste. Je suppose que je comptais sur ton infirmière pour s'occuper de toi, puisqu'elle n'avait aucune autre raison d'être là. Manifestement, elle ne te connaît pas assez bien pour prévoir l'apparition d'une crise. Je reconnais ma part de responsabilité étant donné que c'est moi qui ai demandé au Dr Carroll de réduire tes doses après t'avoir trouvée un peu éteinte à Noël. Il doit exister un juste milieu qui te permette d'être la personne si brillante et vivante que tu es.*

Quant à mon propre rôle dans cet opéra bouffe, je peux te dire honnêtement que depuis mon arrivée ici je n'ai connu que deux brèves crises, d'ailleurs chèrement payées de ma santé. J'ai démarré un traitement depuis peu, mais je reste vigilant, craignant que mon vieux cœur ne supporte plus pareille tension. Les dépravés comme moi, tu le sais, doivent porter le lourd et injuste fardeau de l'attente de ceux qui les entourent. Je vais jusqu'à éviter les réceptions données au bureau et les bars, de peur que les studios n'aient vent de la rumeur.

Tu n'as vraiment pas assez confiance en Scottie. Elle est ravie à l'idée que Rosalind et toi soyez présentes à sa remise de diplôme. Je compte sur des photos d'elle avec toutes ses médailles.

Et à Scottie, il écrivit : *Tu sais que je viendrais si je le pouvais, mais il ne s'agit pas de ta vraie remise de diplôme. Ça, ce sera à la fin de Vassar (si Dieu et Louie Mayer nous viennent en aide). Montre-toi patiente avec ta mère. C'est la première fois qu'elle se rend à Simsbury, et elle voudrait tellement faire bonne impression parmi ce cercle si élégant. Je pense qu'elle s'en tirera très bien, parce que, au fond, ces gens font partie de son monde. Il importe avant tout qu'elle retrouve cette confiance en elle qui était autrefois son point fort. S'il devait survenir un quelconque problème, tante Rosalind a toutes les informations nécessaires.*

Il n'avait jamais prévu de s'y rendre. Après être retourné sur la côte Est pour Noël et Pâques, il ne lui restait plus de vacances, mais comme le jour approchait, il regrettait de plus en plus cette situation, l'idée de ne pas être présent là-bas alors qu'il s'était échiné à payer cette école, c'était comme s'il était soudain privé de sa récompense.

Il détestait Marie-Antoinette. Pour la rendre sympathique, il lui fallait tricher, la montrer comme une innocente fraîchement débarquée qui essayait de faire son chemin entre les factions rivales de la cour – comme si Garbo pouvait encore jouer les naïves. Le samedi était le jour de paye, et après s'être rendu aux studios pour rendre ses pages, il emmena Sheilah dîner au Vine Street Derby où le maître d'hôtel s'approcha de leur table avec un téléphone. Scott pensait que ce devait être pour elle, mais l'homme s'arrêta près de lui et lui tendit le combiné comme on offre un cadeau.

« Il faut qu'on parle, dit Stromberg. Vous savez où j'habite ? »

Il n'en savait rien et ne comprenait pas non plus pourquoi ils devaient parler maintenant, ni comment Stromberg l'avait trouvé. Naturellement, il ne l'avait pas revu depuis que celui-ci lui avait confié le scénario, même s'il circulait une rumeur au Poumon d'acier selon laquelle son absence ne serait pas due à une indifférence quelconque, mais bien à la résurgence d'une dépendance à l'opium. Ayant souvent été le sujet de commérages, pour ne pas dire, comme Thalberg, de mensonges éhontés, Scott tendait à ne pas en tenir compte.

« Je suppose qu'il va nous falloir renoncer au dessert ? dit Sheilah.

– Je suis désolé.

– Je t'en prie. Je suis bien placée pour comprendre. On t'a purement et simplement convoqué.

– Tu peux rester si tu veux.

– Ne sois pas bête. »

Les instructions que lui avait fournies Stromberg leur firent traverser Holmby Hills pour gagner le quartier de Beverly Glen, jusqu'à la partie la plus ancienne de Bel Air où les rues serpentaient et où d'imposantes villas se cachaient à l'ombre de hautes grilles en fer forgé. Il faisait déjà sombre, la silhouette des arbres se découpait sur le ciel qui s'obscurcissait. Quelque part près de là, des années plus tôt, avant que Clark Gable ne jette son dévolu sur elle, il avait dansé avec Carole Lombard à une soirée : il se rappelait sa main, chaude dans la sienne, son sourire engageant. Aujourd'hui, au volant de son vieux tacot, il cherchait sa destination d'allée en allée, lisant les numéros des rues comme un touriste.

Sheilah avait de meilleurs yeux que lui. Elle trouva la maison la première, une villa au plan anarchique, dans le style colonial espagnol, agrémentée de voûtes mauresques et bordée de peupliers soigneusement espacés. « Warner Baxer habitait ici autrefois.

– Oui, répondit-il. Je connais cette maison.

– Je n'en doute pas. »

Avant qu'il ait pu atteindre l'interphone, le portail s'ouvrit et il pénétra dans la propriété. Sheilah se retourna sur son siège pour le voir se refermer. « Faits comme des rats.

– Tu aurais pu prendre ton temps et déguster ta mousse de pamplemousse.

– Et rester là-bas toute seule ? Non merci. »

Un domestique les attendait sous le portique et se dirigea vers la portière côté passager. C'était un petit homme au crâne dégarni qui portait des gants et une veste à queue de pie. Elle le repoussa d'un geste.

« Je suis sûr que tu serais la bienvenue, dit Scott.

– Moi, je suis sûre que non.

– Je vais essayer de faire vite.

– Môssieur Fitzgerrald, dit le valet avec un accent rocailleux écossais, Môssieur Stromberrrg vous attend. » Il lui restait quelques mèches auburn plaquées sur la tête, et son pantalon flottait comme celui de Charlie Chaplin. Sans un mot de plus, il conduisit Scott à l'étage, à travers un vestibule lambrissé et parqueté, puis au long d'un couloir imposant bordé de niches peuplées de sévères bustes de marbre, qui donnaient aux lieux l'allure d'un musée ou d'une galerie d'art où seraient exposées des têtes tranchées.

Il s'était déjà fait convoquer chez le doyen à Newman, puis à Princeton. Quoi que Stromberg tienne à lui annoncer en personne, ce ne pouvait pas être une bonne nouvelle, pourtant il avait en même temps l'impression d'être un élu, autorisé à pénétrer dans un lieu sacré. Au-delà de sa renommée et de ses succès de jeunesse dont la réputation s'estompait déjà, il connaissait mal son hôte. Il s'imagina que le domestique le conduisait en haut d'une tour où Stromberg, terrassé par la drogue et en pleine crise de folie, allait cérémonieusement le chapitrer sur les dangers de Hollywood du fond d'un lit à baldaquin. Au lieu de quoi, le valet tourna sur la gauche au bout du couloir, frappa sur le battant d'une porte ouverte, l'annonça et lui céda le passage en inclinant la tête.

Tel un avare penché sur son livre de comptes, Stromberg travaillait à la lumière d'une petite lampe, et les recoins de la pièce étaient plongés dans l'ombre. Tout comme au Poumon d'acier, son bureau était envahi de piles de scénarios, et les murs tapissés de livres. Ici cependant, plutôt qu'une veste de tweed, il portait un polo et ne s'était manifestement pas rasé. Il se leva pour serrer la main à son visiteur et s'excusa d'avoir interrompu son dîner. Il n'y avait pas d'autre siège, donc Scott resta debout, comme un étudiant de deuxième année appelé au parloir. Il était prêt à entendre que ses pages manquaient d'inspiration et qu'on allait le remplacer.

« On a perdu Garbo, annonça Stromberg. L.B. nous refile Norma. »

Ce qui signifiait qu'ils s'étaient fait avoir. Veuve de Thalberg, Norma Shearer rappelait à chacun le génie de feu son mari. Depuis la mort de ce dernier, Mayer s'était acharné à lui confier des rôles qui ne lui correspondaient pas pour la pousser dehors. Scott se demanda si Stromberg était bien en odeur de sainteté.

« Que s'est-il passé ?

– C'est comme ça. J'ai autre chose à vous proposer si ça vous tente. Je ne veux surtout pas vous faire perdre votre temps. » Il lui tendit un scénario.

Comme pour se porter volontaire, Scott fit un pas en avant pour le prendre : *Les Femmes*, une pièce de Claire Luce Booth. C'était une farce légère qui tenait depuis longtemps l'affiche à Broadway, rien de passionnant, vraiment. Il sourit pour cacher une grimace. « J'en ai entendu parler.

– Jetez-y un coup d'œil et reparlez-m'en. Miss Crawford vous a réclamé avec insistance.

– C'est très gentil de sa part.

– Je suis sûr qu'on pourrait obtenir Greer Garson et Claire Trevor. Ce n'est pas Garbo, mais je pense que ça devrait faire un film sympathique. On a assez casqué pour ça. »

Scott se prêta au jeu, décidé à demeurer aimable. Ce n'est qu'en repartant, alors qu'il suivait le petit Écossais dans le couloir, qu'il se laissa aller à sa déception. Il n'avait aucune raison de se sentir remis en cause. C'était seulement la façon dont tournaient les choses dans le monde du cinéma. En tant que professionnel, il aurait dû se réjouir qu'on lui propose un autre film.

« Tu as fait vite », dit Sheilah.

Il lui jeta le scénario sur les genoux. « On m'a confié un nouveau scénario.

– Qu'est-il arrivé à *Marie-Antoinette* ? »

Il la regarda longuement. « Tu ne m'as pas bien entendu ? »

C'était devenu une expression consacrée, utilisée quand quelqu'un posait une question trop naïve, mais aussi une façon de résumer les vicissitudes de la vie aux studios, où tant d'espoirs étaient si abruptement déçus. Il était là depuis près d'un an, il travaillait sans relâche et il n'avait reçu en retour qu'une vingtaine de bulletins de salaire. Des divers scénarios qu'il avait écrits, seul *Trois camarades* avait été mis en production, après une lutte sanglante de chaque instant. Son destin n'était pas encore scellé. Malgré les avertissements de Dottie et d'Ernest, il n'avait pas réussi à éviter que son texte ne soit entièrement saboté. Entre Paramore, Mank et Reinecke, il craignait qu'il n'en reste rien au bout du compte et, à l'approche de la première, il se préparait à l'épreuve.

Par hasard, celle-ci devait avoir lieu le même week-end que la remise de diplôme de Scottie, ce qui achevait de mettre en évidence le caractère scindé de son existence. Pendant qu'il attachait ses boutons de manchettes et remontait la fermeture Éclair de la robe de Sheilah, Zelda et Rosalind étaient dans le train de nuit qui remontait la côte en direction de New York. Elles passeraient par Baltimore, tout près de leur ancienne maison, La Paix, la dernière où ils avaient vécu tous les trois ensemble, avant que Zelda n'y mette le feu accidentellement, enfin, c'est ce qu'il avait dit à la police, alors qu'en son âme et conscience, il ne pouvait en être certain. Reconnaîtrait-elle la vieille maison dans la nuit ? Et que se dirait-elle ? À Pratt, elle l'avait supplié de la ramener chez eux. Il le ferait dès qu'elle irait mieux, avait-il promis. Il était sincère, mais la décision ne lui appartenait pas. Aujourd'hui, il ne pensait pas qu'ils revivraient jamais ensemble. Il ne comprenait pas bien pourquoi cette idée l'étonnait encore, mais il se surprit à faire une grimace amère tout en nouant sa cravate devant le miroir, et il serra les mâchoires pour la faire disparaître avant que Sheilah ne la surprenne.

La première avait lieu au Grauman's Egyptian Theatre, une sorte de temple à colonnes au milieu des restaurants et des monts-de-piété de Hollywood Boulevard. En traversant Wilshire Boulevard, ils virent un faisceau de projecteurs balayer le ciel, comme dans l'attente d'un raid aérien. La foule était déjà là, les anonymes derrière les barrières de police, brandissant des photos et des classeurs pour que leurs idoles y apposent un autographe. En manière de plaisanterie, il avait insisté pour prendre sa voiture et avançait un mètre après l'autre, tandis que les grosses limousines déversaient les stars, chaque nouvelle arrivée provoquant une salve de flashes.

Quand ce fut leur tour, il confia sa Ford au voiturier et en fit précipitamment le tour pour offrir son bras à Sheilah. Sa robe lui valut des sifflets d'admiration et des vivats enthousiastes qu'elle accueillit d'un geste de la main, ce qui provoqua davantage encore de remous.

« Tous ces gens t'adorent.

– Ils croient que je suis quelqu'un d'important », répondit-elle, et il se demanda si ce n'était pas au fond ce qu'elle cherchait. Il se rappela que la dernière fois qu'elle était venue ici, c'était au bras de Leslie Howard.

Avec ses torches vacillantes, ses obélisques de pierre et son sphinx au regard fixe, la cour intérieure de l'Egyptian avait été pensée pour les défilés grandioses des premières. Quand ils posèrent les pieds sur le tapis rouge, il leur fallut patienter sous la lumière aveuglante des lampes à arc, en compagnie d'autres couples qui attendaient également. C'était un peu comme se retrouver sur un plateau, chaque mouvement semblait soigneusement orchestré. Parmi les présents, il reconnut plusieurs vedettes de second plan de la MGM qui n'avaient rien à voir avec ce film, mais étaient là pour ajouter un peu de couleur à leur vie et se faire voir. De part et d'autre du tapis, des meutes de photographes maintenues à distance par des cordons de velours se bousculaient pour prendre leurs clichés. Au moment où chaque groupe s'apprêtait à passer sous les fourches caudines, un attaché de presse des studios annonçait les noms des invités comme un majordome. Il connaissait Sheilah, mais il dut demander à Scott qui il était.

« J'ai écrit le scénario », expliqua-t-il, tout en sachant qu'il pourrait bien le renier quelques heures plus tard.

« Miss Sheilah Graham et Mr Scott Fitzgerald, scénariste. »

Ils prirent la pose, le sourire figé, aveuglé par la rafale de flashes. Avec ses talons, elle était plus grande que lui : il releva le menton et se redressa.

« Maintenant, si nous pouvons prendre quelques clichés de Miss Graham seule », demanda l'attaché de presse, et Scott s'écarta de quelques pas, à la fois envieux et admiratif. Elle était tout aussi séduisante que les stars, avec quelque chose de plus frais en prime.

Un peu plus loin, un présentateur de radio attirait à lui des invités pour qu'ils lui livrent leurs impressions, et il les laissa passer au premier coup d'œil, les rendant à l'anonymat. Dans le même temps, près des piliers de l'entrée, comme pour souligner leur manque d'importance, Margaret Sullavan, Robert Taylor et Franchot Tone se faisaient prendre en photo devant l'affiche du film, toute la cérémonie étant couverte pour la postérité par une équipe de Pathé News. Comme tout le monde, Sheilah et Scott s'arrêtèrent pour regarder.

Franchot Tone était l'infortuné mari de Joan Crawford. Le mois précédent, Mayer avait exigé qu'ils se montrent ensemble au Super Chief à New York pour faire taire les rumeurs de divorce. Regardant alentour, Scott fut surpris de ne pas la trouver là.

« Moi, ça ne m'étonne pas », dit Sheilah.

Il commença lâchement par se demander si cela rendrait les choses plus simples ou plus difficiles pour *Les Femmes.* Les déboires sentimentaux des stars faisaient partie de l'attrait qu'elles exerçaient. Ainsi que les lecteurs de Sheilah ne l'ignoraient pas, les échecs des célébrités les rendaient plus humaines que leurs succès. On pardonnait à certaines, on en condamnait d'autres sans appel. C'était selon. Un gouffre infranchissable séparait Charlie Chaplin de Fatty Arbuckle. Connaissant les fans de Joan Crawford, il se dit qu'ils ne manqueraient pas de blâmer Franchot Tone.

À l'intérieur, le hall était bondé et bruissait de commérages. Suivant la coutume, les vendeurs de boissons et de friandises ne payaient pas de droits de concession, et les files d'attente s'allongeaient. Il nota la présence d'Erich Maria Remarque, au milieu de la foule, qui riait en compagnie de Thomas Mann, Lion Feuchtwanger et plusieurs autres immigrés allemands. Sheilah lui désigna d'un murmure la volcanique vedette de *Mexican Spitfire*, Lupe Velez, arborant un décolleté ravageur, ainsi que son mari et partenaire de pugilat, Johnny

Weissmuller, alias Tarzan ; puis Cesar Romero qui accompagnait l'hyperthyroïdienne Mary Astor, dont la rumeur disait qu'elle était nymphomane ; le couple tout récent formé par Merle Oberon et George Brent ; Wallace Beery au visage rougeaud, escortant Joan Blondell d'une pâleur spectrale ; Elvira Eichleay, la fille de l'architecte, et enfin, Tingle Barnes, la célèbre soprane galloise – tous attendant aussi patiemment qu'un troupeau de bétail leur popcorn et leurs friandises.

Il parcourut des yeux cette marée humaine, pensant à chaque seconde voir apparaître Ernest avec Marlene Dietrich à son bras. Dottie et Alan devaient être là quelque part, ainsi que Reinecke, admirant les résultats de son travail. S'il croisait Mank ou Paramore, Scott ne leur adresserait pas la parole, tout en reconnaissant que ce serait une attitude puérile et contreproductive. Il était à Hollywood. Sa présence en elle-même était déjà un compromis.

« Tu voudrais quelque chose ? demanda-t-il.

– Si toi, tu y tiens. »

Il avait envie de chocolat mais s'abstint finalement à cause de la queue, regrettant aussitôt de ne pas avoir saisi sa chance.

« C'est toujours comme ça ?

– Toujours. Mais je trouve cela excitant parce que c'est ton film. »

Leurs places donnaient une idée précise du rang qu'il occupait à la MGM. Le centre de l'orchestre était réservé aux producteurs, aux stars et à leurs invités, tandis que les ailes étaient bondées de tous ceux qui s'y étaient pris longtemps à l'avance, ce qui les obligea à chercher des fauteuils au balcon. Ils durent monter jusqu'à la dernière rangée pour en dénicher deux côte à côte, dans un coin reculé. Une de leurs voisines était la costumière qui l'avait aidé à travailler sur *Infidélité*, ce qu'il jugea adéquat, sauf que l'emploi de cette dame était fixe, alors que lui était payé à la pièce.

Au parterre, les stars arrivaient peu à peu, posant pour un cliché de dernière minute avant de prendre place. Il crut apercevoir

Mankiewicz en smoking, serrant des mains comme le père de la mariée. Le tonton rondouillard à son côté était peut-être Mayer ; de si haut, on avait du mal à distinguer les visages. Il fouilla en vain les rangs du regard à la recherche de la manche repliée d'Eddie Knopf, la seule personne respectable dans cette foule. Par principe, Thalberg n'assistait jamais aux premières – raison supplémentaire de l'admirer.

Les lumières de la salle baissèrent, signe pour les retardataires qu'ils devaient se presser.

« Est-ce que tu te sens nerveux ? » demanda Sheilah.

La question lui parut un peu perfide, en cet instant.

« Je m'inquiète seulement de voir à quel point ils auront massacré mon scénario. »

Les lumières s'éteignirent, le silence se fit dans le public. Le rideau de scène se leva enfin. Avant que le spectacle ne commence, un projecteur suivit Mankiewicz qui traversait la scène vers un microphone. Il remercia tout le monde d'être là et tous ceux qui avaient participé à cette importante production internationale. Excessivement aimable, il appela chacune de ses vedettes à se lever pour saluer, ainsi que son excellent réalisateur, Frank Borzage, et le brillant auteur du si célèbre roman, Erich Maria Remarque, une vague d'autosatisfaction qui déferla de nouveau quelques minutes plus tard au moment du générique d'ouverture. Leo le lion rugit – ARS GRATIA ARTIS, un mensonge éhonté – et tandis que les noms brillaient, à dix mètres de hauteur, les spectateurs applaudirent à tout rompre leurs préférés, et les autres poliment, comme lors d'une remise de diplômes. Scott s'imagina Zelda et Rosalind dans la gare de Grand Central, l'immense hall de marbre encore bondé à minuit.

À son côté, Sheilah lui prit la main. C'était son tour. Durant quelques secondes, sous des applaudissements tièdes, lui et Paramore se partagèrent l'écran. Même si le générique suivait strictement l'ordre alphabétique, il fut soulagé de voir qu'il le précédait.

Elle l'embrassa sur la joue. « Félicitations.

– Merci. »

C'était pour cela qu'il était venu à Hollywood, et même si le film ne reflétait pas vraiment sa vision, qu'il était sans doute une caricature et un échec, Scott était tout de même fier d'être pour la première fois crédité au générique.

Après tous les allers-retours entre Paramore et lui, tous les mémos tatillons et les corrections témoignant de la surdité de son ennemi, Scott était prêt à ne retrouver que des bribes de son scénario original et s'étonna donc de voir qu'ils avaient conservé son idée d'ouverture : un escadron de pilotes allemands qui célèbrent l'armistice au mess d'un aérodrome. La présentation des trois amis sonnait juste, mais Mank avait bousillé le moment où des toasts étaient portés, en introduisant un discours sur la paix et le pays.

« Il n'a pas pu s'empêcher d'y toucher », s'attrista Scott, et Sheilah lui tapota le genou.

Les dialogues étaient mauvais d'un bout à l'autre – trop brillants et énergiques, comme s'il s'agissait d'une comédie.

La scène où Franchot Tone jetait une grenade dans son propre avion avant de s'éloigner n'avait pas été coupée, la course-poursuite sur la route était quasiment intacte, la rencontre des camarades et de Margaret Sullavan, attendrissante. Tout marchait, mais le dialogue au café entre Robert Young et Franchot Tone avait été modifié pour éviter toute mention des nazis, et la supplique du commerçant juif après les émeutes avait entièrement disparu.

Il manquait aussi le rassemblement au cours duquel les Chemises brunes brûlent *À l'Ouest rien de nouveau.*

« Quelle lâcheté ! » s'exclama Scott, et un homme au rang juste devant se retourna pour le fusiller du regard.

Margaret Sullavan était censée mourir de tuberculose, mais dans les gros plans, elle avait le teint frais et les cils lourds et noirs de mascara.

Impossible pour Franchot Tone d'éteindre le transistor dans son garage quand Hitler faisait un discours, parce que, apparemment, dans cette Allemagne-là, le Führer n'existait pas.

Au cours des rushs qu'il avait visionnés avec Dottie, il aurait pu jurer que les grosses caisses sur lesquels cognaient les manifestants portaient des croix gammées. Maintenant, elles étaient toutes noires. Il secoua la tête. On aurait dit que certaines scènes avaient été retournées.

« C'est possible », reconnut Sheilah.

Il ne se trompait pas. À l'arrière-plan, dans la gare, il n'y avait plus de drapeaux, plus de portraits héroïques d'Hitler. C'était une édulcoration complète. Reinecke allait être ravi.

Il ne pouvait en supporter davantage. « Excuse-moi », dit-il à Sheilah en se glissant devant ses voisins avant de remonter l'allée, les acteurs continuant leur babillage à l'écran.

Le hall était éclairé et étonnamment bondé. Il y avait encore des files d'attente devant les stands de confiseries, et les portes étaient ouvertes sur la cour où les gens s'étaient rassemblés en cercles et fumaient à la lumière des torches. Il ne reconnut personne, ce qui ne fut pas pour lui déplaire. Les piliers à la Cecil B. DeMille lui rappelèrent le sort tragique de Samson, faisant s'écrouler le temple sur les Philistins avec ses dernières forces. Ce n'était qu'un film idiot. Quelle était la part dans son intransigeance, comme dans celle de Samson, de la vanité blessée ? La nuit était fraîche et claire, un faisceau de lumière unique continuait à balayer le ciel. Il alluma une cigarette, inhala profondément et recracha la fumée comme un soupir, juste au moment où Sheilah apparut sur le seuil.

Elle prit sa cigarette, tira une bouffée et la lui rendit. « Margaret Sullavan est excellente.

– On a du mal à s'en rendre compte sous ce maquillage.

– Tu savais que le film n'allait pas te plaire.

– Pas sûr. Je croyais qu'ils allaient se montrer plus justes.

– Les nazis ?

– Quels nazis ? rétorqua-t-il. Je n'en vois plus aucun.

– Rien ne nous oblige à rester. »

C'était tentant. Il n'avait qu'à donner son ticket au voiturier.

« On en est presque à la fin.

– Tu veux savoir comment ça se termine ?

– Tout est bien qui finit bien. Comme en Allemagne.

– Je suis navrée qu'ils aient gâché ton scénario.

– Je ne peux pas dire qu'on ne m'avait pas prévenu.

– Ça, c'est certain. »

Avant de regagner leurs sièges, ils s'arrêtèrent pour acheter des tablettes de chocolat, mais on leur dit que tout avait été vendu.

« Décidément, ce n'est pas mon jour », soupira-t-il.

L'ouvreuse écarta le rideau pour les laisser entrer. Leurs voisins s'agacèrent d'être dérangés encore une fois. Au lieu du film, il se concentra sur le faisceau de lumière du projecteur, aussi gris que de la fumée, qui vacillait au-dessus de leurs têtes. Franchot Tone poursuivait l'assassin de Robert Young devant une église couverte de neige et l'abattait alors que l'alléluia entonné par le chœur atteignait un summum de puissance. La caméra s'attardait sur l'ombre du justicier, centrée sur la rosace d'un vitrail comme le cœur d'une cible.

« Je n'ai pas écrit ça », dit Scott.

Tout ce qu'il demeurait de l'histoire d'amour, c'était l'opération de Margaret Sullavan et la scène de son agonie, tournée en gros plan, son visage radieux émergeant du flou. Dottie avait raison : à la fin, tout tournait autour de l'héroïne.

Dans la dernière scène, Robert Taylor et Franchot Tone quittaient le cimetière, escortés par les fantômes des disparus. L'image était bien de Scott, mais Mank avait ajouté un échange peu convaincant, si bien qu'au lieu de se diriger vers la ville pour reprendre le combat, ils allaient chercher l'aventure en Amérique du Sud. Dans son ignorance, le public applaudit.

« Je ne dirais pas que tout est bien qui finit bien, enfin, pas exactement, dit Sheilah.

– C'est un vrai gâchis. Trop de gens y ont mis la patte. Deux de trop, pour être précis. »

Il ne put se résoudre à voir une seconde fois le générique. Ils étaient suffisamment près de la sortie pour se retrouver dehors avant le gros de la foule et, main dans la main, ils filèrent droit vers le poste du voiturier. De nouveau, son anonymat le protégea. Personne ne l'arrêta pour le féliciter ou lui demander sur quel film il travaillait en ce moment. Il se dit qu'il devrait attendre l'auteur pour s'excuser, mais il craignait trop ses propres réactions s'il croisait Mank ou Paramore. La discrétion, dans ce cas, valait mieux que le courage, ou la couardise, cela dépendait de l'endroit où on se plaçait. Le voiturier approcha son véhicule, qui lui apparut cette fois comme une mauvaise blague, et ils s'enfuirent au long de Hollywood Boulevard, poursuivis par le projecteur.

Ils se réfugièrent à Malibu, où ils restèrent tout le week-end. Le samedi, il plut et ils se levèrent tard, passèrent l'après-midi à lire au coin du feu en écoutant les dernières sonates de Schubert. Elle fit du thé et servit Scott comme s'il était malade. En temps normal, il aurait protesté et soutenu qu'il était parfaitement capable de prendre soin de lui-même, mais après la soirée de la veille, il se sentait désemparé et, pour assurer la paix du ménage, il la laissa s'affairer.

Le dimanche, Scottie recevait son diplôme. Le brouillard était descendu sur la mer – un paysage aussi triste que son humeur. Il lui avait fait livrer un bouquet accompagné d'une carte, triste ersatz de présence. Alors que l'heure approchait, il tenta de se distraire avec des tâches ménagères : il balaya le patio et ramassa du petit bois flotté pour allumer le feu. Afin de l'égayer un peu, Sheilah fit des gâteaux et prépara un panier pique-nique avec les restes du poulet frit de Flora et des œufs à la diable. Ils allèrent à pied jusqu'au lagon, là où le Malibu Creek se jette dans l'océan et où des phoques avides surfaient sur les rouleaux. Elle avait apporté une couverture, et après déjeuner ils paressèrent en se lisant à haute voix des poèmes de Keats.

Lui faire connaître les classiques lui tenait à cœur depuis qu'elle lui avait avoué ne jamais les avoir lus. Il en avait été frappé de stupeur. Il supposait qu'en tant que citoyenne britannique, la poésie faisait partie de son patrimoine. Elle paraissait si raffinée qu'on oubliait qu'elle venait d'un quartier misérable. Elle n'avait jamais lu ni Milton, ni Keats, ni Joyce, et ne supportait plus de se sentir si perdue chaque fois que Scott et ses amis mentionnaient Proust. Son vif désir d'apprendre plaisait au professeur en lui, et il aimait lui prêter des livres et ensuite l'interroger, comme il le faisait avec Scottie pour ses leçons de latin. C'était devenu entre eux une plaisanterie rituelle : elle était la seule étudiante de l'université Fitzgerald, mais elle savait qu'il n'y avait pas meilleur moyen de le remettre de bonne humeur.

J'ai beaucoup voyagé à travers les royaumes dorés,
Et vu maints florissants états et maintes nations ;
Autour de maintes îles occidentales j'ai vogué
Dont les bardes restent fidèles au culte d'Apollon[1].

Ils échangèrent ainsi longtemps des strophes, déclamant pour les phoques et les pêcheurs de la jetée. Le brouillard se dissipa sous le soleil pour laisser la place à un jour éclatant de bleu, Catalina, telle Ithaque, surgissant de la mer dans le lointain. Ils explorèrent la plage envahie de roseaux où les canards faisaient leurs nids et s'aventurèrent sur les bancs de sable boueux à la recherche de praires. Quand, après avoir replié la couverture, ils repartirent pour le bungalow, il était sûr que la cérémonie était terminée et imagina les familles s'attroupant fièrement devant la chapelle pour les photos souvenirs.

1. « En ouvrant pour la première fois l'*Homère* de Chapman », John Keats, trad. par Paul Gallimard, « Poésie/Gallimard », 1996.

Il se demandait comment Zelda s'en était tirée, et espérait que Scottie était heureuse. *Adieu, chère Newman, adieu*, avait-il chanté lors de sa propre remise de diplôme. *Jamais nous n'oublierons ces lieux.* Il devait encore avoir quelque part sa toge et sa coiffe. Il regretta de ne pas être là-bas, puis se sentit coupable à l'égard de Sheilah.

Elle partit le lendemain matin avant l'arrivée de Flora, l'abandonnant à son bureau aux prises avec Joan Crawford. Il avait la cervelle en vrac et ne trouvait pas de point de départ, si bien qu'il accueillit avec plaisir la distraction d'une voiture qui passait dans l'allée juste avant le déjeuner. On sonna à la porte. Il attendit, l'oreille aux aguets en direction de l'escalier, tandis que Flora allait ouvrir.

« Western Union. »

Il pensait que ce serait un message d'Ernest lui reprochant avec virulence, depuis les barricades de Madrid, d'avoir laissé le film lui échapper.

« Monsieur Scott, cria Flora. Télégramme. »

PRESSE DITHYRAMBIQUE. GRAND SUCCÈS POUR SCOTTIE AUSSI. ZELDA PART SUD DEMAIN. AMITIÉS. OBER.

Il avait de sérieux doutes sur la première partie du texte, mais un coup de fil à Eddie Knopf le lui confirma. *Variety*, le *Hollywood Reporter*, le *Times* : tous adoraient Margaret Sullavan.

« Ça prouve que ce sont des imbéciles, commenta Dottie.

– Oh, fit Alan. Moi aussi, elle m'a plu. »

Elle avait entendu dire que c'était Mayer qui avait capitulé devant les exigences des Allemands. « Mank leur a dit d'aller se faire voir, alors ils se sont passés de lui.

– Ce n'est pas la Metro Goldwyn Mankiewicz, que je sache, dit Alan.

– L.B. l'a obligé à retourner plusieurs scènes en entier.

– Je m'en doutais, soupira Scott.

– Ça n'enlève rien à l'ensemble. Même avec un demi-cerveau, on comprend qui sont les salauds », affirma Dottie.

C'était à cet espoir qu'il s'accrochait, plutôt qu'à sa première impression, quand il songeait à *Trois camarades.* Le film connut bientôt un triomphe, et Margaret Sullavan devint une star, elle remporta même une nomination aux oscars. Ce succès le déconcerta davantage encore, tant il devait peu au scénario original. Il craignait qu'Ernest ne pense qu'il n'avait pas suffisamment essayé, ou ne s'était pas assez battu pour faire prévaloir sa vision. Il lui paraissait normal que celui-ci ait le dernier mot, puisqu'il avait été le premier à le mettre en garde. Depuis leur rencontre, il avait toujours servi de conscience politique, sinon artistique, à Scott. Qu'il fût déçu, compatissant, ou les deux, son opinion comptait beaucoup pour lui. Chaque jour, durant plusieurs semaines, il s'attendit à recevoir une lettre, un coup de téléphone ou un télégramme, prêt, comme un pauvre pécheur, à accepter son verdict, mais Hemingway ne se manifesta jamais.

Belly Acres

Avec l'été et sa douceur méditerranéenne, les voisins revinrent en masse, leurs voitures de rêve garées tout au long de l'allée. Ils débarquaient de la MGM, de la Fox, de Universal, de la Warner, de la Paramount et de la plus humble RKO, avec leur cuisinières, leurs gouvernantes et leurs nounous, tous ces grands noms qui voulaient un peu de répit, loin des contraintes de tournage et des interviews. « Quelle bande de prétentieux ! » commenta Flora. Malgré son charme bucolique, la Colonie n'était en fait qu'une extension des studios, une enclave cloîtrée de plus, réservée aux stars. Sans leurs costumes, entrevues devant l'immense panorama de l'océan, elles semblaient diminuées, réduites à une dimension humaine, indignes d'adoration ou de commérages. Elles nageaient, prenaient le soleil, jouaient avec leurs enfants, tandis qu'il les regardait depuis sa mansarde, où il travaillait sans relâche au scénario des *Femmes.* Il avait oublié combien les petits chiens peuvent aboyer fort. La vraie saison venait de commencer, les familles paressaient au long des après-midi bleu azur, construisant des châteaux de sable et faisant voler des cerfs-volants. Après tous ces mois de solitude, il accueillit avec joie ce retour de la vie, malgré la gêne occasionnée.

Tout le monde voulait être à la plage. Lui-même avait des invités. En août, il accueillit Ober, venu prendre le pouls de ses bureaux à Hollywood, l'emmena au Cocoanut Grove et au Clover Club, comme s'il voulait impressionner une future conquête. Pour l'instant, la MGM n'avait pas parlé du renouvellement de son contrat, ce qu'Ober considérait comme un mauvais signe. Scott avait passé trop de temps loin du Poumon d'acier. Peu leur importait qu'il soit malade, ou que Stromberg lui ait donné son feu vert. Il leur fallait voir sa tête plus souvent.

Comme tous l'espéraient, Scottie avait été acceptée à Vassar. Après un séjour en Europe, Peaches Finney et elle vinrent en train sur la côte Ouest, où elles passèrent une semaine à flâner sur la plage et à se balader avec Sheilah, avant de prendre le chemin de l'université. Elle avait grandi et lui parut plus mûre, plus réfléchie.

« Tu avais raison. À Paris, on s'attend à ce que la guerre soit déclarée d'un jour à l'autre. »

Elle avait pris des photos de leur ancien appartement rue Tilsit, de Saint-Sulpice, du Boul' Mich' et de la Coupole, où le maître d'hôtel se souvenait de lui.

« Comment va ce bon vieux Louis ?

– Il a demandé des nouvelles de maman.

– Qu'as-tu répondu ?

– Que vous alliez bien tous les deux.

– Merci.

– Je crois qu'il était un peu amoureux d'elle.

– Tout le monde l'était à l'époque. Elle était fascinante. »

Il aurait voulu qu'elle reste plus longtemps. Chaque soir après dîner, ils bavardaient au coin du feu jusqu'à ce que Peaches bâille, et malgré tout, cela ne lui suffisait pas. Il avait envie de suivre Scottie sur la côte Est, de louer un appartement à Poughkeepsie, près du campus de Vassar, pour s'occuper d'elle tous les week-ends. La prochaine fois qu'il la reverrait, elle serait déjà étudiante, sans doute une mademoiselle je-sais-tout, irrésistiblement attirée par les garçons de Harvard. Dans un certain sens, les rêves qu'il avait conçus pour elle se réalisaient, sauf qu'aujourd'hui, il n'avait plus aucun rôle à y jouer. En lui disant au revoir à la gare, il lui offrit son exemplaire d'Ovide. Il y écrivit : *Non scholae, sed vitae discimus. Ton papa qui t'aime.*

Comme toutes les stations balnéaires, après la Fête du travail, début septembre, Malibu se vida, lui laissant les pélicans et les chevaliers des sables pour tous compagnons. Il ne faisait plus très beau. Il ne pleuvait pas depuis des semaines, les collines étaient brunes et sèches, le chaparral ressemblait à de l'amadou. Suivant le conseil d'Ober, il allait tous les jours aux studios, roulant vers le soleil levant le matin et s'attendant chaque soir à trouver à son retour la Colonie ravagée par un incendie. Il était à son bureau quand Max l'appela pour lui annoncer la mort de Thomas Wolfe.

Il savait que Tom était hospitalisé pour une pneumonie à Seattle, mais il avait mis cela sur le compte du surmenage. Pendant plusieurs mois, il avait arpenté le Nord-Ouest à pied pour se documenter. L'enthousiasme le rendait obsessionnel et il s'immergeait complètement dans ses recherches. Il allait assurément se reposer et se rétablir, et finirait par publier un livre généreux et chaotique. En réalité, à la sortie de l'hôpital, il avait pris un train pour l'Est et son cœur avait lâché. Chez Scribner, il s'était comporté comme un frère avec Scott, tout comme Ernest, et l'idée qu'un homme avec un appétit de vivre pareil et une énergie telle puisse disparaître de façon aussi soudaine lui porta un coup terrible. Sheilah ne le connaissait pas. Pour le lui décrire, Scott écarta les bras, esquissant la silhouette d'un géant. À cet égard, sa mort n'était pas vraiment surprenante : il devait peser cent quarante kilos, il mangeait et buvait comme un ogre. Scott ne crut pas bon de préciser que Tom avait trois ans de moins que lui.

J'enviais ses dons divers, écrivit-il à Max, *comme j'envie ceux d'Ernest, sachant que j'en suis dépourvu. J'aime penser que nous étions tous les trois – ainsi que Ring, mais d'une façon différente – à la recherche de ce qu'on pourrait appeler l'âme américaine. Davantage sûr de lui, Tom en parlait plus volontiers, alors qu'Ernest et moi nous cachons sous la couverture de l'art et de l'ironie. Au fond de son cœur, Tom était animé par un sentiment religieux pour ce pays, et ses meilleurs textes témoignent d'une extase qu'on ne peut pas contrefaire. Alors que c'est peut-être trop espérer, je souhaite qu'il ait de nouveau pu suivre ce chemin dans son dernier livre.*

Il broya moins de noir qu'après la mort de Ring Larner, mais parfois, debout à sa fenêtre donnant sur le boulevard, il se surprit à penser aux derniers jours de sa mère à Saint Paul. Il s'était réfugié à Asheville, la ville natale de Tom, pour y passer paisiblement l'été, et on n'avait pas pu le joindre à temps. Elle était folle de lui, son fils prodige, alors que lui s'était toujours montré avare de son affection. Tant de moments du passé, tant d'épisodes de la vie restaient ainsi à sens unique…

Sa peur de l'avenir s'accentua lorsque Stromberg lui retira le scénario des *Femmes* pour le confier à Anita Loos, lui ôtant toute chance de figurer au générique. Depuis le début, il méprisait la pièce. Qu'on lui enlève cette responsabilité n'était qu'une indignité de plus.

On lui confia ensuite le scénario de *Madame Curie*, une adaptation d'un livre d'Huxley. Une fois de plus, il était censé écrire pour Garbo, mais il avait désormais compris que les producteurs de Hollywood invoquaient invariablement le nom de la star quand ils voulaient présenter un projet. Il essaya de l'imaginer dans ce rôle, consumée par sa passion et si distante dans sa blouse blanche de laboratoire. L'idée entière était grotesque, à l'instar du texte d'Huxley, une histoire d'amour improbable autour de la découverte du radium, elle au printemps, lui en hiver, et qui se terminait par la mort tragique de la chercheuse obstinée. Il rentra chez lui pour y lire docilement l'autobiographie de la physicienne et la trouva tout aussi peu inspirante.

La vérité, comme le savaient tous les Français, était qu'elle couchait avec son jeune laborantin. Cela avait provoqué un vrai scandale, alimenté par des photographies parues dans les journaux du nid d'amour des tourtereaux, une chambre aux murs nus, à l'exception d'un portrait de son vieux mari accroché comme une icône au-dessus du lit, mais comme dans le cas d'*Infidélité*, il ne pouvait pas raconter cette partie-là de l'histoire.

Même si Scottie et Zelda semblaient aller bien, cette succession de mauvaises nouvelles le laissa nerveux et inquiet pour l'avenir. Il était au volant, tard un soir, quand il apprit qu'Hitler venait d'annexer les Sudètes. Il roulait lentement le long de la côte, le soleil éclaboussant encore l'océan, et le dictateur s'époumonait pour pousser les Allemands à reconquérir ce qui était selon lui leur espace vital.

Il avait manqué la dernière guerre, il s'interrogea sur le rôle qu'il serait à même de jouer dans celle-ci. Si la MGM ne renouvelait pas son contrat, il pourrait demander à *Esquire* de l'envoyer à Paris comme correspondant, louer leur vieux pied-à-terre dans les rues tortueuses de Montparnasse et rendre compte des décisions du haut commandement français. Il pourrait aussi engager un chauffeur, partir sur le front et, de là, envoyer des dépêches. Au contraire d'Ernest, il avait fait ses classes. Le feu de l'artillerie ne l'impressionnait pas ; il y avait été confronté une bonne dizaine de fois au camp d'entraînement et s'était toujours montré à la hauteur. Il savait encore manier une arme honorablement. L'automne dernier, il avait chassé le faisan avec Sid et Pep, et bien rempli sa gibecière. S'il n'était plus le fougueux lieutenant sûr de lui qu'il était vingt ans auparavant, il aimait à penser qu'il était devenu plus sage. Il ne considérait plus la mort au combat comme glorieuse, mais depuis son angine de poitrine, il n'avait plus peur de mourir.

« Je suppose que tu plaisantes ? dit Sheilah.

– Pourquoi ?

– Tu peux à peine monter l'escalier.

– Je le fais pourtant dix fois par jour. Demande à Flora.

– Eh bien, tu ne devrais pas. Et s'ils utilisent des gaz ?

– C'est illégal.

– Tu n'es même pas censé fumer. Je suis désolée, mais ce projet me paraît stupide et irresponsable. »

Et, comme pour lui donner raison, quelques jours plus tard il fut affligé d'une terrible toux.

L'automne était là, les nuits devenaient plus froides, l'humidité s'infiltrait partout, persistant jusqu'au matin. Son bail se terminait fin octobre. Autant qu'il aime la mer, elle ne convenait pas à ses poumons, et Sheilah entreprit de lui trouver une autre maison.

Il aurait adoré retourner vivre au Jardin. Bogie et Mayo s'étaient mariés, et son vieux bungalow était toujours disponible. Le plus simple serait d'emménager avec Sheilah, mais elle ne voulait pas en entendre parler. Plus près des studios, les loyers étaient hors de prix, et après plusieurs week-ends passés à visiter dans tout Hollywood des appartements meublés absolument sinistres, elle fit le tour de ses amis dans la colonie anglaise et dénicha par hasard une petite villa encore moins chère que celle de Malibu.

La raison pour laquelle le loyer était si bas tenait à l'emplacement. La maison se situait au fond de la vallée, par-delà les récents lotissements bon marché, plus loin même que le barrage et le bassin construits pour les alimenter en eau. En fait c'était un pavillon édifié pour les invités sur un vaste ranch entouré de pâturages. Niché au milieu des montagnes, l'endroit jouissait d'un climat doux et sec, ce que Sheilah lui faisait valoir à chaque instant. Techniquement, les terres dépendaient de la commune d'Encino, bien qu'il n'y eût pas réellement de ville, rien qu'un magasin qui vendait de tout et une pompe à essence à un carrefour. Le cheval y était roi, les clôtures blanches couraient sur des kilomètres et des kilomètres. Les collines poussiéreuses lui rappelaient le Montana, l'été où il avait travaillé au ranch des Donahoe, jouant au poker avec les cow-boys dans le dortoir et écrivant des lettres béates à Ginevra.

BELLY ACRES, disait le fronton en fer forgé qui surplombait le portail. La demeure de maître était perchée sur une hauteur avec une vue imprenable sur la Sierra, tandis que la petite maison se dressait au pied de la colline : une construction de plain-pied en bois, toute simple, avec une palissade blanche et une piscine vide. Le propriétaire s'appelait Edward Everett Horton, un acteur dandy et anglophile, connu pour sa crinière et son élocution hésitante et affectée. Il passait le plus clair de son temps à Londres et à New York, où il mettait en scène des pièces de théâtre, laissant son domaine aux soins de Magda, son professeur de diction. Célibataire endurcie, celle-ci portait un chapeau de coolie sur sa chevelure rousse, des lunettes de soleil et une culotte d'équitation ; elle leur montra les lieux, les traitant comme des invités plutôt que comme de possibles locataires, et elle leur présenta même ses rosiers primés avec une fierté de grand-mère. Sheilah et elle s'entretenaient dans le même anglais chantonnant et fébrile, et parlaient trop vite pour qu'il saisisse le sens de chaque échange. Alors qu'elles faisaient le tour du jardin, il se laissa distancer, se sentant exclu, comme si elles avaient fait usage d'une langue étrangère.

Claire et spacieuse, la maison était meublée dans le style des demeures coloniales qu'on voit à Nantucket, avec des copies de meubles de Wallace Nutting : tapis, tables à abattant, chaises en bois à haut dossier. La cuisine et la salle de bains du rez-de-chaussée étaient modernes et récurées de frais, elles sentaient l'odeur aigre de l'ammoniaque. Une femme de ménage venait une fois par semaine, expliqua Magda, une personne tout à fait digne de confiance. Sheilah hocha la tête, manifestement ravie. À l'étage, une baie vitrée dans la chambre principale donnait à l'est et encadrait les sommets lointains. Une véranda dans laquelle il était possible de dormir dominait la piscine : un vrai don du ciel en été, commenta encore Magda.

Pour deux cents dollars par mois, elle était à lui, ce qui représentait une économie de plus de cent dollars par rapport à Malibu. Mis à part son éloignement et son nom ridicule[1], il n'avait raisonnablement

1. Le nom de cette maison joue sur les mots *acres*, signifiant « hectares », et *belly aches*, signifiant « douleurs intestinales ».

aucune objection à faire valoir et pourtant, même après avoir signé le bail, il résista à l'enthousiasme de Sheilah. Il était certes reconnaissant, mais aussi providentiel que fût cet arrangement, il n'était que temporaire, un barreau plus bas encore sur l'échelle sociale, et le fait qu'elle ait trouvé cet endroit grâce à l'influence d'amis bien placés ajoutait à l'affaire un parfum déplaisant de charité publique.

Malibu allait lui manquer. Il s'y était senti seul, mais le bleu azuré des jours était une magnifique compensation, sans parler du sentiment enviable de vivre dans un paradis privé. Qui aurait jamais songé à établir une colonie à Encino ?

Au bureau, il trimait sur *Madame Curie*. Le soir, il préparait ses bagages. Ses divers déménagements après son départ de Baltimore lui avaient appris à ne pas s'encombrer de choses inutiles, mais depuis qu'il était arrivé sur la côte Ouest, sans même s'en rendre compte, il avait peu à peu augmenté sa garde-robe, qui ne tenait plus dans ses valises. Il avait aussi acheté un nombre désespérant de livres. De même, alors qu'il vidait les placards et les tiroirs, il découvrit des cadavres de bouteilles qu'il ne se rappelait pas avoir cachés. Il aurait juré qu'il avait été exemplaire en matière d'alcool, mais il avait vécu là six mois, et rien qu'à l'étage, il y avait douze bouteilles. Il les rassembla dans un sac de toile, attendit que le gardien de nuit eût terminé sa ronde et les enfonça dans la poubelle de Bing Crosby.

Ce week-end-là, Sheilah l'aida à déménager, tous deux roulant l'un derrière l'autre pour traverser Laurel Canyon dans leurs Ford lourdement chargées, comme des pionniers laissant la ville et la mer derrière eux. En réalité, Encino était moins loin des studios que Malibu, ce qu'avaient parfaitement compris les promoteurs d'Edendale, mais franchir le col et redescendre l'autre versant des montagnes donnait l'impression de passer une frontière, comme si la vallée se situait dans un autre pays. Après les artères commerçantes toujours bondées de Sunset et Wilshire Boulevards, les vastes étendues des champs paraissaient désertiques, étrangement dépeuplées. Un paysan tirant un chariot de foin avec son tracteur leur fit signe de le doubler. Un kilomètre et demi plus loin, un corbeau s'attaquait au cadavre d'un animal écrasé sur la chaussée. Si la Sierra n'avait pas dressé ses sommets à l'horizon, ils auraient pu se croire dans le Nebraska.

Il n'avait rien contre la vie champêtre. La lenteur ambiante lui permettait de travailler davantage. Ils avaient autrefois loué le même genre de propriété loin de tout, dans le Delaware, quand il commençait *Tendre est la nuit*, et même si Zelda ne se sentait pas bien à Ellerslie et qu'ils recevaient trop, c'est là qu'il avait écrit la première partie qui était aussi la meilleure. Si la MGM ne prolongeait pas son contrat, il pourrait peut-être enfin démarrer son nouveau roman. Il se disait qu'il en savait désormais assez sur Hollywood et que jamais il ne trouverait un lieu où vivre aussi bon marché.

Le portail n'était pas verrouillé. Magda avait laissé des roses fraîchement coupées près de l'évier, ainsi qu'un double de la clé, qu'il tendit à Sheilah. Il ne lui fallut pas longtemps pour s'installer. Le placard de la chambre principale était prévu pour loger les effets d'un couple, et il lui sembla soudain qu'il en avait bien peu à ranger, comme s'il était seulement en visite. La maison était impeccable, mais Sheilah insista pour nettoyer la cuisine de fond en comble avant une expédition à l'épicerie voisine pour emplir le cellier. Comme le Malibu Inn, le magasin vendait son Gordon's favori. Ils remarquèrent la bouteille au même instant et elle lui décocha un regard qui ressemblait à un avertissement. Il n'osa pas plaisanter et lui dire qu'il était moins cher ici que là-bas.

Pour fêter l'événement – ou bien était-ce une façon de l'acheter –, elle lui prépara son steak favori et de la purée de pommes de terre nappés de sauce. Ils lurent des poèmes de Shelley, de Donne et de Byron, et plus tard, à la lumière des bougies, ils étrennèrent le matelas plein de bosses.

« J'espère que tu vas te plaire ici.

– On m'a dit que la jeune fille était quelqu'un de très bien.

– Sois sérieux.
– J'aime être ici avec toi.
– Ce n'est pas ce que je veux dire. »

Ils se retrouvaient dans la même impasse que toujours, le pas suivant aussi inévitable à accomplir qu'impossible à franchir et qui les maintenait à l'écart l'un de l'autre. Sur tous les autres sujets, ils étaient d'accord, mais là s'arrêtait la sympathie de Sheilah et chacun campa sur ses positions, luttant contre le silence. Il se sentait coupable, et pourtant, il restait irrémédiablement lié à sa femme. Le seul sacrifice digne d'elle était celui qu'il ne pouvait pas consentir.

« Je suis sûr que je vais m'y plaire », lui assura-t-il, et il la remercia.

Il finirait par s'habituer, il le savait. Asheville, ou Santa Monica, un asile de nuit ou un palais – après ces dernières années, il s'adaptait aux lieux aussi facilement qu'un bernard-l'ermite. Rapidement, quand il se mettrait au travail, l'impression d'étrangeté se dissiperait et il prendrait peu à peu ses marques. Il avait été un garçon pauvre dans un quartier riche, un boursier dans un prestigieux pensionnat, un homme du Midwest sur la côte Est, un émigré de l'Est sur la côte Ouest. Si un jour il avait été chez lui quelque part, ces endroits avaient disparu, le bonheur qu'il se souvenait d'y avoir connu était aussi éphémère que les saisons. Tom avait raison, et néanmoins il craignait de mourir comme lui, un vagabond égaré loin de chez lui – le destin, en fin de compte, de tous les hommes. Pourquoi aurait-il fait exception à la règle ?

Encino n'était pas si différent de Malibu. Les voisins les plus proches vivaient à plusieurs kilomètres et le dépassaient sur la grand-route sans lui adresser le moindre signe de reconnaissance. À part Magda et l'homme qui tenait l'épicerie, tous lui demeuraient étrangers. Durant la première semaine, Sheilah trouva chaque fois des raisons de venir, comme si elle rendait visite à un vieux parent, lui apportant par exemple un tapis de bain duveteux et de nouveaux oreillers, mais ce vendredi, elle devait assister à une première. Il finit par rester tard au bureau, puis il dîna à la cantine des studios avec Oppy, qu'il soupçonnait d'avoir élu résidence dans le Poumon d'acier. Sheilah et lui se donnèrent rendez-vous pour aller danser à la Zebra Room, ensuite de quoi il se sentit très fatigué. Le lendemain, UCLA jouait contre l'équipe de Carnegie Tech, un grand match. C'était plus facile – et plus agréable – de dormir chez elle. Ils passèrent tout le week-end ensemble, et son retour à Belly Acres n'en fut que bien plus difficile.

Il ne voyait jamais la jeune fille dont Magda avait chanté les louanges. Le mercredi quand il rentrait, la vaisselle qu'il avait laissée dans l'égouttoir était rangée, les poubelles, vidées, les toilettes, impeccables.

Flora lui manquait, comme il l'avait craint. Il détestait se faire la cuisine, presque autant qu'il regrettait l'argent qu'il dépensait au restaurant. Il savait se préparer des hamburgers, des sandwiches au fromage fondu, et réchauffer des conserves de soupe, mais le résultat, certes mangeable, était déprimant. De plus, il n'était presque jamais chez lui, si bien que tout ce qu'il achetait finissait par pourrir. À Tryon, il avait vécu de corned-beef, de crackers salés et de pommes, et il en fit des réserves en cas d'urgence, en plus de ses chères tablettes de chocolat Hershey, alors qu'il n'y avait rien de pire pour ses insomnies. Quand il se retrouvait seul, il mangeait comme un enfant, tout en ayant le sentiment d'être stupide et d'avoir une mauvaise hygiène de vie. Parce que le restaurant des studios était animé et bon marché, il se mit à y prendre tous ses repas, partageant la table d'Oppy trois fois par jour.

Au dîner, ils étaient les seuls scénaristes, entourés des figurants et ses techniciens qui travaillaient dans l'équipe du soir. On était en train de tourner *Le Magicien d'Oz*, et les tables étaient pleines de lilliputiens et de singes volants qui engloutissaient leurs croquettes de poulet et leurs spaghettis, une serviette attachée autour du cou pour protéger leur costume. Dans un tiroir de son bureau, Oppy gardait une bouteille de whisky à laquelle il s'attaquait avant que la sirène retentisse, si bien qu'au dîner, il ne pouvait plus tenir sa langue. Son humeur dépendait de l'argent qu'il avait gagné ou perdu aux courses de l'après-midi à Santa Anita – la plupart du temps, perdu –, mais une fois de temps en temps, il bondissait de joie. Comme Scott, il craignait que son contrat ne soit pas renouvelé, ce qui, à son âge, serait un vrai désastre. Il avait cinq enfants de trois femmes différentes auxquelles il versait encore une pension. Il travaillait dans le cinéma depuis le tout début, débitant alors des scénarios pour les moyens métrages de Griffith à la Biograph Company, et Scott l'écoutait raconter ses histoires des origines du septième art comme s'il détenait un savoir sacré. Au contraire d'Anita Loos, il n'avait jamais accédé à des salaires mirifiques. Il avait travaillé pour tout le monde de Goldwyn à Hal Roach, bondissant d'un studio à l'autre, saisissant tous les contrats qu'il pouvait décrocher.

« Ils se rendent pas compte, figure-toi. Tu sais dans combien de génériques mon nom est cité ? Cent quarante-six. Huxley, tu sais combien de fois ? Une seule. Ils le payent trois mille dollars par semaine, et moi, ils veulent me virer. »

Scott, qui n'en gagnait que mille deux cent cinquante, ne lui rappela pas que *Orgueil et Préjugés* venait de remporter l'oscar. « Est-ce que tu as été cité au générique de *La Vie de Louis Pasteur* ?

– Des salopards l'ont été à ma place. Je leur ai offert les bases du scénar sur un plateau et ils l'ont refilé au beau-frère de Goldwyn. On nous bassine avec les syndicats, mais au bout du compte, le cinéma est une affaire de famille.

– Tu travailles sur quoi en ce moment ?

– Un navet complet pour Wally Beery. J'ai trouvé un titre épatant, quand même. » Ses mains dessinèrent un fronton invisible. « *Quand la foule gronde*.

– Pas mal. Je te l'échange contre *Madame Curie*.

– Cette merde ? Pas question.

– Alors que vas-tu faire s'ils ne renouvellent pas ton contrat ?

– Ben, j'appellerai mon agent et j'attendrai que la roue tourne. Et ça viendra, ça prend un peu de temps quelquefois, c'est tout. Ne te fais pas de souci pour moi, j'ai un petit matelas sur lequel je peux me reposer. »

Pendant qu'ils devisaient, Oppy ne cessait de regarder par-dessus l'épaule de Scott, comme s'il épiait quelqu'un. Quand ils eurent terminé leur repas et alors qu'ils quittaient les lieux, il s'arrêta à la table juste derrière la leur. Elle n'avait pas encore été débarrassée et, sans même tenter de s'en cacher, tel un client dans une boulangerie, il prit deux petits pains dans une corbeille, les enveloppa dans des serviettes et en glissa un dans chacune de ses poches.

Voilà à quoi ressemblera mon avenir, songea Scott.

Après dîner, il quitta Oppy devant son bureau et fit mine de s'intéresser à *Madame Curie*, mais il n'y avait personne à impressionner. Il ne pouvait plus guère retarder le moment de rentrer chez lui. Finalement il fut obligé de plier bagage, monta dans sa voiture et prit le chemin des montagnes, la ville tout illuminée dans son rétroviseur alors qu'il franchissait le col, puis il s'enfonça dans la nuit noire. Au carrefour, l'épicerie était fermée, le néon rose d'une horloge montait la garde devant la pompe à essence obscure. Pendant plusieurs kilomètres, la route était droite. Au-delà du panneau annonçant le barrage, les seuls points de repère étaient des poteaux télégraphiques. Il ralentit deux fois en croyant avoir déjà atteint le portail, avant d'arriver enfin. Il ne pensait jamais à laisser une lumière allumée et il dut passer le pouce sur le bouton de porte pour trouver la serrure.

« Me voici, lança-t-il à l'adresse du salon. Je t'ai manqué ? »

Une partie de sa morosité était due aux vacances de Noël. Il avait tout arrangé pour que Scottie aille voir Zelda à Montgomery, mais Sheilah et lui n'avaient aucun projet particulier. Il avait du mal à conserver son optimisme, lorsque, chaque matin, il s'attendait à voir Eddie Knopf entrer dans son bureau pour lui annoncer qu'on avait mis un terme à son contrat. Ober lui disait qu'il n'en savait rien, et

Scott se cuirassait contre l'inévitable. Au lieu d'utiliser son dernier chèque pour continuer à éponger ses dettes, il demanda à Ober de payer les frais de scolarité de Scottie pour le second semestre.

Le matin de la réception de Noël, il était enfoncé dans son fauteuil, immergé dans la lecture de Conrad, quand on frappa à sa porte. Il s'était dit que, par simple savoir-vivre, ils auraient reporté ça à la semaine suivante, mais il referma son livre et alla ouvrir, prêt à accepter son destin.

Avant qu'il eût atteint la porte, Dottie entra en trombe, le journal à la main, et Alan referma derrière elle.

« Tu as vu ça ? demanda-t-elle en lui mettant la une sous le nez.

– On pensait que tu étais peut-être au courant », dit Alan.

UN AMBASSADEUR EXTRAORDINAIRE SE DONNE LA MORT EN SAUTANT DANS LE VIDE, annonçait le gros titre, accompagné d'une photographie du pont d'Arroyo Seco. C'était un endroit connu pour les candidats au suicide, plus haut que les lettres « Hollywood ». La ville avait fait installer des garde-fous. Scott parcourut l'article, s'arrêtant sur le nom : Gerhardt Reinecke.

« Pas très original, commenta Alan. Mais efficace.

– Quand est-ce arrivé ?

– Hier soir, répondit Dottie.

– Joyeux Noël ! ajouta Alan en faisant le geste de hisser quelque chose de lourd.

– Mon Dieu. » Il songea tout de suite à Ernest. Il refusait de le croire capable d'assassiner quelqu'un de sang-froid. Il revoyait Mank marcher au côté de l'Allemand, lui tapotant l'épaule comme un parrain de la Mafia rassurant un comptable un peu nerveux. Les producteurs étaient des gens qui savaient régler les problèmes. Tous les studios avaient des liens avec la pègre, pas seulement la MGM. Il ne s'agissait pas de politique, mais de gros sous. Voilà ce qui pouvait se produire quand on mettait les pieds à Hollywood. Après les déchaînements de violence survenus à Berlin, il devenait inutile de faire l'autruche.

« Plus de marché européen, dit-il.

– Plus de censeurs européens, ajouta Dottie.

– Alors ils l'ont tout simplement attrapé et passé par-dessus bord, compléta Alan.

– J'ose espérer qu'il était déjà mort.

– Moi, je n'en jurerais pas… », dit Dottie.

Ils n'avaient rien appris d'autre par leurs sources habituelles et ils lui conseillèrent de laisser ses oreilles traîner, comme si, d'une façon ou d'une autre, ils auraient pu tous les trois être impliqués. Il n'avait jamais rencontré ce type, ses liens avec lui étaient on ne peut plus vagues, et pourtant il se sentait inexplicablement coupable.

La nouvelle rendit la réception de Noël encore plus étrange que d'ordinaire, une sorte de festin macabre. Sous le choc, il erra parmi la foule qui participait à ces bacchanales, s'arrêtant à la cantine des studios pour voir les techniciens et les secrétaires danser, parfaitement conscient qu'enfermé au fond d'un coffre dans le bureau d'un producteur – sinon ici à la MGM, du moins sur un autre site – se trouvait un classeur en langage codé, pareil aux feuilles de calcul cryptées d'un comptable, qui pouvait témoigner des intentions criminelles collectives de l'industrie du cinéma.

Alors qu'il fuyait les lieux et traversait la place devant le Poumon d'acier, Oppy l'intercepta, complètement saoul et affublé d'un chapeau tuyau de poêle savamment fripé. « Vous voilà, cher ami. Savez-vous s'ils ont vendu la dinde primée qui était accrochée à la vitrine du volailler[1] ?

– Mais Mr Scrooge, dit Scott en entrant dans le jeu, je croyais que Noël n'était qu'illusion…

– Eh bien, non. Figure-toi qu'ils m'ont renouvelé pour six mois. Ils ont mis du temps à se décider, ces abrutis !

1. Allusion au moment où l'avare Scrooge, dans *Un conte de Noël* de Charles Dickens, s'amende et offre une dinde à son employé éreinté.

– Félicitations !

– Et toi ?

– Rien de nouveau.

– C'est rude. Écoute, si je peux faire quoi que ce soit…

– Je te remercie », dit Scott.

Il dissimula sa consternation jusqu'à ce qu'il se retrouve seul dans sa voiture, les sourcils froncés, au milieu des gargouillis de la radio. Il n'en voulait pas à Oppy, ce vieil ivrogne essayait simplement de s'en sortir, malgré tout il avait peine à le croire. Lui-même avait travaillé d'arrache-pied sur tous les projets qu'on lui avait confiés et il n'avait jamais bu une goutte au travail. Il avait dû dire quelque chose qu'il ne fallait pas, blesser involontairement quelqu'un. Comme Reinecke, il avait dû faire une mauvaise rencontre.

Sheilah avait eu vent des les rumeurs d'assassinat, néanmoins, même le *Hollywood Reporter* refusait de s'en faire l'écho. De temps à autre, Dottie passait le voir et lui apportait des nouvelles de Pasadena. Officiellement, Reinecke s'était suicidé. Il n'y aurait pas d'enquête criminelle. Benchley ne prononçait jamais son nom, et après Noël, Scott comprit que toute la ville avait décidé de faire de sa mort, comme celle de Jean Harlow ou de Thelma Todd, un secret de Polichinelle.

À Encino, loin dans les collines, les nuits étaient calmes. La saison des pluies avait débuté, et quand il ne parvenait pas à dormir, il prenait son chloral et attendait le sommeil ; il écoutait l'eau s'écouler dans les gouttières et la maison se tasser sur elle-même, s'imaginant au moindre craquement une silhouette sombre en train de gravir l'escalier.

Il rêva qu'il avait tué une femme. Pieds nus, en chemise de nuit blanche, elle gisait dans les hautes herbes d'un champ, juste au-delà du faisceau de ses phares, les yeux grands ouverts. Il ne savait pas comment il l'avait tuée, ni même pourquoi, pourtant il en était sûr. Il l'avait ramenée chez lui dans sa voiture. Sa mort était un accident, mais il craignait qu'on le soupçonne. Pour échapper à la justice, il devait enterrer le corps, ce qu'il faisait, creusant une tombe au profond de la terre, transpirant sous l'effort, terrifié à l'idée que si on la découvrait, sa vie en serait détruite. Au cours du rêve, il était peu à peu envahi par le sentiment que ce n'était pas un cauchemar mais un souvenir, un péché qu'il avait commis et volontairement effacé de sa mémoire, tout comme l'identité de cette femme. Sa peur était si vive qu'à son réveil – comme s'il était fou ou amnésique – il eut du mal à se convaincre que rien de tout cela ne s'était produit.

Il demanda à Magda de verrouiller le portail, n'oublia plus dorénavant de laisser une lumière allumée, le matin. À l'épicerie, il épiait soigneusement les autres clients, les laissant passer à la caisse avant lui. Un jour, alors qu'il rentrait chez lui en voiture, il tourna avant son portail pour s'assurer qu'on ne le suivait pas, mais l'autre véhicule continua son chemin.

Nul besoin d'être grand clerc pour deviner ce qui allait se produire. Vendredi, après déjeuner, Eddie l'appela. Pouvait-il monter le voir ? Scott fut tenté de prendre son attaché-case et de partir sur-le-champ. Dimanche, c'était le nouvel an, et la moitié des bureaux dans son aile du bâtiment étaient déjà vides. Oppy tapait frénétiquement à la machine, noircissant des pages de charabia, mais Dottie et Alan étaient à New York, Huxley, en vacances sur une plage mexicaine. Aussi puérile que lui paraisse cette idée, pendant qu'il parcourait le long chemin qui menait à l'ascenseur, Scott se dit qu'il n'aurait donc jamais son nom sur sa porte.

Eddie se répandit en excuses, il lui serra la main, lui répéta qu'il le trouvait merveilleux et combien tout le monde avait aimé ce qu'il avait fait dans *Trois camarades.* Pour l'heure en tout cas, on lui retirait *Madame Curie.* Il devait remettre à sa secrétaire les pages déjà rédigées s'il en avait.

« Il ne me faut qu'une semaine de plus. »

La décision n'appartenait pas à Eddie. Pour le dernier mois de son contrat, les services de Scott étaient loués au gendre de Mayer,

David O. Selznick. Il avait besoin de toutes les mains disponibles pour *Autant en emporte le vent.*

Nulle part ailleurs qu'à Hollywood, on pouvait dans un même souffle vous virer et vous mettre sur le projet le plus génial du moment.

« Cette merde ? dit Scott. Pas question. »

Mais le lundi, il se présenta à l'heure dite.

Gueule de bois dans le New Hampshire

Selznick appartenait à la nouvelle génération. Au contraire de Mayer, Goldwyn et Laemmle, il n'avait pas vendu de boutons à Minsk ni de chemisiers à Cracovie, avec des marges infimes, afin de quitter le nid familial, n'avait pas supporté des semaines de traversée en rêvant de rues pavées d'or, pour atterrir finalement dans un taudis de l'East End qui ressemblait à son *shtetl* et se battre chaque jour contre ses voisins, le racket des Italiens, pour les mêmes marges, empochant une deuxième fortune utilisée pour en financer une autre et créer, simple activité annexe, dans les collines poussiéreuses de Los Angeles, un fief enchanteur nommé Hollywood. Selznick était américain, donc tendre, et dénué du génie de Thalberg. Pour compenser, il payait mieux, achetant le talent qu'il ne possédait pas, restant à son poste beaucoup plus longtemps que la vieille garde, aidé en cela par des prises importantes d'amphétamines.

La tâche qu'il confia à Scott sur *Autant en emporte le vent* consistait à lustrer le scénario qu'avait déjà précédemment poli Sidney Howard, mais les instructions variaient d'une minute à l'autre parce que Selznick, distrait par une nouvelle idée après l'autre et poussé à commencer le tournage, lui envoyait des avalanches de mémos.

Scène 71 : Scarlett ne devrait-elle pas être furieuse quand Rhett se moque d'elle ? Laisserait-elle vraiment passer ça sans rien dire ? J'imagine une réplique cinglante.

Scène 75 : On devrait prendre Charles en pitié mais comprendre aussi que ce n'est pas de la faute de Scarlett si celui qui a été pris au piège n'est pas celui qu'elle avait prévu. Elle ne peut pas se moquer de lui pour être tombé amoureux d'elle, et nous non plus. C'est un quiproquo amusant, mais il doit garder sa dignité.

Scott était surtout entravé par l'exigence de Selznick de reprendre les dialogues originaux de Margaret Mitchell. C'était comme essayer de finir un immense puzzle avec les mauvaises pièces.

Le roman n'était pas affreux, contrairement à ce qu'il avait craint. Lors de la publication, il l'avait considéré avec mépris comme un drame en costume boursouflé, tout crinoline et fleurs de magnolia. Aujourd'hui, contraint de le lire en détail, il le trouvait certes un peu superficiel, mais fascinant. Il lisait jusque très tard et refermait le gros volume avec satisfaction. En Scarlett, il retrouvait l'orgueil et le caractère farouche de Zelda, en Rhett, sa propre colère et son goût de la débauche. Ce n'étaient pas des innocents comme Roméo et Juliette. Leur amour était aussi indéniable que voué à l'échec. Il se terminerait en cendres, ce qui, du point de vue thématique, cadrait bien avec l'arrière-plan de la cause perdue du Sud, condamné depuis le début à sa perte. Selznick avait raison, ce serait un grand film, si seulement il pouvait lâcher du lest.

Autant en emporte le vent était son bébé. Il en avait personnellement acheté les droits quand le roman n'était encore qu'un manuscrit, misant cinquante mille dollars sur un auteur débutant. Le choix de l'actrice devant incarner Scarlett avait pris deux ans, devenant même l'enjeu de paris publics, des stars comme Lana Turner et Joan Bennett faisant ouvertement campagne pour décrocher le rôle qui, un peu comme dans *Cendrillon*, avait fini par échoir à une Anglaise, la protagoniste de Scott dans *Vive les étudiants*, Vivien Leigh, au grand dam des fans du livre.

À l'instar de Mankiewicz, Selznick aurait en fait voulu écrire le script lui-même. Scott était le neuvième scénariste qu'il engageait, et il continuait à lui faire parvenir une douzaine de mémos par scène. Tout comme Achab pourchassant sa baleine blanche, il ne pensait à rien d'autre, mais il essayait de mettre au point le texte trop vite et il n'était pas assez organisé. Souvent, on demandait à Scott de réintroduire des répliques que Selznick avait exigé que l'on coupe le jour même.

Sa méthode de travail était rendue d'autant plus difficile qu'il ne dormait pas et s'attendait à ce que ces scénaristes fassent de même, convoquant son équipe à point d'heure dans les bureaux de la production situés au dernier étage, pendant que dans les studios d'enregistrement l'équipe de nuit finissait les décors. Craignant de prendre des excitants, Scott comptait sur ses insomnies et le Coca-Cola pour se donner l'énergie nécessaire ; il corrigeait les répliques à partir d'un exemplaire du roman dont il avait brisé le dos et qu'il gardait ouvert à côté de lui, tandis que sa secrétaire dormait par petits sommes, déchaussée, sur le canapé du bureau. Toutes les deux heures environ, Selznick les convoquait à une réunion de production et revenait sur tous les derniers changements, scène après scène, lisant à haute voix le dialogue avec son accent de Pittsburg teinté d'inflexions yiddish, tout en mâchonnant un cigare, si bien que Suellen, Melanie et Prissy ressemblaient à de vulgaires organisateurs de combats de boxe.

« Qu'est-ce que vous en dites ? demandait-il à la cantonade, forçant les secrétaires à relever le nez de leur bloc-notes. Je sais que ça sort droit du livre, mais y a quelque chose qui cloche. Je voudrais qu'elle dise un truc plus percutant, comme “Jamais je ne pourrais aimer un homme pareil !”, enfin pas exactement ça, mais presque. Scott ? Carolyn ? Quelqu'un ? »

Thalberg, quand Scott avait travaillé avec lui, ne disait presque rien, ses silences ayant valeur d'instructions. À la fin d'une réunion de production, après avoir écouté les propositions de chacun, il se contentait d'un hochement de menton pour désigner le vainqueur, ou bien, il secouait la tête et faisait une suggestion indirecte pour aplanir la difficulté. Il ne s'inquiétait pas beaucoup des dialogues, des costumes ni de la musique. Il savait déléguer. Selznick n'avait confiance en personne, il s'enlisait dans les détails et tournait en rond.

Techniquement, la production avait déjà commencé. Au mois de décembre, Selznick avait tourné sa scène la plus forte, l'incendie d'Atlanta, mettant le feu aux anciens décors que la RKO avait utilisés dans *King Kong*. À la place de Clark Gable et de Vivien Leigh, leurs doublures s'enfuyaient à travers les flammes dans un cabriolet, penchés pour dissimuler des visages accessoires. Depuis ce moment-là, Selznick payait ses acteurs occasionnels – la plupart, comme Scott, sous contrat avec d'autres studios – à attendre qu'il ait terminé de jouer avec le scénario. Au contraire de la MGM, la Selznick International Pictures n'avait pas les reins assez solides pour se payer ce luxe, et les professionnels le savaient, spéculant sur sa banqueroute et s'interrogeant sur le discernement de son beau-père. « La chute de la Maison Mayer », ironisa *Variety*.

Scott avait l'impression de voir un roi fou tenir salon, alors que son château était assiégé. Une nuit après l'autre, ils avançaient par sauts de puce, terminaient un avant-projet avant d'en commencer un autre, résolvant des questions dont Selznick avait oublié qu'il les avait déjà posées la fois précédente. Le contrat de Scott expirait deux semaines plus tard. Il ne serait certainement pas crédité au générique, mais plus longtemps il travaillerait sur ce projet, plus il aurait de chance de se faire engager par un autre studio. En conséquence, il s'efforça d'accorder la ténacité obsessionnelle de Selznick et la sienne, ne dormant que pendant son temps libre et rêvant sans cesse des personnages, emportant partout le roman avec lui comme une bible. Il savait mieux que personne ce que c'était de vivre dans un monde imaginaire.

Il était épuisé. Autrefois il avait été un oiseau de nuit, il rôdait dans les rues obscures, les poches pleines d'argent liquide, la mémoire emplie de codes secrets. Aujourd'hui, dès qu'il était un peu tard, il se sentait terne. À l'instar de Selznick, les studios ne fermaient jamais l'œil. Alors que les stars dormaient confortablement à l'abri des grilles armoriées de leurs fastueuses villas de Bel Air, les gnomes de l'équipe de nuit rapiéçaient leurs costumes, remettaient de la cohérence entre leurs différentes scènes, ajoutaient de la musique, des effets spéciaux et des intertitres. Pour se ranimer, Scott sortait marcher un moment, dépassant les salles de montage et les cabines d'enregistrement pour aller à la cantine manger une part de tarte aux cerises avec une boule de glace ou un carré de caramel, s'étonnant de voir là des menuisiers et peintres qui jouaient aux cartes à l'endroit même où durant le jour les célébrités bavardaient, comme s'ils étaient eux aussi des acteurs. À trois heures du matin, le site prenait un aspect presque irréel, le clair de lune illuminant les décors et leur conférant une solidité lourde de sens, et tandis qu'il retournait vers son bureau, il imaginait son producteur insomniaque hantant les rues désertes. C'est là qu'il allait trouver l'amour, comme si la jeune femme devait naître du sentiment même qu'il avait d'être à part. Il ne restait plus qu'à déterminer comment ils se rencontreraient.

Il était à une semaine de la fin de son contrat quand Selznick le convoqua pour la première réunion de la soirée et, à sa place, se trouvaient un autre scénariste et une autre secrétaire.

« John Van Druten », dit Selznick, comme si Scott était censé savoir qui c'était.

Il comprenait que c'était inévitable, néanmoins il sentit un pincement de jalousie. Il serra la main de l'homme, prit une chaise face à lui en se souvenant de Paramore.

Il n'était pas question de collaboration. Il était débarqué du projet. Comme pour *Madame Curie*, on lui demanda de laisser tous ses papiers à son successeur. Il serait payé pour les jours de travail restants. Il avait fait du bon boulot. Selznick serait heureux de lui rédiger une lettre de recommandation. Il n'avait qu'à appeler Carolyn et elle ferait le nécessaire.

Scott le remercia pour cette attention.

À minuit, il se retrouva de l'autre côté du portail, soudain au chômage, son attaché-case lourd des canettes de Coca qu'il n'avait pas ouvertes. Dans les champs pétrolifères au-delà du site, et des gerbes de feux jaillissaient comme des geysers au-dessus des derricks, brûlant toutes les impuretés. Il appela Sheilah depuis un restaurant chinois dans Crenshaw Boulevard et elle lui proposa de la rejoindre. Il lui fallait encore traverser toute la ville. Après qu'elle l'eut consolé de son mieux, elle s'endormit en murmurant, tandis qu'il demeurait éveillé et feuilletait quelques scènes comme le faisait Selznick, en essayant de deviner quel serait son avenir.

Son laissez-passer était encore valable une semaine. Plutôt que de gâcher cette chance, chaque matin il se présentait au Poumon d'acier, envoyant à Eddie des idées de films dans lesquels pourraient jouer Joan Crawford et Greta Garbo. Tout le temps qu'il avait passé à la MGM, on lui avait confié des films de femmes, mais avec l'imminence de la guerre, les histoires d'espionnage connaissaient un grand succès. Pourquoi ne pas combiner les deux ? Avec une impudence d'opportuniste, il concocta un scénario au cours duquel une épouse heureuse découvre que son mari est un membre secret du Bund. Dans un autre, c'était une mère et son fils qu'il mettait en scène, une mère et sa fille, deux amis de toujours, un voisin, le curé de la paroisse. Il élaborait en détail ses intrigues qui se déroulaient invariablement à proximité d'une base sous-marine, ou parfois d'un chantier naval. Le regard de la secrétaire s'assombrissait dès qu'elle le voyait, et ses mémos étaient pleins de coquilles. Où n'allait pas se nicher la trahison ?

Mérite réflexion, répondait Eddie.

Bien que Scott n'eût confié à personne qu'il s'en allait, ce vendredi, Dottie, Alan, Benchley et Oppy l'invitèrent au Stern's Barbecue pour un repas d'adieux. Ils plaisantèrent en l'imaginant en train de cambrioler le placard à provisions.

« Que vas-tu faire de tout ce temps libre ? demanda Dottie.

– Exactement ce que je suis venu faire ici : écrire. »

Ils levèrent leurs verres comme si c'était lui qui avait de la chance.

De la fenêtre de son bureau, il guetta Mr Ito et se réjouit de l'apercevoir une dernière fois, se faufilant entre les hautes herbes sous le panneau publicitaire, la queue frémissante. Il regretterait le boulevard avec ses trams, le drugstore, et même les parkings poussiéreux, chaque voiture, y compris la sienne, gardant jalousement son secret. Il laissa *Nostromo* pour le prochain occupant du bureau, et son exemplaire annoté d'*Autant en emporte le vent.* Quand la sirène retentit, il ferma son attaché-case comme s'il s'agissait d'un vendredi ordinaire, prit l'ascenseur et souhaita un bon week-end au gardien.

Il passa le sien avec Sheilah, repoussant au lundi le moment de rentrer chez lui, et se retrouva coincé sur la route quand sa voiture rendit l'âme, complètement et définitivement, à moins de deux kilomètres de son portail ; il dut payer une remorqueuse et demander à sa banque un billet à ordre à un taux usuraire pour acheter la vieille Ford de Sid Perelman. Il appela Ober, qui à son tour téléphona à Swanie Swanson au bureau de Hollywood pour qu'il tente de lui dénicher un autre contrat.

Un malheur n'arrivant jamais seul, il attrapa un mauvais rhume de poitrine. Comme Sheilah l'avait prédit, il s'était rendu malade à force de travail et il lui fallut s'aliter de nouveau, entreprenant un brouillon de nouvelle sur le plateau qui lui servait de table, pauvre scénariste licencié essayant par tous les moyens de retrouver le chemin des studios.

Il s'était volontairement appliqué à passer le moins de temps possible à Belly Acres. Aujourd'hui, il comprenait pourquoi. Pendant des jours entiers, il n'avait personne à qui parler, et aucun autre but que d'enfiler ses chaussons pour gagner la salle de bains ou la cuisine. Le silence était irréel, interrompu seulement par le passage des trains de l'autre côté de la vallée, ou par celui d'un des rares avions qui volaient vers Glendale. Il aurait aimé s'installer chez Sheilah, mais il ne se serait pas permis de le suggérer.

Mercredi, il rencontra la femme de ménage de Magda, Luz. Rien à voir avec la jeune fille qu'il s'était imaginée : une minuscule Philippine aux cheveux grisonnants qui marmottait dans sa langue maternelle en vaquant à ses occupations. Il s'excusa pour sa barbe mal rasée, son peignoir et la corbeille pleine de mouchoirs roulés en boule.

« Pas problème », dit-elle en hochant la tête sans lâcher son plumeau.

À en croire Swanie, Selznick pensait à Scott parmi quelques autres pour *Rebecca.* Sheilah lui en apporta un exemplaire de la bibliothèque et il commença à griffonner une adaptation. Ce roman semblait être une variante de *Jane Eyre* – l'histoire d'une héroïne d'extraction modeste qui atterrit dans une famille de grands propriétaires terriens. Il trouvait des échos de Thornfield Hall et de Tara à Manderley, et l'idée de faire de la première Mrs DeWinter un fantôme qui hantait les lieux avait quelque chose de génial, même s'il ne voyait pas du tout encore comment rendre cette présence à l'écran. Selznick ne manquerait pas d'engager une douzaine de plumitifs qui passeraient derrière lui de toute manière. Comme pour *Trois camarades*, il lui faudrait élaborer son scénario avec précision pour s'épargner leurs coups de ciseaux s'il voulait figurer au générique.

Il calcula ces émoluments sur une feuille de papier. À tout le moins, il toucherait six semaines à mille deux cent cinquante dollars, de quoi lui permettre de traverser l'été et une partie de l'automne. Si Selznick le rémunérait selon sa valeur, il pourrait démarrer son nouveau roman, mais à supposer que *Rebecca* soit un succès, il serait en mesure alors de choisir ses deux ou trois prochains contrats et de mettre suffisamment d'argent de côté. Il avait conscience – de même qu'il ne perdait pas de vue que ses économies fondaient comme neige au soleil – qu'il comptait sur l'homme qui venait de le licencier pour le réengager, mais attribuait cette ironie du sort à la folie du monde du cinéma. Comme une starlette, il restait à proximité du téléphone en attendant l'appel de Swanie.

J'aimerais moi aussi que tu puisses aller avec les autres à La Havane, écrivit-il à Zelda. *Si j'en avais les moyens, tu sais que je serais heureux de t'offrir ce voyage, mais en ce moment, je suis entre deux contrats, ce qui est une façon pudique de dire que la MGM a décidé de se passer de mes services. Je suis de nouveau dans cette position inconfortable entre toutes du freelance. J'ai quelques projets en vue mais je dois me tenir prêt à accepter tout ce qu'on me proposera. La bonne nouvelle, c'est que Scottie prévoit de descendre te voir à Pâques, ce qui te fait au moins une bonne chose en vue.*

Par obligation, davantage que par envie réelle, il aurait voulu écrire qu'il viendrait bientôt lui rendre visite, mais il savait qu'elle considérerait cela comme une promesse et le harcèlerait par la suite. Il valait mieux être honnête qu'alimenter de faux espoirs.

Comme les jours défilaient, son moral oscillait entre rêves de gloire et désespoir abyssal. Il en était à se demander vers lequel de ses amis se tourner pour solliciter un prêt, quand Swanie appela avec une proposition de contrat – pas *Rebecca*, mais un film sur la vie universitaire produit par United Artists, avec Ann Sheridan comme tête d'affiche. Six semaines à quinze cents dollars.

« Que s'est-il passé avec *Rebecca* ? demanda Scott. Et *Marie-Antoinette* ?

– Hitchcock voulait un de ses amis scénaristes.

– Vous lui avez montré mon texte ?

– Vous allez aimer les UA. Après Selznick, ça va être du gâteau pour vous. »

Reine d'un jour. À quoi bon discuter ? C'est seulement quand il eut signé que Swanie lui avoua qu'il aurait un coscénariste, un gamin nommé Budd Schulberg. C'était lui qui avait écrit le premier jet. L'histoire se passait à Dartmouth où il avait fini ses études à peine quelques années plus tôt.

« Schulberg, de la famille de B.P. Schulberg ? » C'était le P-DG de la Paramount.

– Un gosse sympa. »

Sans surprise, il l'était. Quand Scott fit sa connaissance le lendemain, aux studios, le jeune homme se montra poli et sérieux, et il lui dit combien il avait admiré *Gatsby.* Tel un prince appelé à régner depuis la naissance, on lui avait enseigné l'équanimité. Même si sa famille venait des ghettos du Vieux Monde, comme les cavalières de Scott issues des pensionnats de Choate et d'Andover, il avait une élégance naturelle qui parlait d'argent. Il affectionnait le style gentleman-farmer, fumait la pipe, mais était râblé comme un bouledogue, une sorte de double de Stromberg, mais en plus petit. Il avait fait des études littéraires, voulait savoir ce que Scott pensait de Malraux et se réjouit d'apprendre qu'il adorait *Le Procès.* L'Europe s'effondrait, l'entrée en guerre n'était plus qu'une question de temps. Et la Guilde des scénaristes ? Les syndicats ne pourraient-ils pas travailler main dans la main avec les studios ? Ils venaient à peine de se rencontrer, mais il parlait sans détour, au point de paraître presque irréfléchi. Scott pensait que cette confiance en lui-même lui venait de son statut d'héritier. Personne ne lui avait jamais dit de se taire.

Leur producteur, Walter Wanger, était lui aussi un ancien étudiant de Dartmouth, ce qui donnait au projet un tour très narcissique. Ils n'avaient pas grand-chose d'autre pour l'instant qu'un projet de dix pages plutôt confuses. Traversant Hanover, Ann Sheridan se trouve emportée dans les réjouissances du carnaval d'hiver. Scott devait commencer par imaginer comment et dans quel but cela lui arrive.

Comme à la MGM, l'édifice le plus important sur le site de United Artists était le portail d'entrée, un arc de triomphe en plâtre qui tentait de se faire passer pour du marbre. Malgré cet évident caractère factice, chaque fois qu'il s'arrêtait pour brandir son laissez-passer sous le nez du gardien, il se sentait réconforté à l'idée qu'il avait du travail. La cantine des studios était bon marché et la nourriture roborative, et toute la journée, en échange des souvenirs que lui confiait Scott sur la vie à Paris avec Ernest et Gertrude Stein, Budd lui racontait ce qu'on ressent quand on grandit en étant le fils d'un nabab. Clara Bow était sa marraine. Gloria Swanson lui avait servi de baby-sitter. Tout en se penchant sur la question de savoir pourquoi Ann Sheridan avait accepté de participer au cortège de la Reine des Neiges, Scott accumulait des notes en vue de son prochain roman. Il était sur le point de se lancer, quand Wanger annonça qu'ils partaient tous à Dartmouth assister au carnaval.

Tandis qu'une équipe de caméramans repéreraient les décors, Budd et lui se baladeraient sur le campus afin de s'imbiber de couleur locale, comme pour y trouver leur inspiration. Personne n'était dupe, il s'agissait avant tout d'un prétexte imaginé par le producteur pour retourner vers son alma mater en vainqueur, mais Scott ne pouvait pas refuser.

Le consortium de Sheilah avait son siège à New York. Profitant de sa notoriété croissante, elle combina une visite à sa direction et des interviews de stars de Broadway qui lui permettraient de se faire voir dans les endroits connus. Quand il aurait fini sa mission dans le New Hampshire, ils se retrouveraient là-bas. Le plan lui parut compliqué et sans doute peu judicieux. Wanger avait annoncé la couleur : ce voyage serait uniquement professionnel – les conjointes n'étaient pas les bienvenues – et même si Sheilah connaissait Ober, et que Scott voulait l'amener au 21, au Dizzy Club et au Montmartre, l'idée de lui montrer ces lieux qu'il avait tellement fréquentés lui apparaissait comme une trahison de Zelda. En même temps, il ne pouvait pas l'en dissuader sans risquer de la blesser, et il joua le jeu, feignant de se réjouir à l'avance.

Il y avait de très nombreux vols chaque jour, et le hasard voulut que son agence de presse lui ait réservé un billet sur le même avion.

Ils eurent recours au stratagème habituel. Elle prit place à l'arrière de l'appareil, comme s'ils ne se connaissaient pas, protégée derrière ses lunettes de soleil.

C'était le premier contrat de Budd, et son père avait apporté deux magnums de Mumm bien glacé pour célébrer son départ. Les bouteilles ventrues rappelèrent la Coupole à Scott. Tous ces robustes jéroboams, balthazars et autres nabuchodonosors rangés par taille entre les tables, témoins d'une abondance inépuisable. Dès qu'ils eurent décollé, Budd fit sauter les bouchons et aida l'hôtesse à servir les passagers. Avec son blazer bleu marine et son col roulé blanc, il présidait à ces libations comme un jeune capitaine de yacht. Le lendemain matin, ils devaient retrouver Wanger au Waldorf pour une réunion de production et ils n'avaient toujours pas terminé le troisième acte. Ils devaient mettre en commun leurs idées pendant le vol. Un verre de champagne ou deux semblait être le parfait aiguillon, mais un regard en direction de Sheilah qui pinçait les lèvres lui servit d'avertissement. Il haussa les épaules pour lui faire comprendre que ce serait grossier de refuser.

« Elle a besoin de gagner l'argent de son billet de train pour le Canada, dit Budd.

– Mais si elle gagne, sa photo sera dans les journaux, et on saura qui elle est.

– Alors comment trouve-t-elle cet argent ?

– Il faut qu'elle fasse partie du cortège. C'est la base de tout notre scénario.

– Mais comment trouve-t-elle ce fric ? » insista Budd, déjà saoul.

Scott vida son gobelet en carton et fit signe qu'il voulait qu'on le lui remplisse. « OK. Elle parvient à ses fins. Ils voient sa photo dans le journal et ils se lancent à sa poursuite, mais elle est déjà dans le train. Ils la coursent jusqu'à la frontière. Non, raye ça. Il faut qu'elle perde. Je ne sais pas encore comment exactement. Le comble, c'est que ces gosses la sauvent par pure générosité.

– On voit bien que tu n'as jamais mis les pieds à Dartmouth.

– À la fin, ils entonnent tous l'hymne de l'université sur le terre-plein central, à la lumière des flambeaux. La neige tombe. La caméra s'approche quand elle se met à chanter, les yeux pleins de larmes de gratitude. Puis, rideau.

– Comment est-ce qu'elle connaît les paroles ?

– Elles sont faciles à apprendre.

– Et sa fille dans tout ça ?

– Je n'y ai pas encore pensé. »

Plutôt que de le laisser se perdre, ils se partagèrent le second magnum. En survolant le Nouveau-Mexique, ils cessèrent de travailler, reprirent la lecture de Lawrence et de Dos Passos et levèrent leurs verres à la santé de ce pauvre Tom Wolfe. Le champagne était encore frais, mais les premières vapeurs stimulantes de l'alcool s'étaient estompées, et il avait du mal à suivre Budd, lequel n'en finissait pas de raconter une histoire sur Rudolph Valentino qui avait fait son apparition lors de la fête d'anniversaire d'un ami d'enfance, histoire liée d'une manière ou d'une autre à *Gatsby*, à la décadence et au déclin de l'Occident. Budd bégayait, il butait sur chaque consonne, et Scott se sentit soulagé quand il arriva à la fin.

Lors de l'escale à Kansas City, Sheilah bondit sur lui pendant que Budd était aux toilettes. Avec son foulard, ses lunettes noires et son caban, elle aurait pu être une espionne. Elle se pencha très près pour que personne ne puisse l'entendre.

« Je t'en prie, fais attention.

– On s'amuse un peu, voilà tout.

– C'est bien ce qui m'inquiète.

– Il est encore plus rond que moi.

– Oui, mais son état à lui m'indiffère.

– On a fini de toute façon.

– Vous êtes prêts pour demain ?

– Oui. »

Il tenta de lui voler un baiser, mais elle recula en jetant un regard alentour.

« Repose-toi un peu, tu as l'air fatigué. »

L'avion avait redécollé, et l'hôtesse préparait leurs couchettes comme une infirmière. Budd lui laissa le choix. Scott prit celle du bas et tira le rideau, comme si cela pouvait le protéger du bruit. Il ne comptait pas dormir malgré le champagne. Il avait un goût amer dans la bouche, et l'oreiller était trop fin, il fut donc très surpris, quelques heures plus tard, de se réveiller, au milieu de l'obscurité et du vrombissement de l'air vicié, avec un torticolis.

Il n'eut pas l'occasion de prendre congé de Sheilah à Newark. Une voiture de son agence de presse l'attendait, et une limousine avait été réservée pour eux. On était jeudi, il pleuvait et on roulait au pas dans le Lincoln Tunnel. Il leur restait une heure avant leur réunion au Waldorf. La nuit précédente, ils avaient pratiquement réglé tous les problèmes du troisième acte, mais Budd ne parvenait pas à relire ses notes. Il avait recommencé à bégayer, son visage était bouffi et ses yeux tout petits, comme s'il venait de perdre un combat. Tels des soldats, ils avaient dormi tout habillés et exhalaient une odeur aigre et musquée. Scott craignait que Wanger ne lui reproche d'avoir entraîné le gamin à boire, alors que c'était exactement l'inverse.

Ils se présentèrent à la réception, et après s'être douchés, se retrouvèrent dans le hall, rasés de frais, mais les yeux toujours chassieux.

« Je te propose de me laisser parler », dit Scott dans l'ascenseur.

Le producteur les accueillit, il portait une cravate vert sapin aux armes de Dartmouth, et Scott sut que sa dernière scène était bonne, avec le reflet des flammes dansant sur les statues de glace, tous les étudiants et leurs flirts du moment rassemblés pour chanter l'hymne de l'université. Il lui fallait encore trouver ce qui pouvait bien pousser les autres filles à donner à Jill l'argent qu'elles avaient gagné au kiosque à baisers du carnaval – le besoin qu'elle en avait et son allure aristocratique ne paraissant pas être des raisons tout à fait suffisantes. Dans le synopsis, il avait avancé l'idée qu'en tant que mère et femme d'expérience, elle les avait toutes aidées discrètement, leur transmettant en secret des conseils de sagesse et des trucs pour se faire belles. Elle n'était pas titulaire d'un diplôme prisé, elle enseignait avec la modestie qui la caractérisait, et en suivant sa propre logique, il finit par se convaincre de sa pertinence. Quand sa rivale l'emportait, il était normal que les autres entourent Ann Sheridan par compassion, laissant l'autre quitter les lieux en proie à la rage, ce qui amenait le magnifique final de glace et de feu, la grue reculant peu à peu pour que la caméra découvre l'esplanade entière sur les dernières notes. Générique.

« Ça n'a rien à voir avec la première ébauche d'adaptation, dit Wanger en s'adressant à Budd uniquement. J'aime ce recentrage sur le point de vue de la mère. Mais faites-moi plaisir, tous les deux…

– Oui, monsieur.

– Lâchez un peu la bouteille. Je suis sérieux. Je ne vous paye pas pour aller vous divertir au carnaval. Je vous paye pour écrire. Que je n'aie pas besoin de vous le répéter.

– Oui, monsieur. »

Dans l'ascenseur, Budd hocha la tête avec étonnement : « Je me demande bien où tu es allé chercher cette histoire de mère. »

Scott se tapota la tempe. « Un vieux truc de la MGM. L.B. adore sa maman. »

Pour fêter ça, ils allèrent prendre un brunch et un Bloody Mary à l'Oak Room, avant de faire une halte chez McNulty's sur la 3e Avenue, pour montrer à Budd la table où Ring recevait sa cour, puis à l'Algonquin pour boire un verre rapide à la santé de Dottie et de Benchley. À la fin de l'après-midi, quand ils allèrent prendre leur train à Grand Central, ils étaient complètement ressuscités.

L'express spécial « Winter Carnival » était une espèce de fête à roulettes réservée aux associations d'étudiantes, qui longeait l'Hudson à la tombée du jour et s'arrêtait dans des gares perdues pour prendre au passage les belles plantes aux joues roses de Barnard et de Vassar chargées de skis, de patins et de raquettes. Mis à part quelques veinards de Columbia et de New Haven, ils étaient les seuls hommes à bord. Wanger leur avait réservé une cabine en première classe entre la sienne et celle des caméramans qui avaient filmé ce dont ils avaient besoin et qui, à la lumière déclinante, avaient rangé leur matériel et entamé une interminable partie de poker, ouvertement arrosée de bourbon.

Budd proposa qu'ils aillent parler un peu aux filles et prendre quelques notes, une excuse valable mais transparente pour se débarrasser de Wanger. Scott accepta volontiers, même si, alors qu'ils traversaient les voitures, cette profusion de jeunesse et de beauté l'intimida. Les étudiantes avaient l'âge de Scottie, elles sortaient à peine des écoles d'Ethel Walker et de Miss Porter, elles débordaient de santé et se montraient aussi braillardes qu'un régiment d'appelés en permission. Elles se moquèrent de la petite taille de Budd et de la veste de Scott. Seuls hommes présents, ils firent l'objet de toutes les curiosités. Quand ils s'arrêtèrent, un cercle se forma autour d'eux comme une meute.

« Est-ce que ton papa te suit partout, ou bien est-ce qu'il te laisse sortir tout seul de temps en temps ?

– Ce n'est pas mon papa, c'est un écrivain célèbre en fait, répondit Budd.

– Ah vraiment ?

– Non, pas vraiment, dit Scott.

– Quel est votre nom ?

– Francis Scott Fitzgerald.

– Vous avez raison, personne ne vous connaît. »

Quelqu'un poussa vers lui une bouteille, et elles éclatèrent de rire comme s'il risquait de s'en offusquer. Il la leva à la santé de la voiture entière.

« *Ô que je boive une gorgée d'un vin rafraîchi dans les abîmes de la terre,*

– *Fleurant bon Flore et la verte campagne*, compléta une fille aux cheveux noir de jais en pull-over rouge. *Danse et chant de Provence, allégresse solaire*[1] *!*

– En voilà un qui est vraiment célèbre ! »

Scott avala une rasade – de la liqueur de cerise, aussi sucrée qu'un sirop contre la toux – et tendit la main au-dessus des sièges pour lui passer la bouteille.

« Encore un vers.

– Non, non.

– Si, si.

– *Elle marche en beauté pareille à la nuit*, entama-t-elle.

– *Des climats sans nuages et des cieux étoilés*[2]. »

On tenta de lui faire repasser la bouteille. Il la tint à deux mains, comme une grenade, hochant le menton en direction de Budd. « Tu dois bien, toi aussi, savoir quelque chose par cœur.

– *Le garçon se tenait sur le pont brûlant*[3].

– Tu peux déjà noter ça, dit Scott quand ils eurent gagné la voiture suivante. De la liqueur de cerise. Berk. »

Comme les enfants qu'elles étaient, les filles de l'express « Winter Carnival » adoraient les sucreries et ces chants qu'on entonne autour du feu. Quand Scott et Budd s'aventurèrent plus loin dans les voitures, ils croisèrent des groupes isolés qui sirotaient de la liqueur de mûre ou de pêche, ainsi que de la crème de menthe, le sucre se déposant sur leurs lèvres comme si elles avaient léché des sucettes. Il aurait tout donné pour un litre de gin !

Budd était décidément le complice parfait. Tout comme Ring, il avait un véritable talent pour dénicher de l'alcool. Bien après minuit, quand ils firent halte à Springfield, il entraîna Scott dans un drugstore

1. « Ode à un rossignol », John Keats, trad. par Alain Praud, 2010.
2. « Mélodies hébraïques », Lord Byron, trad. par Paulin Paris.
3. « Casabianca », parfois intitulé « The Boy Stood on the Burning Deck », poème de Felicia Hemans publié en 1826.

ouvert vingt-quatre heures sur vingt-quatre en face de la gare pour acheter une bouteille. La pluie s'était changée en rafales de neige, et Scott avait oublié son pardessus dans leur compartiment. Tandis qu'ils pataugeaient péniblement dans la boue, nu-tête, les flocons qui tourbillonnaient dans la lumière des réverbères et lui atterrissaient sur les joues l'aveuglèrent. Le train semblait s'être remis en marche, mais il s'agissait peut-être d'une illusion d'optique causée par le vent.

« Il bouge ? demanda-t-il.

– Je ne crois pas. »

Les vitres éclairées défilaient le long du quai, et maintenant, il entendait le ronronnement du moteur et le bruit métallique des voitures, alors que le train se mettait à accélérer. Les feux arrière rouges de la voiture de queue quittèrent la gare.

« On l'a raté, dit-il.

– Mais, il n'était pas censé repartir avant moins le quart ! »

Il faisait trop sombre pour consulter sa montre.

« Bon sang ! » s'exclama Budd en promenant son regard alentour.

Scott éclata de rire. C'était exactement ce qui se passait dans le scénario.

« Qu'est-ce qu'il y a de drôle ?

– C'est comme ça qu'elle rate son train. On devrait consigner tout ça.

– Attends, je cherche mon stylo. »

Il n'y avait pas de taxis, mais le chef de gare appela une dépanneuse qui les conduirait à l'arrêt suivant. Le conducteur portait une capuche en fourrure pareille à celle des Esquimaux et il s'excusa parce que le chauffage ne marchait plus. Dans sa boîte à gants, il avait de l'eau-de-vie de pomme, et pendant qu'ils filaient dans la nuit pour rattraper le train, la neige mitraillant le pare-brise comme dans une transparence, Scott frissonnait, très conscient d'être en train de vivre une aventure.

« Vous avez déjà tenté ce coup ? demanda-t-il au conducteur.

– Deux ou trois fois par semaine. Les gens croient toujours qu'ils ont le temps. »

Scott s'assura que Budd prenait des notes. Si Wanger les surprenait, ils pourraient toujours dire qu'ils se renseignaient pour le film.

À Northampton, le quai était bondé d'étudiantes de Smith et de Mont Holyoke. Scott donna un pourboire à leur chauffeur pour les remercier de les avoir amenés à temps et suivit Budd dans la neige fondue. Il avait pensé à se munir de gants mais pas de caoutchoucs, et ses chaussettes étaient trempées. Il y avait des toilettes pour hommes dans la gare où il aurait pu les faire sécher, mais il ne pouvait pas risquer de manquer le train encore une fois. Une fois à bord, il se rendit aux toilettes pour les essorer dans le lavabo. Il avait les ongles des orteils bleus, comme ceux d'un cadavre.

Les caméramans jouaient toujours aux cartes, mais la lumière était éteinte dans la cabine de Wanger. Budd referma doucement leur porte, baissa le store, et ils s'installèrent, Scott choisissant de nouveau la couchette du bas. Il savait qu'il aurait dû tomber de sommeil, pourtant, au lieu de s'endormir, il ne cessait de se repasser le film de leur escapade en dépanneuse. Sans écrire une ligne, ils avaient déjà arrêté une douzaine de scènes. S'ajoutant à ce sentiment d'abondance, l'idée lui revint qu'une bouteille de gin l'attendait dans son attaché-case, aussi à l'abri que de l'argent au coffre. Bien au chaud sous les couvertures, bercé par le mouvement du train, il se dit que la soirée avait été bonne.

Alors que l'express filait vers le nord, la neige continua de tomber régulièrement, d'heure en heure, si bien que le lendemain matin, quand ils atteignirent Hanover, le monde était une gigantesque congère d'un blanc aveuglant, qui lui rappela Saint Paul. Toute la population étudiante était venue les accueillir, ainsi que la fanfare de l'université, comme si le train amenait les fiancées qu'ils avaient commandées par la poste. La scène avait été préparée, soigneusement organisée par Wanger. Avant que les employés de la compagnie ferroviaire aient laissé descendre qui que ce soit, les caméramans prirent position, s'enfonçant dans la neige jusqu'aux genoux pour trouver le meilleur angle de vue. Ce fut seulement quand l'un d'eux, répondant au nom de Robinson, mima le clap d'un geste du bras que les jeunes filles furent autorisées à sortir du train. Scott et Budd restèrent en retrait pour ne pas gâcher le plan.

Un car les déposa à l'Hanover Inn, où on avait égaré leurs réservations. Wanger et l'équipe de tournage avaient leurs chambres, seules les leurs manquaient. L'hôtel étant complet pour tout le week-end, le gérant ne put leur proposer que le débarras du grenier et deux lits pliants.

La pièce se situait sous les toits et n'était pas chauffée. Ils voyaient la buée s'échapper de leurs bouches.

« C'est une blague, gémit Scott.

– Plutôt un bizutage », répondit Budd avant d'aller faire un somme. Prince héritier, il lui fallait sans cesse prouver sa valeur devant ses futurs sujets. Les chaussures de Scott étaient encore mouillées et il sentit qu'il allait s'enrhumer, mais puisque Budd était prêt à jouer le jeu, lui aussi.

Après une réunion avec Wanger et l'équipe de tournage, ils allèrent se promener sur le campus, entre les bâtiments massifs en brique rouge, de style fédéral, beaucoup moins intéressants que ceux de Princeton. Scott regretta vraiment de ne pas avoir emporté de bottes. Les allées qui quadrillaient l'esplanade avaient été déneigées mais restaient glissantes par endroits, et à deux reprises, Budd dut le retenir par le bras. Le soleil était éclatant, et dans les champs de neige, tels des totems, s'élevaient un pingouin géant, un ours polaire rampant, un hibou complètement ivre, le Penseur et le Sphinx, la tête barbue et féroce du bonhomme Hiver, une pagode au toit en croupe qui rappelait le Grauman's Chinese Theater à Hollywood, un château fort avec un pont-levis qui s'abaissait et se relevait, un traîneau de la taille d'une locomotive, et encore une demi-douzaine de créations fantasques magnifiquement réalisées que Budd consigna aussitôt dans son calepin. En plein centre, sans manteaux et les joues rougies par le froid, une escouade d'étudiants préparaient le feu de joie, empilant les rondins en un immense bûcher, et une fois de plus Scott envia leur vigueur animale. Fier d'avoir été élève en ces lieux, Budd lui montra la patinoire, le tremplin à ski et la piste de luge, qui tous devaient figurer dans des scènes clés du film, mais qui ne lui parurent pas très inspirants. Même s'il ne voulait pas avoir l'air paresseux, il lui semblait qu'ils avaient suffisamment marché. Il gardait de sa nuit sur la couchette une douleur à l'épaule et avait envie de rentrer à l'hôtel pour se réchauffer au coin d'un bon feu. À force de ne pas dormir, il ne savait même plus quel jour on était et il dut faire un effort pour se le rappeler. Vendredi, on n'était que vendredi.

Si le trajet en train avait été une fête, le carnaval fut une vraie orgie. Dès le coucher du soleil, on alluma les flambeaux, et l'esplanade s'emplit d'obscures meutes de joyeux fêtards, les sculptures projetant leurs ombres vacillantes sur les bâtiments. Les flammes se reflétaient sur les vitres de toutes les salles de cours, comme si le campus faisait l'objet d'une attaque en règle. Un orchestre de swing s'était installé en haut des marches de la bibliothèque et, couvrant les tambours tribaux et le mugissement d'un saxophone, leur parvenaient des cris d'agression et d'extase. Pour se protéger du froid, Scott sirota sa bouteille de gin, l'air pur de la nuit et la lumière du feu devenant alors d'une beauté indescriptible. Des années auparavant, juste après leur mariage, il avait emmené Zelda au carnaval d'hiver à Saint Paul. Elle avait détesté cela, la fille du Sud qu'elle était manquait de résistance. Il n'y était jamais retourné depuis. Aujourd'hui, il ressentait un lien atavique avec cette tradition, comme s'il était enfin à sa place. Au sommet du vieux bonhomme Hiver, chevauchant son front aussi orageux que celui d'un éléphant, se trouvaient deux filles sans compagnon, qui buvaient en regardant la foule. Il leva sa bouteille à leur santé et elles lui rendirent son salut.

À onze heures, quand l'orchestre cessa de jouer, les danseurs se dirigèrent vers les bars des différentes fraternités. Budd avait été trésorier de la Pi Lambda Phi, et ils n'eurent pas à faire la queue pour entrer. Les membres leur servirent des chopes de grog, une mixture dont Scott ne reconnut pas les ingrédients. Le président leur porta un long toast cérémonieux. Budd le remercia et déclara que Scott, ancien étudiant de Princeton, n'était pas obligé de vider son verre.

« C'est ce qu'on va voir, dit-il en faisant cul sec avant tous les autres. Qui c'est qui a gagné ? C'est mon université ! » lança-t-il gaiement, le menton dégoulinant, et un concert de clameurs couvrit sa voix.

Dans le jardin de derrière, ils avaient leur propre feu de camp et chantaient des chansons paillardes pour choquer les filles, les bouchons sautaient et s'envolaient vers les étoiles. Les membres de la fraternité s'occupaient de Budd en ancien élève vedette et s'assuraient que leurs verres n'étaient jamais vides. Plusieurs jeunes femmes faisaient rôtir des marshmallows, et Scott se brûla la langue en en goûtant un, avant d'être saisi par une salve d'éternuements. Son nez coulait toujours, mais il ne sentait plus le froid. Le grog lui donnait du cœur au ventre. Aux toilettes, il dut se soutenir en posant une main sur le mur, impressionné par la cataracte de bulles qu'il produisait. De nouveau dehors, il découvrit que sa bouteille de gin était vide. Les sourcils froncés, il la jeta au feu. Seuls quelques membres étaient encore présents, les filles étaient parties. Après les deux dernières nuits qu'il avait passées, il était prêt à se mettre au lit.

« Encore un, proposa Budd en levant un doigt.

– Juste un, alors. »

Cela devint leur mot de passe, à la fois une plaisanterie et un aiguillon. Ils s'attardèrent trop longtemps et regagnèrent leur grenier en empruntant l'escalier de service, de peur que Wanger ne les attende dans le hall.

Le lendemain matin, ils tentèrent de rentrer dans ses bonnes grâces en fournissant à l'équipe de tournage une nouvelle liste des plans-séquences auxquels ils avaient pensé, mais cela parut lui déplaire.

« Ça, c'est le rôle de mon réalisateur. Ce que je vous demande à vous, ce sont des scènes – de l'action, des dialogues. Qu'avez-vous fabriqué tout ce temps ? »

Pendant le reste de la journée, ils se réfugièrent dans la bibliothèque, marchant de long en large et fumant comme des pompiers pendant qu'ils élaboraient le deuxième acte, ce qui ne fit qu'aggraver la toux de Scott. Ils s'abstinrent de boire parce qu'ils devaient rencontrer lors du dîner le doyen de la faculté et certains enseignants du département d'anglais, parmi lesquels l'ancien professeur de Budd qui avait fait lire *Gatsby* à ses étudiants. À peine le repas terminé, ils se précipitèrent au carnaval, comme des enfants dans la cour de récréation.

Le lendemain aurait lieu le défilé proprement dit, ainsi que la descente aux flambeaux des skieurs. Ce soir-là n'était qu'un échauffement, et ils le considérèrent donc comme un moment de liberté : ils burent quelques grogs au bar de la fraternité, puis rejoignirent les patineurs, sans jamais se donner la peine de prendre des notes. Ils allaient de feu de joie en feu de joie comme des mendiants, négociant quelques commérages du monde du cinéma contre ce que les étudiants voulaient bien leur offrir. Ils devinrent rapidement grands amateurs de vin chaud, de grogs et de schnaps. Ça marchait à tous les coups. Tout le monde voulait savoir à quoi ressemblait Hollywood.

À présent Scott avait déjà la gorge en feu. Il respirait avec peine ; chaque fois qu'il déglutissait, ses amygdales le brûlaient, et pourtant il continuait à boire, poussé par la camaraderie et la promesse de nouvelles aventures. On organisa une promenade en traîneau, puis une fête dans une grange décorée avec des guirlandes en papier crépon, et une bataille de boules de neige au cours de laquelle il en reçut une en plein visage et se mit à saigner du nez. Il s'assit sur un tronc, la tête renversée en arrière, tentant d'endiguer le flot, tandis qu'en ville, une cloche égrenait les heures : une, deux. Il attendit le troisième coup, mais à sa grande déception, il ne résonna jamais.

Plus tard cependant, sans savoir comment, ils se retrouvèrent face à la piste de luge. Aucune lumière et, en gravissant les marches, il glissa et tomba, se cogna la hanche et demeura prostré à terre.

« Tu es encore vivant ? demanda Budd.

– Ne m'attends pas.

– Je ne veux pas y aller sans toi.

– Je vais me reposer un peu ici.

– C'est pas si loin.

– Vas-y.

– Allez, dit Budd en l'aidant à se relever et en le soutenant comme un camarade blessé. Encore un… effort. »

Il restait une dizaine de marches, et de là-haut, apercevant à travers les arbres la lune et tout le campus en contrebas, il eut le vertige et dut s'agripper à la barrière deux mains. La piste s'enfonçait dans le noir. Dans le quartier de Summit Avenue à Saint Paul, la colline sur laquelle on faisait de la luge était à l'intérieur du cimetière. Tout en bas, un pont en pierre traversait un cours d'eau, et quand il était tout petit, une fille du voisinage y avait trouvé la mort, ce qui avait poussé le gardien à ériger par la suite un mur de balles de foin chaque hiver.

« Assieds-toi là, dit Budd, le guidant pour qu'il prenne place derrière un grand costaud, puis se glissant à son tour dans son dos. OK, à trois, on y va. À la une, à la deux… »

Les autres se joignirent à eux et la luge s'avança, un instant suspendue au bord, avant de basculer. Ils s'élancèrent sur la piste, tremblant sur les ornières creusées dans la glace, la neige l'éclaboussant jusqu'aux poignets. Le vent lui arrachait des larmes. Il n'y voyait plus rien et il se blottit contre le dos puissant du garçon, l'utilisant comme un bouclier. Alors qu'ils gagnaient de la vitesse, cahotant droit vers les arbres, la luge heurta une bosse et ils se retrouvèrent dans le ciel, flottant, aériens et sans amarre, à la merci de la gravité. Il ne savait plus ce qu'il faisait là, loin de tous ceux qu'il aimait. S'il mourait la nuque brisée, il serait incapable de fournir la moindre explication. Il entendait Budd et ses autres compagnons crier de joie, la luge fit alors une embardée et dérapa en atterrissant dans la neige, se renversant sur le flanc et lâchant ses passagers comme une poignée de dés sur le versant de la colline, avant de poursuivre sa descente à reculons, entraînant sa corde dans son sillage.

Ils étaient jeunes et le désastre les fit rire. Mis à part Scott, tous voulaient recommencer.

« Encore un… tour, dit Budd.

– On se retrouve à l'hôtel.

– Tu sais comment y aller d'ici ? »

Scott fit un geste vague en direction du campus.

« OK, mon pote, répondit Budd. Je te raccompagne. »

Ils n'empruntèrent pas le chemin qu'aurait pris Scott. Sur l'esplanade, les sculptures se profilaient comme les ruines obscures d'idoles oubliées. Il faisait plus froid maintenant, les allées étaient entièrement verglacées. Budd l'aidait en le tenant par l'avant-bras pour qu'il ne bascule pas vers l'avant, mais Scott perdait tout de même l'équilibre, tombant sans cesse sur un genou puis l'autre, comme un patineur aux chevilles trop faibles. « Allons, allons, l'encourageait Budd, haut les cœurs. » La situation aurait été comique s'il ne s'était pas senti aussi épuisé. Il chuta une dernière fois sur le dos, au milieu de la chaussée, juste avant d'arriver à l'hôtel. Alors que Budd le soulevait en glissant les mains sous ses aisselles, une voiture tourna au coin de la rue et les aveugla de ses phares. Bien que ce fût impossible, Scott songea que Reinecke était sorti de sa tombe pour se venger.

« Je suis désolé », marmonna Scott, tandis que Budd le tirait jusqu'au trottoir. Le porche était éclairé, et pendant qu'ils en gravissaient péniblement les marches, se rapprochant de leur but, la porte s'ouvrit et là, furieux comme un père inquiet, Wanger apparut sur le seuil.

« Salut, patron, lança Scott, avant que Budd ait pu le faire taire.

– Mais qu'est-ce que vous foutez là, bon Dieu ?

– On vvva se cccoucher.

– Vous pouvez faire vos valises, tous les deux. Je vous avais prévenus. Peu m'importe qui vous êtes, pas question que je laisse deux ivrognes bousiller mon film. Je ne sais pas à quelle heure est le prochain train, mais je peux vous dire un truc, les gars, vous allez le prendre.

– Deux ivrognes ? répéta Scott.

– Entendu, monsieur, répondit Budd, lui coupant la parole.

– Je vais vous montrer si je suis ivre », dit Scott en retirant maladroitement ses gants, comme s'il le défiait en duel. L'un d'eux tomba sur le perron.

Wanger n'attendit pas qu'il le ramasse. Il claqua la porte et traversa le hall d'un air digne, les laissant plantés là dans le froid.

« Où est-ce qu'il est allé chercher un nom pareil, Wanger[1], je vous demande un peu ? » s'exclama Scott.

Une fois dans leur grenier, allongé sur son lit pliant, Scott paria que le producteur aurait changé d'avis avant le lendemain matin.

« Non, répondit Budd. Il n'est pas comme L.B. On aurait dû passer par-derrière. Je suis désolé, j'aurais dû y penser.

– Qu'il aille se faire voir, alors !

– Au moins, on n'aura pas à passer une nuit de plus dans ce frigidaire.

– Amen ! » soupira Scott.

Trop tard, le mal était fait. Le matin, il avait des difficultés à respirer et une grosse fièvre. Dans le train, il se mit à transpirer terriblement et à trembler malgré son pardessus. Au-dehors, l'Hudson qui roulait ses eaux grises lui donnait le vertige. Ce n'était pas seulement l'alcool,

1. *Wanger* est un mot d'argot qui désigne le pénis.

mais tout le reste à la fois. Depuis la gare de Grand Central, Budd appela Sheilah à son hôtel.

Elle les retrouva à l'hôpital. Quand elle aperçut Scott à demi couché sur un brancard aux urgences, elle secoua la tête, comprenant qu'elle aurait dû s'en douter ; néanmoins elle s'approcha de lui.

« Qu'est-ce que tu t'es encore fait ? »

La Via Blanca

Tout comme les penchants pour la chair fraîche ou l'aveu d'être bolchevique, boire était un péché que l'on pardonnait à Hollywood, mais pas indéfiniment. Étant donné son âge et sa prestigieuse lignée, Budd fut réengagé dès son retour, tandis que Scott, le vieux débauché, se faisait blackbouler. Il avait trahi la confiance de Wanger, la parole de Selznick, et par extension celle de Mayer, qui de toute façon n'avait nul besoin de ses services. Il se retrouva assigné à résidence pendant que Swanie se démenait pour lui dénicher un contrat quelconque, même si, alors que les semaines passaient et que Scott recouvrait ses forces, la situation paraissait de plus en plus désespérée. Il se levait tôt et écrivait des nouvelles, sirotant son café en peignoir et en chaussons ; la maison était d'un silence de mort, et il s'aperçut que cela ne lui déplaisait pas. Il y avait quelque chose de rafraîchissant dans la simplicité des crayons et du papier. D'une certaine façon, cette dernière humiliation lui donnait une leçon d'autosuffisance. Son échec était si patent qu'il était redevenu son propre maître.

Sheilah lui battait froid, elle annulait leurs rendez-vous et utilisait la distance comme prétexte pour ne pas lui rendre visite. Elle avait de bonnes raisons, songeait-il, mais plus sa colère durait, plus elle lui semblait dirigée contre lui-même et non contre son écart de conduite. Après des années à essayer de venir en aide à Zelda, il comprenait la frustration de la jeune femme. Aux yeux de Sheilah, il était vieux, faible, et on ne pouvait pas lui faire confiance. Elle en avait assez de jouer les aides-soignantes, et comment lui en vouloir ? Dans ses moments les plus déprimés, il pensait qu'elle ferait mieux de se débarrasser de lui, et quand elle lui dit qu'elle devait accompagner Young Doug au Clover Club, il l'accusa précisément d'être en train de s'y employer.

Il comprenait bien pourquoi elle ne voulait pas être vue en sa compagnie. Il était la honte de la profession. C'était à peine si on parlait encore fugitivement de lui dans le *Reporter*.

Pourquoi fallait-il qu'il se comporte comme un tel abruti ? ne cessait-elle de demander.

Ils se querellaient avec l'acharnement de ceux qui n'attendent plus rien. Il savait qu'elle le haïssait de lui faire perdre son temps. Et elle n'avait pas tort.

Les United Artists ne lui payèrent qu'une semaine de travail et la plus grosse partie de cet argent servit à régler l'hôpital. Le reste devait lui durer jusqu'à la fin du mois, à moins qu'il ne parvienne à vendre une nouvelle. Il recula le moment de payer Magda et honora l'échéance de sa voiture. Il rangea les autres factures dans un tiroir dans l'espoir peut-être de les oublier.

Il fit du porte-à-porte, appela tout le monde à la MGM et ses amis au Jardin, harcelant Bogie pour qu'il glisse un mot en sa faveur à la Warner, demandant à Sid si Pep pouvait le faire entrer chez Republic. Il n'avait rien contre un film de série B ou même un court métrage. Don Stewart le prit au mot et le recruta pour une nullité à la Paramount intitulée *Air Raid.* Six semaines à trois cent cinquante dollars. Il se demanda si Budd lui avait donné un coup de pouce. C'était vraiment un chic type, même si le salaire proposé était indécent.

Cela paraît injuste que mes actions aient chuté à cette vitesse vertigineuse, écrivit-il à Ober. *Le voyage à Dartmouth était une folie depuis le début. Je n'avais rien à gagner à faire cette expédition vers l'Est. Je n'étais vraiment pas assez en forme pour courir dans tous les sens afin de satisfaire les caprices d'un producteur, mais je me suis dit que je n'avais pas le choix. Je suis complètement remis, à part la blessure narcissique et le trou dans mes comptes, et j'ai réussi à recommencer à écrire, ce que je n'aurais jamais dû cesser de faire, d'ailleurs. Je te joins « Étrange sanctuaire », comme nous en étions convenus. Je suis satisfait de la façon dont je m'en suis finalement sorti, après pas mal d'hésitations sur la fin. Tu pourrais essayer* Collier's, *si elle est trop courte pour le* Post, *même si je pense que c'est exactement dans leur ligne éditoriale.*

Il se montra prudent à la Paramount. *Air Raid* était un vrai navet, mais comme Oppy, il en était venu à apprécier les privilèges matériels offerts par les studios, et il décida de s'accrocher. Assagi, comme toujours, par le dernier désastre, il était résolu à ne plus boire et à leur prouver qu'il pouvait travailler plus que tout le monde. Chaque matin, il se levait avant l'aube et passait le portail avec son attaché-case plein de canettes de Coca. Il devait partager le crédit au générique avec Don. Pas de manœuvres ni de coups de couteau dans le dos au cours des réunions, aucune autre équipe qui attendait en coulisses de leur voler leur place. Quand le producteur, Lazarus – un nom de circonstance –, voulait une scène plus conséquente ou un gros plan sur sa star, ils allaient s'enfermer dans le bureau qu'ils partageaient et lui arrangeaient ça. C'était comme faire des œufs sur le plat à la demande. Il déposa son chèque sur son compte et se réjouit de le voir renfloué, comme s'il y avait là une preuve de sa vertu. Il pouvait payer ses factures. Bientôt, il aurait de quoi se lancer dans son roman. Il n'en voulait pas davantage.

Pendant les vacances de Pâques, Scottie prit le train toute seule pour rendre visite à sa mère dans le Sud. Après avoir manqué Noël une fois de plus, il regrettait de ne pouvoir les rejoindre, aussi mauvais que cela eût été pour sa santé. Il n'avait pas revu Zelda depuis la débâcle de Virginia Beach, et ce samedi, pendant qu'il faisait ses courses, il eut la tentation d'envoyer un télégramme au Dr Carroll pour prendre de ses nouvelles. Si elle en était capable, cet été, ils pourraient peut-être faire ce voyage à Cuba qui venait de lui échapper, rien que tous les deux. Il avait un peu d'argent devant lui maintenant, mais plus de temps libre. Il s'interdit de promettre quoi que ce soit pour l'instant, s'en remettant au rapport de Scottie.

Plus tard, au cours de la même semaine, alors qu'il travaillait sur une nouvelle, l'inspiration lui manqua et il se leva pour arpenter la pièce de long en large. Il était habillé pour partir aux studios, il portait même ses chaussures élégantes, ces mêmes Oxford à semelle lisse qui lui avaient valu quelques mésaventures dans la neige, cirées aujourd'hui à la perfection comme s'il était de retour à Newman ou dans l'armée, soumis à l'appel du matin. Il suivait toujours le même itinéraire quand il se creusait la cervelle, il traversait le salon en contournant la table basse, passait par la cuisine pour regarder sans les voir les collines blondes, puis se glissait derrière le canapé jusqu'à la table de la salle à manger où l'attendait son bloc. Il se tint immobile un moment, les lèvres pincées, retournant toujours sa dernière phrase dans sa tête, avant de s'éloigner de sa chaise. Tel Pierrot, il avait coutume de relever haut le menton en marchant pour interroger la page blanche du plafond, comme s'il pouvait s'y trouver quelque chose d'écrit. Mais rien – seulement une tache d'humidité, quelques copeaux de peinture écaillée maintenus par des toiles d'araignée que Luz était trop petite pour atteindre. Il se dirigea vers le salon, franchissant d'un grand pas l'étroit goulet de bois brut qui séparait deux affreux tapis, et quand il reposa le pied droit, les lattes s'enfoncèrent comme le sol mouvant d'une attraction foraine, puis revinrent en place, lui faisant perdre l'équilibre. Pour éviter de tomber sur la table basse, il plongea vers le canapé comme sur la ligne de but, tandis que dans la cuisine, une assiette en étain commémorant le Golden Spike se décrochait de son clou, heurtait le comptoir dans sa chute, et atterrissait sur le lino.

Il retint son souffle, s'attendant à ce que la pièce se mette à vibrer, mais rien de plus ne se produisit. Il venait de survivre à son premier tremblement de terre. Sans doute était-ce là une réaction typique d'un homme de l'Est, mais il eut l'impression d'avoir accompli un exploit. Pendant plusieurs semaines, il se remémora la sensation d'oscillation spasmodique, comme pour se prouver que la secousse avait bel et bien eu lieu.

Aux studios, personne n'était impressionné. Une conduite d'eau avait crevé en plein milieu des plateaux extérieurs, causant l'apparition impromptue d'une rivière dans le décor de Chinatown, et la cantine était fermée. Après avoir pris son déjeuner au drugstore, il évalua les dégâts. Tombée à la renverse dans une mare de boue, parmi les lattes et les toiles d'une douzaine de fonds de décor écroulés, telle une maison arrachée à ses fondations, gisait la statue sereine d'un Bouddha. Des déchirures dans le ventre de jade de l'idole révélaient qu'il était en mousse. Trois machinistes campés près d'une grue débattaient de son sort. C'étaient des techniciens, des hommes à l'esprit pratique. Les plaques tectoniques du continent – le monde lui-même, en fait – avaient tremblé, et la seule chose dont ils se souciaient, c'était de savoir comment remettre les choses en place. Il aurait pu leur dire que cela ne servirait à rien, mais toute sa vie, il avait fait la même chose.

Scottie n'écrivait pas souvent, elle était trop occupée par l'université, les garçons, et autres activités connexes, mais il finit par perdre patience et exigea des nouvelles. Comme c'était à prévoir, leurs deux lettres se croisèrent, et il regretta de ne pas avoir attendu un peu.

Je me réjouis, écrivit-il, *que ton séjour se soit bien passé. Il est si facile d'oublier que ta mère, quand elle va bien, peut être d'une compagnie absolument délicieuse. Malgré toutes ces vicissitudes, elle a réussi à conserver un charme et une gaieté que je trouve touchants. Une part de sa volonté restera toujours jeune et intrépide, pour le meilleur et pour le pire. Je sais qu'elle s'inquiète que tu l'aies surtout vue dans des moments difficiles, ces derniers temps, et cette fois-ci servira sans doute à rétablir un peu l'équilibre.*

Mes projets ici ne sont pas encore arrêtés, mais dès que j'aurai un peu de temps, je voudrais prendre avec elle des vacances si souvent repoussées. Je n'ai plus que trois semaines de travail sur le film concernant les abris antinucléaires, et je n'ai rien d'autre de positif à en dire. Je m'y donne pourtant à fond, exactement comme tu devrais le faire pour tes cours de philosophie. Je suis sûr que tu sais désormais que la vie ne nous offre qu'un nombre restreint de chances, et on regrette amèrement celles qu'on a laissé passer, que ce soit par paresse, par faiblesse ou par orgueil. Tout ce que je te demande, c'est de t'accrocher, quelles que soient les difficultés, pour que, quand tu auras mon âge, tu puisses regarder en arrière et te dire que tu as fait tout ce que tu pouvais. Ainsi se termine la leçon. (Eh non, je ne vais pas m'excuser pour ce ton de directeur d'école. Tu sais que je pense que tu es une personne merveilleuse et que je me vante de t'avoir pour fille auprès de qui veut bien m'entendre, mais, ma poupée, tu n'es pas et ne seras jamais une étudiante qui se contente de la moyenne. Je le sais parce que moi, j'ai été un élève moyen, un élève médiocre et même un mauvais élève, et que je regrette de l'avoir été. Fais ce que je dis… etc.)

Il suivit son propre conseil. Sans Sheilah, ses soirées étaient libres, et alors qu'*Air Raid* touchait à sa fin explosive, il écrivait le matin et le soir, et envoya deux nouvelles de plus à Ober. Il se dit qu'elles valaient au moins deux cent cinquante dollars pièce. Avec cet argent supplémentaire, il pourrait engager une secrétaire pour dactylographier les piles de notes qu'il avait prises pour son roman. Il comptait s'y mettre dès l'été, quand il aurait terminé de travailler à la Paramount.

Il espérait y rester encore, le temps d'un projet. Il n'avait pas envie d'un contrat de six mois comme celui de Don, rien qu'un film de plus pour renflouer durablement son compte en banque et se voir crédité une fois de plus à un générique afin de compléter son curriculum vitae. Lors de son avant-dernière semaine, il demanda à Swanie de parler à Lazarus. Mais avant que celui-ci ait pu l'appeler, le bruit se répandit : *Air Raid* était mis au placard.

Scott voulait une explication, comme si une raison valable pouvait amortir le choc. Don, Swanie, Sheilah, tous haussèrent les épaules. C'était Hollywood.

Il serait payé, mais il n'avait plus sa place aux studios, et Swanie ne parvint pas à l'y faire revenir. Il avait à présent toute la journée pour écrire, errant dans la maison comme un fantôme, en peignoir et en chaussons. Il s'était tellement habitué à sa routine quotidienne que son licenciement cassa son rythme. Il ne se sentait pas prêt à commencer son roman, et toutes les idées qui lui venaient paraissaient banales.

Ober avait d'autres mauvaises nouvelles à lui annoncer. Le *Post* et *Collier's* avaient refusé « Étrange sanctuaire », ainsi d'ailleurs qu'*Esquire.* Il ne voulait pas soumettre le texte ailleurs sans l'accord de Scott.

« Où cela, “ailleurs” ?

– *Liberty.* »

En était-on réellement là ? Ils ne l'avaient fait qu'une fois, alors qu'il était au plus bas.

« Et *Century* ?

– Ils n'acceptent rien en lecture en ce moment.

– *Redbook.*

– Pas vraiment leur truc.

– *The American.*

– Disparu l'année dernière.

– Et si on proposait les deux autres à la place ?

– Pas impossible, répondit Ober, dont l'absence d'enthousiasme était flagrante.

– Combien paye *Liberty* de nos jours ?

– Comme toujours. Cent dollars.

– Entendu, dit Scott. Essayons. »

Mais ils n'en voulurent pas non plus.

De ces trois nouvelles, Ober considérait que la première était la meilleure. Il ne voyait pas l'intérêt d'envoyer les deux autres au *Post* ou à *Collier's.*

« Et *Esquire* ?

– On peut tenter le coup. »

Scott ne savait pas très bien s'il lui en voulait de son ton ou de cette concession qui ne lui coûtait rien. Des deux. Ober n'était-il pas censé croire en lui ?

La semaine suivante, il reçut par la poste une enveloppe expédiée par le service comptable d'Ober, son nom complet indiquée dans la fenêtre en Cellophane. C'était un chèque, même s'il n'avait pas la moindre idée de ce qui lui valait ça. Peut-être la façon qu'avait trouvée Ober de s'excuser. Il choisit de l'ouvrir le plus tard possible, écartant d'abord les factures et se forçant au calme avant de déchirer le rabat. C'était le paiement de droits d'auteur acquis chez Scribner, accompagné d'un relevé détaillé. Tout compris, pour la période qui se terminait en janvier, ses livres lui avaient rapporté 1,43 dollar.

« Sympathique », dit-il avant de retourner le chèque pour l'endosser.

Seul, sans perspective d'avenir ni aucun projet de livre, il perdait son temps et il décida, tant qu'il en avait encore les moyens, d'emmener Zelda à Cuba pour leur anniversaire de mariage. Il se prépara en s'offrant quelques bières et en se querellant avec Sheilah. Elle lui fit une visite surprise, déboulant à Encino sans s'annoncer. Après des semaines où elle l'avait totalement ignoré, elle ne voulait pas qu'il parte.

« Tu sais parfaitement ce qui va se passer. Regarde-toi – ça a déjà commencé.

– Cela fait plus d'un an.

– Tu peux aller la voir à l'hôpital.

– J'ai promis.

– Scottie ne vient-elle pas de lui rendre visite ?

– Elle dit qu'elle va bien. Mais même sans ça, elle reste ma femme.

– Je veux seulement que tu ne recommences pas à te faire du mal. »

Il n'avait rien à lui opposer et songea à son producteur et à sa petite amie anglaise. Eux ne se disputeraient jamais de cette façon.

« Vas-y. Je ne peux pas t'en empêcher.

– Effectivement.

– Promets-moi au moins que tu ne boiras pas dans l'avion.

– Je te le promets.

– Ni à l'aéroport.

– Ni à l'aéroport.

– Pas même une bière. »

Il leva sa bouteille. « Pas même une bière. »

Mais deux nuits avant le jour où il était censé partir, la bière vint à manquer et il ouvrit une bouteille de gin. À sa plus grande stupeur, il l'appela pour lui demander de venir le sauver. Quand elle arriva, il ne se souvenait pas de lui avoir téléphoné et la pria de le laisser tranquille. Pour une raison inconnue, son revolver était posé sur sa commode. Lorsqu'elle tenta de le subtiliser et de le glisser dans son sac, il lui saisit le poignet. Elle le gifla à la volée et il se retrouva par terre.

En découvrant que l'arme était chargée, elle se répandit en injures.

Tout ce qu'il put dire, c'est qu'il était désolé. Il ne comptait rien en faire.

« Je ne me suis pas arrachée du caniveau pour gâcher ma vie avec toi », et elle tourna les talons en emportant le revolver.

Pas le temps de se rabibocher. À peine celui de dégriser. Peut-être ce voyage leur ferait-il du bien. Une pause salutaire pour tous les deux.

Comme s'il avait voulu lui montrer qu'elle avait tort, il s'abstint de boire pendant toute la traversée du pays. Il dormit durant toute la dernière partie du voyage et atterrit frais et reposé. Tryon ne changeait pas : la gare, la bibliothèque, son vieil hôtel. Il aurait pu ne s'être éloigné que le temps d'un week-end. Tout au long de la route sinueuse qui conduisait à l'hôpital, les rhododendrons étaient en fleur.

Avant de le laisser voir Zelda, le Dr Carroll l'entraîna dans son bureau et le mit au courant de ses progrès. Elle était dans un état stable depuis environ cinq mois maintenant. Il restait un soupçon de manie religieuse – mais pas davantage qu'on n'en observe chez le tout-venant des baptistes, plaisanta le psychiatre. Dans l'ensemble elle réagissait très bien au traitement. Comment se portait-il ? La dernière fois, il y avait eu quelques problèmes. Ils ne voulaient surtout pas qu'elle soit déstabilisée, surtout en ce moment.

Ober, Sheilah, et maintenant le médecin. Pourquoi tout le monde lui parlait-il comme à un enfant ?

« J'y veillerai, évidemment », répondit Scott, et il signa les papiers.

La Zelda que l'infirmière accompagna depuis l'aile réservée aux femmes lui parut toute différente, une nouvelle usurpatrice. Elle avait les cheveux couleur chocolat, une teinture ratée, sa frange coupée tout droit comme celle d'un moine. Pour la première fois de sa vie, elle portait des lunettes, des verres cerclés d'or, qui, combinées à sa coiffure, donnaient l'impression d'un déguisement maladroit. Depuis la dernière fois qu'il l'avait vue, son visage était devenu rond comme un ballon, elle avait de grosses joues comme sa sœur Rosalind et de fines rides pareilles à des crevasses autour de la bouche. Comparée à Sheilah, elle avait l'air d'une douairière sans chic, une ressemblance que venaient renforcer ses vêtements d'occasion.

« Mon bécasseau », dit-elle en se réclamant de leur ancienne intimité ; mais elle se tint à distance, comme par pudeur, ou peut-être parce qu'elle obéissait à des ordres.

Après quelques secondes d'embarras, il s'approcha pour l'embrasser. « Joyeux anniversaire de mariage.

– Cela fait combien d'années aujourd'hui ? » s'enquit le médecin.

Dix-neuf ans. Elle avait dix-neuf ans quand il l'avait épousée, sa fantasque reine de beauté, et si la jeune fille d'alors avait disparu, il en allait de même du fringant lieutenant qu'il était, avec son édition de poche des poèmes de Keats, sa casquette militaire et ses rêves d'immortalité. Les années l'avaient peut-être marquée davantage, mais ils formaient néanmoins un couple, tel que lui et Sheilah, avec l'insolente santé de sa jeunesse, ne seraient jamais.

« Tu parais en forme.

– Je te remercie.

– Scottie m'a dit que vous aviez passé un moment agréable ensemble.
– Oui, c'est vrai. Elle a été très gentille. »

Devant le psychiatre, elle parlait avec une douceur ampoulée, comme s'il risquait de changer d'avis à la dernière minute. Elle voulait emporter sa boîte d'aquarelles pour peindre quelques marines. Ce serait plaisant d'avoir de nouveaux paysages à dessiner. Il leur dit de bien profiter de leur séjour, une injonction que Scott jugea malencontreuse.

Elle ne lui prit pas la main pour traverser le hall, et il comprit qu'il s'était trompé. Si elle s'était montrée distante dans le bureau du médecin, ce n'était pas par distraction, mais parce qu'elle l'avait décidé, cette défiance lui était adressée, comme si, à son insu, ils étaient au milieu d'une querelle. Il se demanda si d'une façon ou d'une autre – pas nécessairement par l'intermédiaire de Scottie –, elle avait appris l'existence de Sheilah.

Elle resta silencieuse dans la voiture et attendit qu'ils aient passé le portail et gagné l'ombre de la forêt pour ouvrir enfin la bouche :

« Je pense que je suis prête à rentrer à la maison.
– Là tout de suite, tu veux dire ?
– Je suis tout à fait sérieuse. Au retour, je voudrais que tu en parles au médecin.
– Si tu veux.
– Tu le verras toi-même, je vais beaucoup mieux.
– Tu m'excuseras, mais j'ai l'impression d'avoir déjà entendu ça quelque part.
– C'est exactement la raison pour laquelle je veux que tu puisses t'en rendre compte par toi-même. »

Il l'avait assez souvent observée pour savoir repérer les moments où elle déjantait. Elle pouvait effectivement paraître bien en cet instant, raisonnable et alerte, mais c'était typique du premier jour. Inévitablement, le dérapage se produirait : les passages à vide, les hallucinations et les accès de rage. Elle ne pourrait pas le lui cacher en vivant toute une semaine à ses côtés.

« Entendu. J'espère que tu dis vrai. »

Elle irait bien. Il ne boirait pas. Avant de prendre l'avion, il savait déjà que ce temps passé ensemble serait une expérience, du même ordre que toutes celles qu'ils avaient tentées depuis plus de dix ans dans les meilleurs endroits possibles. Il n'avait aucune raison de penser que le résultat cette fois serait différent, mais, poussé par un sentiment obstiné de loyauté ou un désir irrépressible de se punir, il acceptait de faire un nouvel essai. À l'aéroport, quand elle revint des toilettes, elle portait autour du cou une minuscule croix d'argent qu'elle touchait de temps à autre comme un porte-bonheur. Alors qu'ils luttaient contre les alizés dans le détroit de Floride, les Keys en contrebas aussi blanches que du sel sur la mer turquoise, le fataliste en lui songea que ce serait plus facile s'ils réglaient la question maintenant plutôt que de passer la semaine à redouter l'inévitable.

Ernest avait une maison près de La Havane, mais il en voulait à Zelda de tout ce qui était arrivé. Ce ne serait donc qu'à l'occasion d'un prochain voyage qu'il pourrait lui rendre visite.

Varadero était à une heure de la capitale sur la côte Nord, au bout de la Via Blanca, une grande route bordée de champs de canne à sucre et d'églises blanchies à la chaux. Des charrettes tirées par des ânes la disputaient à des camions diesels tonitruants qui transportaient le sel récolté dans la baie de Cardenas. La Playa Azul courait tout le long de la presqu'île, les hôtels de luxe nichés comme des temples parmi les villages de pêcheurs.

Ils avaient réservé au Club Kawama, dans le bâtiment principal, une villa en granit couverte de lichen des Caraïbes et agrémentée de balcons qui donnaient sur la piscine. Avec ses palmiers royaux, ses fontaines mauresques et ses bungalows en stuc, elle faisait irrésistiblement penser au Jardin d'Allah : il n'y manquait que le fantôme de sa propriétaire. La saison était terminée, et une aile avait déjà fermé, ses volets étaient clos. Dans la salle à manger, le premier soir, il entendit un couple parler allemand et il se demanda s'il s'agissait d'espions ou d'exilés. Ou peut-être étaient-ils les deux à la fois. La femme était plus jeune, elle avait les cheveux châtain clair et était vêtue comme pour aller au casino, ses épaules dénudées d'une chaude teinte caramel. Zelda et lui avaient une chambre dotée de lits séparés, et avec un soupçon d'envie mélancolique, il regarda le couple terminer son repas et se diriger vers la suite de sa soirée.

« Tu aurais dû te présenter, dit Zelda. Je suis sûre qu'ils sont beaucoup plus distrayants que moi.

– J'ai tout sauf envie de me distraire. Quand je m'amuse trop, je me crée des ennuis.

– Ce n'est pas de distraction dont tu parles, là, mais de tout le reste. La modération n'a jamais été notre fort, ni à toi ni à moi.

– Je n'ai jamais voulu être quelqu'un de modéré.

– Pourtant, aujourd'hui, si.

– Aujourd'hui, je n'ai plus le choix. Si tant est que je l'aie jamais eu.

– Tu l'avais, répondit-elle. Cela t'était égal, voilà tout.

– Tu me ressemblais beaucoup à cet égard.

– Je ne dis pas le contraire. Je sais que j'étais épouvantable.

– Tu étais merveilleuse.

– Merveilleusement épouvantable.

– Moi je te trouvais merveilleuse.

– Pas toujours.

– Mais la plupart du temps.

– La plupart du temps », répéta-t-elle en songeant à de glorieuses exceptions, impardonnables pour l'un comme pour l'autre. Tout ce qu'ils avaient en commun, c'était leur passé, et ils ne pouvaient pas revenir en arrière.

Il faisait nuit et en traversant le patio pour rejoindre leur chambre, ils virent des chauves-souris voleter autour de la piscine éclairée. L'air était humide, sans un souffle de vent, les vagues se brisaient doucement dans l'obscurité. Il pensa à Sheilah à Malibu : allongés côte à côte sur le sable frais, ils regardaient les lumières des avions clignoter à travers la toile de fond des étoiles pareille à une carte du ciel. *Je ne me suis pas arrachée du caniveau pour gâcher ma vie avec toi.* Plus tard, dans son lit étroit, après que Zelda eut dit ses prières et se fut endormie, il entendit des bruits d'eau et, à pas feutrés, il s'approcha du balcon. C'étaient les Allemands qui jouaient dans la piscine comme deux otaries. Caché dans l'ombre, il les observa longtemps avant de refermer silencieusement la porte-fenêtre.

Le lendemain matin, il la trouva ouverte. À l'est, le ciel de l'aube était déjà marbré de rose. Zelda avait disparu. Elle avait fait son lit, une bible Gideon était posée dessus, la page de l'Ecclésiaste qu'elle était en train de lire marquée d'un ruban noir. Un coq chantait inlassablement. Il n'était que cinq heures et demie. Il l'imagina noyée dans la piscine, ou le corps ballotté par les vagues. Il enfila en hâte ses vêtements de la veille, se précipita dans l'escalier, traversa le patio éblouissant de blancheur et les terrains de palets, pour la découvrir sur la plage, devant son chevalet, s'efforçant de restituer la couleur du levant. Avec son chapeau chinois, ses lunettes de soleil, et la peau si pâle de ses bras et de ses jambes, elle ressemblait à n'importe quelle touriste.

« Mais que fais-tu déjà levé ? demanda-t-elle.

– Je te cherchais.

– Retourne te coucher. Je n'ai pas besoin d'un gardien. »

C'est bien là toute la question, n'est-ce pas, aurait-il pu répondre. Ou mieux encore : Justement, je n'ai aucune envie d'en être un.

« Et si on déjeunait quand tu auras terminé ?

– Tu peux attendre une heure ? »

Cela faisait dix ans qu'il attendait. Une heure de plus, une heure de moins…

« Tu sais où me trouver », dit-il, mais ensuite, il ne réussit pas à se rendormir.

Ils déjeunèrent sur une terrasse devant la salle à manger, absorbés dans la contemplation des nuages amoncelés haut dans le ciel et d'un paquebot à la cheminée rouge qui croisait vers La Havane. Il but un café aussi épais que du goudron, tandis qu'elle s'attaquait à son petit déjeuner anglais avec l'enthousiasme d'un détenu en permission. Elle lui proposa une saucisse, mais il n'avait pas faim. Il ne se rappelait pas l'avoir jamais vue témoigner d'un pareil appétit, et il se demanda si c'était lié aux médicaments.

Le *New York Herald* tout froissé que le serveur dénicha pour lui était de la semaine précédente. Une fois de plus, imitant Hitler, Mussolini avait lancé ses troupes sur l'Albanie sans rencontrer la moindre résistance.

Il faisait déjà très chaud, les vagues étincelantes se soulevaient avant de se briser.

« J'adore cette plage, dit-elle. La lumière est si vive ici. Tu comptes écrire aujourd'hui ?

– Je vais essayer », répondit-il, même si, en vérité, il n'en avait pas le projet. Toute sa vie, il avait cru à l'importance cardinale du travail, et pourtant il n'avait pas écrit une ligne depuis son entretien avec Ober. En fallait-il vraiment si peu pour le décourager ? Pendant des années, les barbouillages de Zelda lui étaient apparus comme hâtifs et sans intérêt, et surtout comme manquant terriblement de la discipline du professionnel. Aujourd'hui, il lui enviait cet amour intact qu'elle avait de la création. Lui avait tellement prostitué son art.

La lumière et la chaleur lui rappelèrent Saint-Raphaël. Les jours qu'ils y avaient vécus avaient la même langueur tropicale. Il s'enferma dans sa chambre pendant qu'elle exécutait des études de la mer et du ciel, des esquisses des bateaux de pêche et du village avec son *mercado* si animé – des paniers de calmars violets et de poissons de roche moustachus, de jeunes poules passant la tête à travers les barreaux de leurs cages en bois. Ils se retrouvèrent à midi et mangèrent dans une *cantina* donnant sur le *zocalo*, riz au poulet pour trente *centavos.* La bière n'en valait que trois et était sans doute moins dangereuse que l'eau, mais il tint sa promesse. Elle lui demanda une cigarette comme si ce n'était pas interdit, exhala un nuage de fumée et murmura de joie :

« C'est tellement bon de pouvoir agir à sa guise.

– Surtout quand c'est mauvais pour la santé.

– Surtout, tu as raison. On se hâte de pécher, et ensuite on a tout le loisir de se repentir.

– L'inverse n'aurait vraiment aucun sens. »

Plus tard, il s'interrogea, parlait-elle pour elle-même ou pour lui, en référence au passé lointain ou au présent immédiat ? Il avait l'habitude de déchiffrer ses paroles énigmatiques quand elle était malade. Dans ce cas précis, en formulant ce commentaire acéré, elle l'avait laissé libre de son interprétation. Il se réjouissait qu'elle aille mieux – il la voulait forte –, mais c'était également déstabilisant, comme s'il avait perdu un peu de son avantage.

Après déjeuner, alors que les rayons du soleil tombaient à la verticale, les Allemands firent leur apparition, aussi minces et hâlés que les habitants du cru, ils étendirent leurs serviettes sur le sable et s'allongèrent pour se faire bronzer. La femme ne ressemblait en rien à Sheilah, et pourtant, elle la lui rappelait, ne fût-ce qu'à cause de sa jeunesse. Quand il était en panne d'inspiration, il sortait sur le balcon pour les espionner, et vers la fin de la journée il découvrit avec horreur que Zelda, toujours affublée de son chapeau chinois, le chevalet plié sous le bras, s'était arrêtée à leur hauteur et paraissait en grande conversation avec elle.

« Ils sont danois, lui rapporta-t-elle. De Copenhague. Ils viennent ici chaque année. Je les ai invités à dîner mais ils vont à l'opéra à La Havane.

– Ils n'ont pas assez l'occasion d'y aller à Copenhague ?

– Je suppose que non. Ils sont charmants. Bengt et Anna. Il est professeur d'archéologie. Elle est assistante sociale et s'occupe d'enfants. »

Alors qu'il était tout aussi curieux qu'elle d'en savoir davantage, il songea à ce qu'ils avaient bien pu penser de cette quadragénaire corpulente, avec sa coupe à la Jeanne d'Arc et son chemisier taché de peinture, qui voulait les inviter à dîner. S'étaient-ils rendu compte qu'elle avait l'esprit un peu dérangé, ou bien leur était-elle apparue comme une de ces fouineuses importunes qu'on rencontre si fréquemment hors saison ? D'une façon ou d'une autre, à moins d'une fête tropicale sur la plage à laquelle il ne pourrait pas se dérober, il ne pensait vraiment pas dîner avec ces Danois.

Il avait du mal à accepter qu'ils ne soient plus un couple divertissant. Ils dînèrent dans la grande salle, où personne ne vint les déranger, à l'une des trois tables éparses dont s'occupait un unique serveur. Le menu était le même que la veille. À voir les taches qui le constellaient, il se dit qu'on ne devait jamais le changer. Il avait mangé une meilleure *carne asada* dans les rues de Tijuana. Zelda lui annonça ses projets du lendemain : elle voulait peindre les façades de l'église du village aux différentes heures de la journée. « Comme Monet », expliqua-t-elle. De l'autre côté de la salle, le bar l'appelait et lui promettait quelques moments d'indépendance. Il commanda un gâteau aux *tres leches* avec un coulis au rhum, ainsi qu'un café, et quand il se releva, il se sentit légèrement éméché.

Aussi fort que Zelda clame sa liberté recouvrée, elle respectait scrupuleusement les horaires de l'hôpital. Elle éteignait la lumière à neuf heures et il n'avait plus qu'à lire pour se distraire. Il envisagea de descendre discrètement au bar pour un dernier verre, mais il résista à la tentation. Le lendemain matin, elle se leva avec le soleil pour ne pas perdre une minute de lumière.

La peinture avait pour elle quelque chose d'obsessionnel. Comme l'écriture pour lui, c'était une échappatoire, une façon de passer le temps. Qu'arriverait-il s'ils devaient rester toute une journée ensemble ? Cela ne s'était pas produit depuis des années. Même à Saint-Raphaël, ils menaient des existences séparées, s'adonnant à des activités solitaires. Pourquoi cela changerait-il alors que désormais, Scottie était partie ?

Au déjeuner, elle semblait en pleine forme, absolument pas fatiguée. Elle lui rapporta ce qu'avait dit le sacristain à propos de l'église, c'était le seul édifice à avoir résisté au grand ouragan, comme s'il y avait là une preuve de l'intervention divine.

« Et le fortin ?

– Ils ont tous péri noyés.

– Tous ?

– C'est ce qu'il a dit. »

Il n'était pas habitué à la voir aussi sûre d'elle et s'attendait d'une minute à l'autre, en observant sa tête baissée et ses épaules voûtées, à ce qu'elle se mette à marmonner une prière. Au lieu de quoi, elle se montra directe et plaisante, ce qui l'agaça, lui, prodigieusement. Il espérait une amélioration de son état depuis si longtemps qu'il était sceptique, comme si elle lui jouait un mauvais tour.

Cet après-midi-là, alors qu'elle était occupée à peindre l'église, il fouilla sa chambre, comme un gardien la cellule d'un prisonnier. Sur sa commode se trouvaient un peigne et une brosse manifestement achetés dans un bazar, un tube de rouge à lèvres vermillon, et dans les tiroirs, plusieurs sous-vêtements et collants neufs. Dans son placard étaient suspendues diverses tenues sans aucun caractère. Elle n'avait apporté ni costume de bain ni sandales, ce qui ne lui ressemblait guère. Sur la table de chevet étaient posés la bible Gideon, un flacon de son médicament et un verre d'eau. Le tiroir était vide. Il ne savait pas très bien ce qu'il cherchait – un journal intime infamant, peut-être –, mais la plupart de ses objets personnels ne révélaient rien d'elle, puisque tout venait de l'hôpital. Le seul véritable indice de son état était placé bien en vue sur le bureau : un portfolio en carton contenant ses aquarelles.

Comme elle l'aurait volontiers reconnu, il s'agissait d'esquisses effectuées à la hâte. Sur le plan technique, alors que les palmiers et les bateaux de pêche avaient quelque chose de maladroit, dans ses meilleures toiles elle avait réussi à capter l'impression de grand large produite par la mer et le ciel. Elles avaient toutes quelque chose de pastoral – fraîches et bleues, un peu naïves. Pas de profusion de fleurs en bourgeon, pas de tourbillon vertigineux de visages démoniaques, pas de flammes rampantes. C'était là le travail d'un amateur au talent honnête, et si ces aquarelles étaient moins intéressantes qu'auparavant, elles le rassurèrent davantage qu'il ne l'eût cru possible. Il reposa le portfolio sur le bureau et referma la porte.

Durant le dîner, elle lui raconta inlassablement son après-midi. Il lui fallait retourner à cette église le lendemain. Elle avait passé plusieurs heures seule dans le clocher ; elle devrait acheter davantage de blanc. Les photos de l'ouragan que lui avait montrées le sacristain étaient fascinantes. Elle pensait peindre toute une série d'aquarelles à partir de ces clichés. Pendant ce temps, il n'avait pas beaucoup avancé dans sa nouvelle, et l'enthousiasme de Zelda le laissa de marbre. Il avait conscience de manquer d'altruisme et d'être de mauvaise humeur : il se força en conséquence à écouter ce qu'elle avait à dire, mais il avait beaucoup de mal à se concentrer. Était-ce un effet secondaire de ses médicaments ou bien le résultat de son abstinence ? En tout cas, il la trouvait terriblement ennuyeuse.

Après le café, elle proposa d'aller faire une promenade sur la plage – une bien innocente requête, mais intérieurement, il regimba. Ils laissèrent leurs chaussures près de la cabane du maître nageur. Le sable était frais et doux comme de la farine. On ne voyait pas la lune, rien que les lanternes des pêcheurs qui jetaient leurs filets et dont les éclats de rire ricochaient à la surface de l'eau. Plus loin sur la grève, ils aperçurent le minuscule kaléidoscope d'une grande roue. Alors qu'ils se dirigeaient vers les ampoules colorées, il se surprit à redouter qu'elle lui prenne la main.

« À quoi ressemble-t-elle ? » demanda-t-elle soudain.

D'abord il pensa avoir mal entendu.

« Qui ?

– Je t'en prie. C'est une telle évidence. » Elle ne s'arrêta pas, ne le regarda même pas. « Laisse-moi deviner. Une actrice. Blonde, menue et très jeune. Elle pense que tu es un vrai génie. »

Il rit comme si l'idée était complètement absurde. On aurait dit qu'elle venait de décrire Lois Moran, quinze ans auparavant.

« Je te connais bien, mon bécasseau. Tu es trop malheureux tout seul.

– Il n'y a personne.

– Ça m'est égal, je t'assure. J'accepterai de divorcer, si c'est ce que tu souhaites. »

Était-elle en train de marchander avec lui ? Un divorce contre sa liberté ? Les deux choses n'étaient pourtant pas liées. Et puis, après tant d'années, pourquoi aurait-il voulu se séparer d'elle maintenant ?

« Je ne veux pas divorcer, dit-il, je veux que tu ailles mieux.

– Et une fois que j'irai mieux, que ferons-nous ?

– Eh bien, tu pourras rentrer à la maison.

– Et toi ? »

Ils avaient été si malheureux ensemble que jamais il n'avait rêvé pour eux d'un dénouement heureux. Il supposait qu'ils pourraient continuer de la même façon pour toujours.

« Moi j'irai là où le travail m'appellera.

– Est-ce que tu viendras me voir parfois ?

– Bien sûr. »

Il était sincère en le disant, mais plus tard, les yeux grands ouverts dans son lit, il se demanda s'il n'avait pas menti. Toute cette conversation avait été si étrange. Avant qu'elle n'eût évoqué elle-même cette possibilité, jamais il ne se serait autorisé à imaginer sa vie sans elle. À présent, l'idée le titillait, révélait ce qu'il y avait en lui de faible et d'immoral. De nouveau il fut tenté de descendre boire un verre, mais il se retint. La nuit suivante, cependant, il céda, mais toutes les lumières étaient éteintes, le bar était fermé.

Il finit à la *cantina* toute proche, où il sirota une bière en admirant les rituels amoureux des Cubains, alors que les jeunes gens faisaient lentement le tour du *zocalo* sous les yeux de tout le village. Le serveur, comme s'il s'agissait d'un service couramment demandé, lui proposa de lui trouver une femme.

« Non, *gracias*, dit-il en le repoussant d'un geste. J'en ai déjà une de trop.

– Vous voulez de la marijuana ?

– Je vais me contenter de ma *cerveza*.

– *Una más ?*

– *No más* », répondit-il en secouant la tête, parce qu'il avait promis à Sheilah.

Au-delà de la grand-place, les ruelles étaient sombres et le vice régnait en maître. En rentrant vers son hôtel, il passa devant un cabaret d'où s'échappait un air de rumba sensuelle, puis devant un rabatteur qui annonçait un spectacle de strip-tease tout en s'épongeant le front avec son mouchoir. Plus loin, dans une sinistre venelle, une foule s'était rassemblée dans un garage éclairé par une ampoule nue pour parier sur un combat de coqs, et il songea à Ernest. Quand avait-il perdu son goût de l'aventure ?

Les Danois barbotaient tout nus dans la piscine, l'eau donnant des contours cubistes à leurs corps. Il fit un détour par les terrains de palets pour ne pas les déranger. Dans la chambre, il ferma la porte-fenêtre du balcon, se brossa les dents et alla directement se coucher, sachant que le lendemain, Zelda se lèverait tôt.

Au matin, pour éviter d'écrire, il alla pêcher, embarquant sur un bateau qui le conduisit dans le détroit avec quelques autres clients. Des pélicans pleins d'espoir suivaient leur sillage. Vue depuis la mer, la presqu'île ressemblait à une bande de jungle verte constellée de cubes blancs, roses et jaunes. Christophe Colomb était passé par là, ainsi que les conquistadors. Bien que ce ne fût pas encore l'heure du déjeuner, les autres hommes buvaient de la bière et fumaient le cigare, comme lors de ces soirées où on enterre sa vie de garçon. Il se concentra sur sa ligne et attrapa un tarpon de belle taille, ainsi qu'un requin-marteau impressionnant. Le *señor* voulait-il qu'on les lui prépare pour le dîner ?

« Oh, tu aurais dû dire oui, gémit Zelda.

– Ce sont les touristes qui font ça.

– Mais que sommes-nous d'autre ?

– Ce n'est pas une raison pour agir comme eux, rétorqua-t-il.

– Tu n'as pas eu envie de faire le tour du fortin ? »

Ce soir-là, comme pour lui montrer qu'elle avait tort, il s'attarda à la *cantina*, remplaçant la bière par un alcool de canne à sucre local, et donnant un pourboire fort généreux au garçon. Dans le kiosque à musique, au milieu du *zocalo*, un guitariste jouait des airs légers. Scott regarda les jeunes couples qui se promenaient sous les guirlandes lumineuses, et il se rappela son premier bal avec Ginevra, ses gants blancs si fins et l'orchidée dans son coffret, pour l'achat de laquelle il s'était privé un mois entier de cigarettes, et ensuite, sur le balcon du club, le terrain de golf plongé dans l'obscurité et les lumières du ponton, les yachts à la silhouette élancée amarrés aux piliers. Cet été-là, le monde n'était que promesses et tendres hésitations, alors qu'il conduisait la Pierce-Arrow du père de sa promise au long de la rive nord du lac en direction de leur résidence secondaire. Elle l'avait embrassé dans le jardin et devant la rambarde du ferry, puis dans le hangar à bateaux, tandis que la pluie tambourinait sur le toit. Le monde entier lui appartenait, offert comme un cadeau. Avant l'hiver, le mirage avait disparu, comme si rien de tout cela n'avait jamais existé.

Il se moqua de sa propre mièvrerie. Son verre était de nouveau vide.

« *Uno más* ?

– *Uno más* », dit Scott en levant l'index.

Plus tard, après que l'indestructible église eut sonné minuit et que les allées du *zocalo* se furent vidées, un gros papillon de nuit gris vint se poser sur le bord de son verre. Il y resta longtemps, à son avis, pliant ses ailes comme pour tester leur résistance, avant de s'élancer vers les autres tables. Il trouva ce moment remarquable et lourd de sens, mais le serveur avait disparu et il n'y avait plus aucun témoin. Il décida qu'il lui fallait partir, sinon il risquait de ne pas réussir à rentrer, et il éclata de rire quand, en essayant d'enfiler sa veste, il manqua plusieurs fois l'emmanchure.

Le garçon réapparut, bouteille en main.

« *No más*, fit Scott en agitant les deux paumes et en lui donnant deux *pesos* de plus. *Muchas gracias, amigo. Buenas noches.* »

Le *señor* voulait-il un taxi ?

« *No, gracias*, je peux marcher. »

De fait, il y parvint, par miracle, grâce à des années d'entraînement, le corps penché en avant et sans cesser d'enchaîner les pas, s'appuyant de temps à autre à un poteau ou à un mur pour redresser sa course. Une musique obsédante – congas et maracas – émergeait du cabaret. Il improvisa un accompagnement, agitant la main et roulant du bassin devant la porte ouverte. Il était en nage et avait la bouche sèche. Il aurait bu une bière fraîche avec plaisir, mais il devait rentrer se coucher. Zelda se lèverait de bonne heure, prête à peindre chaque satané recoin de cette île.

Il se croyait dans la bonne direction, mais il avait dû tourner au mauvais endroit parce qu'il ne retrouva jamais la boîte de strip-tease. La rue qu'il suivait se terminait en cul-de-sac devant le cimetière, l'opportunité pour lui d'honorer les morts et de se soulager contre un arbre. La braguette refermée, il fit demi-tour, repartant vers le *zocalo* par un dédale de ruelles inconnues, attiré par de tonitruants éclats de voix, pareils à ceux d'enchérisseurs, jusqu'à se retrouver à l'entrée du passage où était le garage crûment éclairé qu'il avait vu la veille.

Il n'y avait là aucun touriste. L'atmosphère était confinée et empestait la sueur des hommes, l'huile de vidange et les cigares bon marché. Sous une ampoule nue suspendue à un fil électrique et entourée d'un halo de fumée aussi épaisse que celle de l'opium, un cercle de journaliers s'était formé et se pressait contre une palissade de planches mal équarries qui montait à hauteur de genou, brandissant des *pesos* pour lancer leurs paris. *Cinco, el negro ! El rojo, dos !* Au milieu de l'arène, pour montrer la vaillance combattive de leurs champions, les deux dresseurs s'approchaient l'un de l'autre en dansant, imitant la parade sexuelle du tango, les volatiles totalement déchaînés, prêts à se battre. Il avait déjà assisté à ce genre de combat, dans un campement gitan près de Nice, en compagnie d'Ernest qui avait loué la noblesse primitive de ce sport, déclamant des connaissances historiques remontant jusqu'à Charlemagne, avant que deux coqs faméliques se taillent réciproquement en pièces.

Les volatiles piaillèrent et battirent des ailes. Tout ce rite visait à exciter les parieurs autant que les adversaires. Seul homme blanc présent, dans son costume de lin, Scott attirait les regards. Pour détourner les soupçons, il déplia un billet d'un *peso* et se déclara en faveur du plus petit des deux animaux, *el negro,* prenant comme toujours le parti des damnés de la terre. Comme s'il avait été doué d'un mystérieux don de double vue, les paris se reportèrent sur le coq noir. L'assistance était mue par la même logique que les courtiers à la Bourse.

S'ils s'étaient contentés de laisser les volatiles se battre à mort en satisfaisant leur appétit naturel de domination, cela eût déjà été suffisamment cruel. Mais pour battre la nature sur son propre terrain, les dresseurs armaient les ergots de leurs champions de lames de rasoir en guise d'éperons. Hier comme aujourd'hui, Scott y voyait une perversion. Ernest aimait à penser que la guerre l'avait dépouillé de toute pitié, mais pour avoir boxé contre lui, Scott soupçonnait qu'il goûtait par-dessus tout le sentiment de supériorité que lui causait le spectacle de la souffrance d'autrui. Il n'avait jamais aimé Zelda. Quand elle avait connu sa première crise, il avait dit sans ambages à Scott qu'il était mieux sans elle. Qu'il ait eu raison ou tort, ils s'étaient brouillés à la suite de cette déclaration, même si Scott voulait qu'ils restent amis. Depuis ce temps-là, Ernest n'avait jamais manqué une occasion de le tacler.

Penchés sur leurs champions, les dresseurs étaient prêts et chuchotaient leurs instructions de dernière minute. L'organisateur de la rencontre collecta les derniers paris, enferma les billets dans un coffre en fer-blanc et enjamba la palissade pour quitter l'arène, laissant derrière lui un silence lourd d'impatience contenue. Les dresseurs se rejoignirent au centre du cercle avec la solennité de duellistes. Ils mirent un genou à terre, posèrent les oiseaux sur le ciment maculé de taches, les retenant encore entre leurs bras. Autour de Scott, la foule paraissait pleine de respect, parée pour le sacrifice. L'organisateur leva la main comme un arbitre, salua d'un signe de tête chacun des deux dresseurs, puis, sans un mot, abaissa le bras d'un geste vif.

Les dresseurs reculèrent et la foule se mit à vociférer. Les coqs s'élancèrent, leurs éperons étincelant, et ils entrèrent en collision dans un nuage de plumes sous la lumière aveuglante. Ils s'affrontèrent en vol, inextricablement entremêlés, battant des ailes et toutes griffes dehors, avant de retomber à terre sans lâcher l'autre d'un pouce. Ils se redressèrent et leurs corps s'enchevêtrèrent de nouveau, luttant bec et ongles. Trois, quatre fois, ils foncèrent l'un vers l'autre, puis se séparèrent, jusqu'à ce que l'un d'eux blesse sérieusement son adversaire. Scott ne vit pas à quel moment le coup atteignit le coq noir, mais après une escarmouche, il s'aperçut que son aile pendait piteusement. Son voisin immédiat, un supporter d'*el rojo*, éclata de rire et lui asséna une bourrade sur l'épaule.

Les coqs se firent face et repartirent au combat. Handicapé par son aile unique, le noir ne décollait pratiquement plus du sol, contrairement au rouge qui s'éleva facilement dans les airs pour fondre sur son adversaire et lui porter un coup de bec sous l'œil, avant d'aller se poser près du mur extérieur et de se pavaner comme si la bataille était terminée. La foule se mit à huer, et les dresseurs reparurent dans l'arène pour réveiller les ardeurs de leurs volatiles. Le rouge chargea et le noir résista à l'assaut, mais l'attaquant décolla pour mieux le frapper en plein jabot, son éperon s'enfonçant jusqu'à la garde. Le coq noir chancela et recula pour tomber sur le flanc aux pieds de Scott, clignant de son œil de jais, une goutte de sang frais sur le bec. L'éperon avait dû lui perforer un poumon car ses plumes étaient mouillées et des bulles s'échappaient de sa poitrine à chaque respiration. De nouveau, le coq rouge alla se pavaner, cette fois au centre de l'arène, et il chanta victoire.

La foule s'obstina néanmoins à demander le coup de grâce. Le dresseur du noir lança un juron et eut un geste de dégoût, comme pour renier son combattant, tandis que celui du rouge encourageait le sien en applaudissant. L'oiseau noir battit des ailes et cligna encore de l'œil en regardant Scott, son bec s'ouvrant et se refermant sans produire le moindre son, et alors que le vainqueur se rapprochait et que l'assistance commençait à hurler, Scott enjamba les planches et ramassa le coq à l'agonie, telle une balle égarée.

Il ne savait pas qu'il allait le faire et n'avait décidé d'aucune stratégie. Il se dirigea vers le mur du fond, pensant qu'il sauterait par-dessus, écarterait énergiquement le dresseur et poursuivrait son chemin. Il devait bien y avoir une porte de secours. Une fois dans la rue, il se faisait fort de distancer ses poursuivants, comme l'arrière de Groton à la foulée si puissante. Tel un preux chevalier, il pouvait compter sur l'effet de surprise et sur l'aide de Dieu, il savait que sa cause était juste, mais il était ivre et vieux, il se prit le bout du pied entre les planches, et avant qu'il eût réussi à se relever, ils avaient tous fondu sur lui.

Chère Françoise

Il ne se rappelait pas avoir jamais connu un été plus chaud, ni une période plus déprimée. Pendant plusieurs semaines, on ne vit pas le moindre nuage, les arroyos étaient à sec, les champs se flétrirent, entraînant une guerre de l'eau entre les fermiers de la vallée et la ville. Il ne pouvait s'empêcher de boire et lutta d'arrache-pied contre Sheilah et le bataillon d'infirmières qui envahirent Belly Acres pour lui donner son traitement. À bout de forces, il s'effondra et sa tuberculose remonta en flèche, il ne pouvait de nouveau plus respirer et il se réveillait la nuit baigné de sueur. Le médecin lui prescrivit un alitement strict et une série d'intraveineuses. Il était enfermé dans sa chambre, les stores baissés pour éviter la chaleur, et tandis que les jours étouffants s'écoulaient lentement et qu'il se remettait peu à peu, les visites de Sheilah se firent de moins en moins fréquentes.

Pendant cette période d'invalidité, plutôt que de le soigner elle-même, elle embaucha une gouvernante à plein temps, une chrétienne pratiquante à la peau noire d'ébène originaire de Fort Smith, Arkansas, qui aurait pu être la cousine de Flora. Erleen portait un turban bleu lavande et écoutait à plein volume des feuilletons radiophoniques à l'eau de rose tous les après-midi pendant qu'elle faisait le ménage au rez-de-chaussée, répliquant vertement aux personnages comme si elle avait tenu un rôle dans l'histoire. Même s'il n'utilisait jamais aucune des chambres, elle y passait quotidiennement l'aspirateur. Tous les matins, alors qu'il prenait sa douche, elle changeait ses draps, disposait un pyjama propre sur le lit et retirait celui qu'il avait souillé de transpiration ; plus tard, il le voyait en train de sécher sur la corde à linge, comme les deux moitiés d'un épouvantail qu'on aurait découpé. Elle connaissait son faible pour les sucreries et lui préparait souvent du gâteau de Savoie et de la crème anglaise, s'appliquant de façon générale à se rendre indispensable. Scott appréciait sa compagnie, mais pour l'essentiel sa présence servait surtout à lui rappeler qui elle était : une doublure de Sheilah qu'on payait pour la remplacer.

Il comprenait les réticences de la jeune femme. Il les partageait, ne connaissant que trop bien ses propres défauts et faiblesses. Il s'était excusé maintes fois pour la scène du revolver, pour ses constantes rechutes. Au début, sa honte l'avait émue, comme s'il lui incombait de le sauver. Aujourd'hui, elle le considérait de la même façon qu'il voyait Zelda, tel un incorrigible fauteur de troubles.

Avec l'argent du loyer à la banque et aucune perspective de contrat, il était libre de se mettre à son roman et décida de la reconquérir en travaillant dur sans toucher à l'alcool.

Avant de pouvoir écrire la moindre phrase, il lui fallait s'organiser. D'abord, il alla s'inscrire dans une agence pour l'emploi afin de dénicher une secrétaire. Au terme d'un entretien où il s'assura qu'elle n'avait aucun lien avec les studios, et après qu'elle se fut engagée à une confidentialité absolue, il recruta une jeune femme à l'air sérieux, nommée Frances Kroll. Mince et souple, le teint pâle et les genoux légèrement cagneux, elle venait de New York, comme Dottie, et Los Angeles ne l'emballait pas. Elle lui dit avoir lu certaines de ses nouvelles au lycée, ce qui lui fit plaisir, mais elle ne réussit pas à en retrouver les titres. Son père était fourreur à Hollywood, une relation qui pourrait se révéler utile, songea-t-il. Elle était aussi juive, ce qui sans doute l'aiderait à élaborer le personnage de son héros, Stahr, un fils lointain de la Vieille Europe.

Ils installèrent leur salle de travail dans une chambre libre du rez-de-chaussée. Calé contre des oreillers, il fouillait dans des cartons et des cartons de notes, lui dictant esquisses de personnages, détails d'arrière-plan et idées pour certaines scènes. Elle savait dactylographier sans regarder et se tenait parfaitement droite en tapant staccato ses rafales de lettres, finissant même parfois une phrase avant lui.

« Relisez-moi ça », demandait-il, et elle l'avait effectivement déjà sous les yeux.

Elle apporta de chez elle son propre dictionnaire, et rapidement, il apprit à lui faire une confiance aveugle en matière d'orthographe et de grammaire. Sa place aurait vraiment été à l'université, mais elle disait qu'elle s'intéressait davantage à la vraie vie. Elle était ponctuelle, gaie et généreuse, n'hésitant pas à aider Erleen à la cuisine ; elle aimait Scott comme un père, coupait souvent une rose pour garnir le soliflore de sa commode, et lui rappelait de prendre ses médicaments. Même avec les fenêtres ouvertes et un ventilateur en marche, la pièce était étouffante, mais elle ne se plaignait jamais. Après un après-midi particulièrement torride, alors qu'ils avaient terminé de travailler, elle s'approcha de lui avec un air solennel, comme si elle voulait réclamer une faveur exceptionnelle, et elle lui demanda si elle pouvait se mettre en short.

Au début, il s'agit d'un travail de comptabilité. Quand il eut parcouru le contenu entier de tous les cartons, il griffonna un numéro devant chacune des entrées, afin de les classer par catégories, Frances les collationnant ensuite sur de nouvelles pages. Il examinait le résultat de près, opérait quelques changements, puis lui repassait les feuilles, un brouillon après l'autre, fabriquant ainsi une sorte de cahier tandis que le ventilateur brassait l'air stagnant. Parfois, elle ne parvenait pas à déchiffrer son écriture et elle devait l'interroger sur un mot ou un autre, mais sinon, ils pouvaient rester de longs moments sans parler, leur effort partagé, à l'image du potentiel du livre, l'emplissant de satisfaction. Tout comme lui, elle aimait siffler, chacun, plongé dans sa tâche, reprenant les mélodies de l'autre sans s'en rendre compte, créant ainsi des duos avant de faire silence, puis de recommencer. *A Jolly Good Fellow. Two for Tea*. Il se demanda si son petit ami savait combien elle était drôle.

La coïncidence de leurs prénoms le titillait. Il l'appelait Franny, mais le plus souvent, pensant à Proust, Françoise.

« Françoise, je vais vous dicter une lettre, *s'il vous plaît**.

– *Oui, monsieur**. »

J'espère que le médecin prend en considération la façon si gentille dont tu m'as accompagné durant toute cette épreuve. Je suis toujours alité, mais pratiquement guéri, ce que je ne dois pas à cette chaleur infernale. L'eau est devenue si rare et précieuse ici que le barrage est gardé jour et nuit par des policiers armés et qu'on en arriverait presque à payer en glaçons… Surtout ne te fais pas de souci pour ma santé. Avant quatre mois, tout ira bien. Ce charlatan à New York ne se doute pas de mes capacités de récupération. Ce que je regrette vraiment, c'est que cet épisode ait gâché ce qui aurait dû être – et a tout de même été, j'ose espérer – un immense succès pour toi. J'ai écrit au médecin pour le lui dire. Tu t'es montrée héroïque, tendre et gracieuse de toutes les manières possibles, et je ne l'oublierai pas.

Frances ne lui demanda pas ce qui s'était passé, mais il vit bien qu'elle était intriguée. L'adresse de l'hôpital constituait un indice irrésistible, et une fois de plus, il chercha désespérément la meilleure façon de présenter Zelda. Maison de repos ou de convalescence étaient des euphémismes, hôpital psychiatrique avait quelque chose d'effrayant. Il craignait que Frances ne le juge pathétique et il essaya de présenter les choses aussi sobrement que possible.

« Elle est dans une clinique d'hygiène mentale.

– Je suis navrée.

– Vous êtes gentille. Cela fait longtemps qu'elle ne va pas bien. Mais ces derniers temps, elle semble avoir fait quelques progrès et nous sommes pleins d'espoir.

– C'est déjà une bonne chose, non ?

– Effectivement. »

Il parlait en toute franchise et elle exprimait sa compassion. Alors pourquoi avait-il l'impression de trahir leurs plus chers secrets ?

« C'est elle ? » s'enquit Frances en désignant une photo de Sheilah et lui au Cocoanut Grove.

« Non, ça, c'est une amie.

– Elle est très mignonne.

– En effet », répondit-il en remarquant l'inévitable préjugé des femmes envers celles qui sont indiscutablement plus belles.

Il n'avait aucune raison d'expliquer Sheilah à Frances, et pourtant il quêta son approbation. Il continuait d'envoyer à Sheilah des bouquets de roses accompagnés de petits mots où il battait sa coulpe. Tandis qu'il dictait ses supplications à Frances, celle-ci devait avoir le sentiment d'être entrée de plain-pied dans une comédie de la Restauration anglaise, mais elle ne laissait rien paraître. Le vendredi où il fit les présentations, il ressentit la même agitation que lors du premier dîner au Troc avec Sheilah et Scottie, et éprouva un grand soulagement quand elles semblèrent faire bon ménage.

« Elle est très jeune, déclara Sheilah un peu plus tard.

– Difficile de le lui reprocher.

– Je veux dire qu'elle est à un âge très impressionnable. Manifestement, elle te trouve merveilleux.

– Et c'est faux ?

– C'est parfois vrai, quand tu ne te conduis pas comme un imbécile.

– Et quand tu dis imbécile…

– Exact. »

Il lui en coûtait de le reconnaître, mais durant la semaine, depuis que Frances était là, Sheilah ne lui manquait plus autant. Ses journées étaient pleines alors que le Hollywood de Stahr prenait vie dans sa tête, comme un monde nouveau. Il se leva tôt et travailla pour qu'elle ait suffisamment de pages à dactylographier. Pour le déjeuner, Erleen prépara du thé glacé avec des feuilles de menthe et les servit sur la terrasse qui surplombait la piscine, puis elle s'assit sur une chaise et s'éventa avec son tablier pour remplacer la brise. Les collines étaient d'un brun roussi. Dans le lointain s'élevaient les pics enneigés, promesse mensongère d'un rafraîchissement. Il alluma son unique cigarette interdite de la journée, et ils restèrent un moment à écouter le chant aigu des cigales, invisibles dans les arbres.

« Bon, déclara Erleen quand il eut terminé de fumer. Le temps passe… », et elle ramassa leurs assiettes sur un plateau.

Il menait une vie paisible, concentrée uniquement sur son roman. Avec cette vague de chaleur, il ne sortait pas ; libre de rêver comme il le voulait, il ne quittait jamais son repaire. S'il avait besoin d'emprunter un livre à la bibliothèque ou de se faire renouveler une ordonnance, Frances avait la Pontiac de son père. Il l'appelait à toute heure et la tirait du sommeil avec la liste de ce qu'il voulait pour le lendemain. Il la convainquit de livrer des roses à Sheilah et de choisir la carte d'anniversaire de Zelda. Aucune course n'était trop intime. Complice, c'était elle qui le débarrassait de ses bouteilles vides et lui achetait des cigarettes supplémentaires. Elle devint son envoyée spéciale, elle le représentait à la banque, à la poste et chez Western Union. Si elle avait été malhonnête, elle aurait pu tout lui prendre et sans le moindre risque, puisqu'il n'avait rien.

Au chômage, il faisait très attention à ses dépenses, mais au fil des semaines, les factures s'entassèrent, et ses économies se réduisirent bientôt de façon alarmante. D'ici un mois, Scottie allait lui rendre visite et il fallait payer ses frais de scolarité du semestre. Il n'avait aucun moyen de le faire. Il fit pression sur Ober pour qu'il propose ses nouvelles à d'autres magazines, mais se heurta à la même résistance et à la même indifférence. Swanie disait que c'était la mauvaise période de l'année pour approcher les studios. En été, la ville se vidait. Tout le monde était à Malibu, ou plus au nord, à Big Bear.

Au milieu de toute cette panique, Scottie écrivit pour lui dire qu'elle avait réussi à vendre à *Mademoiselle* un essai sur la différence entre sa génération et celle de son père. Il devait paraître le mois suivant. Accepterait-il de le relire pour elle ?

BRAVO MA POUPÉE, télégraphia-t-il. MLLE JOLI DÉBUT. JE T'AIME. PAPA.

Il était fier, mais la nouvelle lui laissa un goût amer. Il avait conscience d'être mesquin, et pourtant, il soupçonnait le magazine de tirer parti de son nom – un soupçon qui se révéla fondé quand il lut l'article. La thèse était que ses opinions étaient aussi surannées et démodées que le charleston et le gin de contrebande, comme si sa génération n'était pas celle aux manettes. Il lui dit qu'il admirait son humour et lui suggéra gentiment de modifier son papier pour souligner une plus grande continuité entre les époques successives. *Sans un réel cataclysme comme la guerre*, écrivit-il, *très peu de choses changent. Tu ne peux pas t'en rendre compte, mais 1920 et 1939 ont davantage en commun que 1913 et 1919, tout comme après la guerre qui se prépare 1939 apparaîtra comme un monde irrémédiablement perdu. J'ai eu la chance d'être assez vieux pour voir le nouveau monde avec lucidité et donc de réussir à mettre en perspective tout ce qu'il y avait d'admirable et d'absurde à la fois.*

Il s'attendait à ce qu'elle passe outre son avis, comme d'habitude. En tant que père, il lui incombait de prodiguer des conseils à profusion, en espérant qu'un ou deux seraient entendus.

Alors qu'il attendait sa réponse, il reçut *L'Incendie de Los Angeles* de son ami Pep, un roman sur Hollywood. Après avoir entendu Sid en parler avec ferveur, il craignait que Nathanael West ne lui ait piqué ses meilleures idées, mais, comme les autres œuvres de l'intéressé, celle-ci était franchement morbide et trop tarabiscotée, y compris la merveilleuse scène d'une rixe éclatant lors d'une première. Il n'y avait pratiquement aucun recoupement avec ce qu'il prévoyait. Soulagé, il envoya à Pep un mot enthousiaste.

Quelques jours plus tard, il reçut un coup de téléphone de Scottie – ce qui arrivait rarement, étant donné le coût des appels longue distance. Il pensait qu'elle lui en voulait sans doute.

« Comment ? Mais non, je ne te téléphonerais pas pour quelque chose d'aussi futile. C'est sérieux. Juste avant mes examens, j'ai commencé à ressentir des douleurs à l'estomac. Je me suis dit que je devais être nerveuse. J'ai bu du babeurre et pris de l'Alka-Seltzer, mais rien n'y a fait. Finalement, je suis allée chez le médecin. Il dit que je dois me faire retirer l'appendice.

– Ce n'est pas si grave. Ta mère a subi la même opération. » Il essaya de se rappeler combien cela lui avait coûté, mais c'était quinze ans plus tôt, et en francs, de surcroît.

« Rien d'urgent mais il insiste pour que je le fasse avant l'été prochain.

– Mais tu ne souffres pas, au moins ?

– Ça va et ça vient. Je suis désolée, papa. »

Elle parlait comme si elle l'avait trahi, alors que si trahison il y avait, c'était plutôt de son fait à lui. De nouveau, il se demanda ce qu'il fabriquait à chercher fortune en Californie.

« Ne t'en fais pas, poupée. On va trouver une solution.

– Comment ça va pour toi ?

– J'écris. »

C'était vrai jusqu'à ce moment précis. Mais là, il laissa tout tomber pour planifier cette opération. Il était déjà prévu qu'elle aille rendre visite à Zelda à Asheville avant de continuer sa route vers l'Ouest. Toutes deux devaient séjourner dans une pension de famille à Saluda, comme deux vieilles dames qui vont aux eaux. Quelques années plus tôt, quand il s'était cassé l'épaule, le chirurgien qui travaillait dans cet hôpital avait fait du beau travail. Serait-il libre à cette date ? Peut-être pourrait-elle se rendre sur place une semaine plus tôt que prévu ? Le Dr Carroll accepterait-il de laisser sortir Zelda huit jours supplémentaires ? À quelle heure arrivait le train ? Il passa tous les coups de fil nécessaires, un calendrier sur les genoux, et demanda ensuite à Frances de prendre les dispositions indispensables.

Pour payer les frais, il n'avait pas d'autre choix que d'en appeler à Ober. Durant les deux années passées à Hollywood, il avait complètement épongé sa dette, plus de treize mille dollars. Il détestait l'idée de recommencer à vivre à crédit, mais une avance de mille cinq cents dollars n'était vraiment rien si l'on songeait à tous ses futurs gains. Le roman était en bonne voie, et il avait deux nouvelles de plus à lui proposer.

Ober lui répondit de contacter Swanie.

Il ne voulait pas jurer devant Frances. « *Merci** », dit-il en éloignant le télégramme de sa vue.

Au fil des ans, combien de dizaines de milliers de dollars avait gagnés Ober sur son dos ? Scott l'avait suivi quand il était parti fonder sa propre agence. Maintenant qu'il avait monté toute une écurie de valeurs sûres comme Agatha Christie, il n'avait plus besoin de Scott et de ses difficultés. Ober l'avait toujours jugé irresponsable, surtout en matière financière. Les dernières fois qu'il l'avait vu à New York, c'était après des soirées de beuverie – rien de typique, aurait-il pu avancer. Si justement le problème était son alcoolisme, Ober aurait pu le lâcher dix ou quinze ans plus tôt. Pourquoi l'abandonner maintenant alors qu'il ne buvait plus et qu'il travaillait sérieusement ?

NE COMPRENDS PAS REVIREMENT D'ATTITUDE, télégraphia-t-il. NE DEMANDERAIS PAS SI TROIS FITZGERALD N'AVAIENT PAS BESOIN DE SOINS EN MÊME TEMPS. MERCI DE REVOIR DÉCISION.

Sans réponse au bout d'une semaine, il s'adressa à Max : PEUX-TU ME PRÊTER 600 DOLLARS POUR UN MOIS. SUIS FAUCHÉ ET SCOTTIE BESOIN OPÉRATION. OBER REFUSE AIDE. AI COMMENCÉ NOUVEAU ROMAN.

AVEC PLAISIR, répondit Max, ce même après-midi. IMPATIENT LIRE PAGES QUAND SERONT PRÊTES.

La réponse d'Ober quand elle arriva enfin était longue et soigneusement pensée, trahissant par endroits un ton moralisateur, un peu comme un éditorial. Digne exemple de la prose qu'affectionnent ceux à qui il ne manque rien, elle parlait beaucoup d'autonomie. En devenant le banquier de Scott, Ober n'avait rendu service ni à l'un ni à l'autre. Il avait espéré que si Scott remettait ses comptes à l'équilibre, il ne contracterait plus d'emprunt et apprendrait à vivre selon ses moyens – lesquels, étant donné ses revenus de l'année précédente, étaient plutôt généreux. S'il avait besoin de davantage pour couvrir ses dépenses, il pouvait tenter de décrocher plus de contrats, ou encore demander une avance à Max sur le prochain roman, dès qu'il en aurait rédigé une partie conséquente.

Il aurait certes pu expliquer que jamais il n'avait travaillé autant, ni dans des circonstances aussi pénibles, mais il n'avait rien à opposer à ces arguments, en tout cas, il n'en voyait pas l'intérêt. Le sentiment général était clair. Ober le portait à bout de bras depuis des années, comme l'épicier du quartier à Buffalo qui faisait crédit à sa mère quand ils étaient dans la gêne. C'était fini. Quand il serait en fonds, Ober serait là pour réclamer son pourcentage, mais pendant ces temps de vaches maigres, Scott allait devoir se débrouiller tout seul.

Ce qui l'exaspérait le plus, c'était la lenteur avec laquelle Ober lui avait répondu après son second télégramme. Une fois de plus, il avait commis l'erreur de penser que l'édition était un métier de gentleman. Avant de lui écrire pour couper officiellement tous les ponts, en ajoutant qu'il était désolé et combien il avait apprécié qu'Anne et lui accueillent Scottie chez eux, il expédia deux nouvelles à *Esquire* et proposa à *Collier's* en avant-première les droits de reproduction du roman en feuilleton.

Max, qui lui était un gentleman, lui demanda d'y réfléchir à deux fois, comme s'il se précipitait un peu, jusqu'à ce que Scott lui explique que ce n'était pas lui qui avait perdu confiance en Ober mais l'inverse. *Je suis sûr que tout cela est dû à ces après-midi d'hiver qu'il a passés à apprendre par cœur le* Catéchisme de Baltimore *– l'apostasie étant le pire des péchés. Tous ceux qui croient en moi seront sauvés.*

Il eut davantage de mal à expliquer cette rupture à Scottie qui, avec le narcissisme de la jeunesse, pensa qu'elle était la cause du problème. Zelda et elle étaient à Saluda, elles attendaient l'opération. Il avait négocié avec le médecin un paiement de ses honoraires par traites, comme s'il achetait des meubles, et il avait menti à sa fille sur le coût total. Il lui fallait aussi payer l'hôpital et l'infirmière à domicile.

« Dis à ta mère de venir au téléphone, dit-il. Je t'aime, ma poupée.

– Moi aussi, papa. »

Zelda lui parut effacée et distante, comme sa propre mère. Elle s'exprimait de façon hésitante avec son accent traînant et imperturbable du Sud, la belle rêveuse. « Tu te plairais ici. Il fait frais la nuit. Nous passons des moments délicieux toutes les deux. »

Il se demanda si elle était sous l'effet des médicaments. Après avoir raccroché, il se rendit compte qu'il ne lui avait pas parlé au téléphone depuis qu'elle était à Pratt.

Le jour de l'opération, il dit à Frances d'envoyer à Scottie ses fleurs préférées – des glaïeuls. Elle récupérait bien, elle se vantait déjà de sa cicatrice de guerre. Il travaillait chez Universal, Swanie lui avait déniché un contrat pour un navet, une comédie universitaire intitulée *Ouvre-moi ta porte*. Un professeur de géologie timoré quitte sa tour d'ivoire pour escalader une montagne et découvre de l'or… et l'amour. Six semaines à trois cent cinquante dollars la semaine. Le projet fut abandonné au bout de la première.

Esquire accepta une des nouvelles – un vrai soulagement –, mais il avait perdu le fil de son roman, et avec l'arrivée de Scottie, il allait devoir s'interrompre de nouveau. Il n'avait pas reçu de réponse de *Collier's*, ce qui l'inquiétait. Il s'était séparé d'Ober, avait déjà rançonné Max, et la liste des vieux amis vers lesquels il pouvait se tourner s'amenuisait. Rien que l'idée d'emprunter à Sheilah le paralysait. Par orgueil, il ne voulait pas déranger Ernest ni Dottie, même si, en bons camarades du Parti, ils avaient de l'argent à revendre. Il ne connaissait pas assez bien Bogie et O'Hara, ni d'ailleurs Pep ou Sid.

Ring lui aurait donné cinquante mille dollars sans y regarder à deux fois. Sara et Gerald restaient une possibilité, même si elle était un peu fâchée avec lui depuis *Tendre est la nuit*.

Au bout du compte, écoutant le conseil qu'Ober lui avait donné sur l'autonomie, il s'installa sur son lit avec le plateau qui lui servait de bureau et un cendrier, et il concocta deux nouvelles pour *Esquire*. Frances les envoya par la poste aérienne et assura le suivi par télégramme.

Ce n'était pas comme s'il n'avait jamais été ruiné. Il avait souvent esquivé ses créanciers, à Westport, New York, Montreux et Rome. Après avoir réglé les frais de séjour mensuels de Zelda au Highland Hospital, il ne pouvait pas payer son loyer, et donc, la veille de l'arrivée de Scottie, contre l'avis du médecin, vêtu de ses habits les moins élégants, il se rendit au volant de sa Ford au mont-de-piété de Wilshire Boulevard. Frances le suivit dans sa Pontiac, attendant sur le parking qu'il ait signé la carte grise et empoché cent cinquante dollars. Il fallait qu'il fasse durer cette somme jusqu'à ce qu'autre chose se présente. Il n'avait plus rien à gager.

« *Merci Françoise**, dit-il pendant qu'ils retraversaient Hollywood.

– *Mais bien sûr** », répondit-elle.

Scottie comprendrait indubitablement que la voiture avait été gagée. Comme il lui avait promis des leçons de conduite durant ce séjour, il utilisa cette excuse pour demander à Frances de l'emmener en balade dans la Pontiac, et elles sillonnèrent les routes des environs d'Encino comme de bonnes copines de retour chez elles pour l'été. Avec son appendice, Scottie avait perdu ses dernières rondeurs de petite fille et le soleil lui avait blondi les cheveux. L'après-midi, la piscine était pleine de garçons qu'elle avait connus dans l'Est. Le soir venu, ils faisaient des barbecues et entonnaient des chants autour du feu, sous les étoiles. Ober, peut-être animé par un désir de conciliation, lui expédia un chèque pour des droits d'auteur radiophoniques, et il put récupérer sa voiture.

Pour fêter cette rentrée d'argent inopinée, Sheilah fit une de ses rares apparitions, les rejoignant au Troc pour une espèce d'anniversaire, mais, inquiets de l'état de ses poumons, ils ne dansèrent presque pas.

« Je l'ai trouvée changée », dit Scottie quand ils se retrouvèrent seuls à la fin de la soirée, assis dans la cuisine d'Erleen autour d'une tarte aux mûres.

« En quoi ?

– Elle n'avait pas l'air de beaucoup s'amuser.

– Elle se fait du souci pour moi.

– Elle n'est pas la seule. Je ne sais pas, elle m'a paru différente.

– Tu ne serais pas en train de nous jouer les médiums par hasard ?

– Arrête », dit-elle, et elle se redressa, regardant ses mains posées sur ses genoux, avant de le fixer d'un air sérieux, comme si elle s'apprêtait à lui annoncer quelque chose de grave. « Je l'ai annoncé à maman et je voulais te le dire en face. J'ai commencé à écrire un roman.

– Dieu te protège. Ça parle de nous ?

– Elle m'a demandé la même chose. Non.

– C'est merveilleux, ma poupée. Et très courageux de ta part, je dois dire. Tu en es où ?

– Un peu moins de cent pages. J'espérais que, peut-être plus tard, si tu avais un peu de temps…

– Je serai ravi d'y jeter un coup d'œil, répondit-il, pensant avec effroi qu'elle en était plus loin que lui.

– Elles ne sont pas tout à fait prêtes.

– Quand elles le seront, dis-le-moi. J'en serai très honoré. Tu comptes les montrer aussi à ta mère ? »

Elle ne savait pas exactement quelle réponse il espérait.

« Ça lui ferait plaisir, ajouta-t-il.

– Alors je les lui montrerai.

– Oh, mon Dieu, nous avons tout raté : notre bébé veut devenir écrivain ! »

Sa visite se déroula aussi vite qu'une semaine à la plage. Elle avait toujours l'air d'être par monts et par vaux. Le dernier jour, elle passa son permis et fut reçue avec brio au volant de la Pontiac. À la gare, elle étreignit Frances comme une sœur, et il se sentit riche.

Ce vendredi-là, les Allemands envahirent la Pologne. L'Angleterre et la France déclarèrent la guerre. C'était le premier jour du mois, et il ne pouvait pas payer son loyer, les frais de scolarité de sa fille encore moins. Tandis que le monde s'enflammait, il ferma sa porte et écrivit à Gerald et Sara en pesant chaque mot. *Comme le disait Keats, la maladie et le manque vont très mal ensemble.*

Il n'attendit pas passivement qu'ils lui viennent en aide. Lundi matin, il recommença à assiéger Swanie, qui usa de son influence à la Fox et le fit venir immédiatement aux studios. Il participa à une réunion de production pour *Everything Happens at Night*, un film à suspense avec Sonja Henie et la Gestapo dans les principaux rôles. Ernest aurait adoré. Il lui sembla que tout s'était bien passé, mais ils ne le rappelèrent jamais.

Dans son désespoir, il exhuma un scénario qu'il avait autrefois écrit pour le cinéma muet à partir d'une de ses nouvelles de jeunesse, « L'éventail en plumes », tentant le tout pour le tout afin de lui insuffler le punch nécessaire. C'était le genre d'histoire sentimentale dans lequel il excellait à ses débuts, un garçon, une fille, et les comportements de l'époque qui étaient en train de changer. Que signifiaient des mots comme honneur et honnêteté, à présent ? Il devait reconnaître qu'à ce sujet, Scottie avait raison. La nouvelle paraissait si démodée qu'on aurait presque pu y voir une curiosité historique. Il demanda à Swanie de la montrer à la MGM. La guerre avait ouvert un marché de la nostalgie, et personne n'était plus nostalgique que L.B.

Il paya Frances, Erleen, et la note du pharmacien, reportant le reste à plus tard. Le courrier du matin arriva juste avant onze heures. Il se tenait près de sa fenêtre et regardait à travers les volets, quand le camion s'arrêta devant le portail. Une main abaissa énergiquement le couvercle de la boîte, déposa un paquet de lettres et le referma.

« Françoise, je vous laisse l'honneur. »

S'imaginant toutes sortes de choses, il ne la quitta pas des yeux pendant qu'elle revenait vers la maison en parcourant les enveloppes du regard.

« Et que nous réserve le vaste monde, aujourd'hui ? » demanda-t-il, alors qu'il pouvait déjà lire la réponse sur son visage.

Des factures et des impayés émanant d'agences de recouvrement. Son *Princeton Alumni Weekly* annonçant le début de la saison de football et demandant aux fidèles fils de Nassau de faire des dons. Si rien ne venait rapidement, il serait obligé de se tourner de nouveau vers Max.

Il avait déjà renoncé au projet de « L'éventail en plumes », lorsque Swanie appela. Ils avaient rejeté l'idée, mais au cours d'un déjeuner avec Goldwyn, Swanie avait persuadé celui-ci de donner une nouvelle chance à Scott. Dès la semaine suivante, il commençait à travailler sur un remake de *Raffles, gentleman cambrioleur* avec David Niven dans le rôle du fringant voleur de bijoux et Olivia de Havilland dans celui de l'aristocrate de ses rêves. Ils comptaient réutiliser le vieux scénario écrit par Sidney Howard, que Dieu ait son âme.

« Qu'est-il arrivé à Sidney ?

– Son tracteur lui est passé sur le corps.

– Mon Dieu !

– Avec son nom, c'est l'oscar assuré.

– Pas joli joli.

– Mais vrai. »

Sidney avait fait ses études à Harvard, il avait remporté le Pulitzer alors qu'il voulait n'être qu'un paysan. Scott devait améliorer ses dialogues pendant le tournage. Quatre semaines à cinq cent cinquante dollars la semaine. Le temps était compté parce que Niven devait rejoindre la RAF pour piloter un Spitfire, un destin que Scott trouvait noble, mais funeste.

Il était heureux de se retrouver sur le site des studios – Frances était folle de joie, émerveillée de voir toutes ces stars –, mais après *Ouvre-moi ta porte* et tant d'autres déconvenues, il n'osait pas vendre la peau de l'ours. Il emplissait son attaché-case de canettes de Coca, arrivait à l'heure, dictait ses modifications à Frances entre deux installations de décor et jetaient des détails sur le papier pendant le tournage, qu'ils s'efforceraient de déchiffrer ensemble par la suite. Comme il seyait à leurs personnages, David Niven était un vrai gentleman, Olivia de Havilland une purge, passant presque tout son temps dans sa loge. Le plateau était protégé de la lumière du jour, et par voie de conséquence, de tout souffle d'air également. Comme dans un vieux grenier, l'air sentait la levure chimique. Dès le milieu de la journée, les machinistes et les caméramans étaient en sueur, et les maquilleuses devaient procéder à des retouches.

De temps à autre, Goldwyn faisait une apparition et restait un moment avec le réalisateur, penché vers lui comme pour lui donner ses instructions. Son vrai nom était Goldfish, il avait inventé le « wyn ». Il appartenait à la génération d'avant Thalberg, des hommes d'argent aussi impitoyables que des gangsters. Scott voulait le remercier de lui avoir accordé cette chance, mais il n'en eut jamais l'occasion. Le quatrième jour du tournage, sous les yeux de Scott, Goldwyn et le réalisateur s'engagèrent dans un échange d'invectives et de cris qui se termina par le départ du second. Le lendemain matin, sans explication, Scott fut mis à pied.

« J'aurais dû te prévenir. Lui aussi, c'est moi qui l'avais imposé, expliqua Swanie.

– Je vois, dit Scott. C'était un accord global, en quelque sorte. »

La paye n'interviendrait pas avant le samedi. Rien d'intéressant au courrier. Aucun télégramme de dernière minute. Il n'avait que trop repoussé le moment de régler Magda et, au volant de sa Ford, il retraversa Hollywood pour se rendre de nouveau au mont-de-piété de Wilshire Boulevard. Frances le suivait dans sa Pontiac.

L'homme connaissait la voiture mais ne savait pas qui était Scott, ce dont il se réjouit.

Elle l'attendit en laissant le moteur tourner.

« *Merci beaucoup**, dit-il.

– *Mais bien sûr, monsieur**. »

Ah… l'amour

Gerald et Sara le sauvèrent, pour un temps. Il s'arrangea avec Vassar pour payer les frais de scolarité de Scottie par versements échelonnés, comme il l'avait fait pour la note de l'hôpital, mais il lui fallut tout de même demander un mois de délai au Dr Carroll, puis un autre, et un autre encore, tandis que la mère de Zelda ne cessait de le harceler pour qu'il laisse sa fille rentrer à la maison. Il envoya un synopsis du roman à *Collier's*. Ils lui consentiraient une avance de mille cinq cents dollars s'ils aimaient les soixante premières pages. Mais c'était trop tôt – il commençait à peine à connaître Stahr.

En novembre, il approchait du but. La voix n'était pas encore tout à fait calibrée, mais il pourrait y remédier plus tard. Il s'était préparé à recevoir une lettre critique de l'éditeur, dont il ferait tout pour ne pas tenir compte. Il ne s'était pas du tout attendu à ce qu'ils refusent purement et simplement.

Il essaya le *Post*. Qui dit non également.

Depuis le début, il avait considéré ces droits de reproduction en feuilleton comme sa planche de salut. *Esquire* lui achetait des nouvelles, mais payait si mal qu'il ne pouvait pas faire face à ses factures. Sans Ober, il ne savait pas vers qui se tourner. Il ne voulait pas laisser ses doutes miner son travail, mais à la fin de la journée, quand Frances et Erleen partaient, il se retrouvait seul et tellement amer qu'il se remit à boire.

Il se ressaisit, téléphona au médecin et réclama une infirmière avant qu'il n'ait fait trop de dégâts, puis, juste après Thanksgiving, alors qu'il se sentait presque déjà mieux, il s'attaqua à une bouteille, se querella avec l'infirmière et, dans un accès de destruction, brisa une lampe et chassa l'infirmière de la maison. Elle appela aussitôt Sheilah qui tenta de le calmer en lui faisant écouter du Mozart et manger de la soupe à la tomate. Comme un enfant, il jeta le bol contre le mur.

L'infirmière restait campée devant le spectacle, son aiguille inutile à la main.

« En vérité, son vrai nom, c'est Lily Shiel. Elle ne vous a pas avoué qu'elle était juive, n'est-ce pas ? Non. Lily Shiel. Son Altesse royale de l'East End, qui ne sait pas prononcer un *h* et qui a secoué ses seins devant Londres tout entière. »

Il tituba sur place, éclata de rire et partit en courant. Quand l'infirmière tenta de lui interdire l'accès à sa chambre, il lui décocha un coup de pied dans le tibia et fouilla précipitamment sa commode à la recherche de son revolver. Sheilah appela la police, mais, comme ils étaient en pleine campagne, le poste se trouvait à des kilomètres de là. Quand il entendit la sirène de la voiture de patrouille mugir dans la vallée, il verrouilla la porte de la salle de bains et avala un tube de somnifères.

Un peu plus tard, calmé et repentant, il avait déjà tout oublié, ce qui ne fit qu'accroître sa honte. L'infirmière revint. Sheilah non.

Il pensa qu'elle lui pardonnerait quand il serait remis, mais elle ne répondait plus au téléphone. Il demanda à Frances de déposer des roses devant sa porte et en fit livrer d'autres, par un fleuriste, d'un prix exorbitant et accompagnées de leurs poèmes favoris. Tous les jours, il espérait qu'elle l'appellerait ou apparaîtrait devant son portail en expliquant qu'elle avait dû quitter la ville pendant plusieurs jours.

Erleen prit la défense de la jeune femme.

« Vu la façon dont vous avez fait le pitre, c'est difficile de lui en vouloir. À votre place, moi j'irais chez elle et je l'attendrais sur son perron jusqu'à ce qu'elle rentre.

– Je ne crois pas qu'elle ait envie de me voir.

– Eh bien, laissez-la vous le dire en face. Quoi qu'elle vous reproche, vous écoutez et vous ne répondez pas. Quand elle a terminé, vous dites que vous êtes désolé, que vous ne recommencerez plus, et que cette fois, c'est pour de bon. Si ça ne marche pas, je ne vois pas ce que vous pouvez faire d'autre. »

Il n'était pas assez courageux pour oser suivre ce conseil. Elle ne connaissait pas Sheilah aussi bien que lui. Gâcher ma vie, avait-elle dit. Il pouvait discuter, mais au fond de lui, malgré sa tristesse, il lui donnait raison.

Je n'ai aucune excuse pour t'avoir fait subir tout cela, lui écrivit-il en pesant chaque mot. *Clairement, après ce dernier épisode, il est évident que la question n'est pas que je sois ivre ou mal en point. On peut parler d'une véritable pathologie qui me pousse à profiter lâchement de ta nature gentille et généreuse. Tu n'as montré que trop de patience à mon égard, ma Sheilo, bien plus que je n'en mérite. Je m'engage à ne plus t'importuner.*

Après sa journée de travail, il se rendit chez elle pour déposer sa lettre en personne. Sa voiture n'était pas là, sa pelouse semblait en piteux état. Il avait toujours la clé qu'elle lui avait donnée et il songea à la déposer dans la boîte avec sa lettre, mais il ne s'y résolut pas, comme s'il voulait garder une dernière cartouche. Il se rappela leur premier rendez-vous avec Eddie Mayer jouant les chaperons, le soir où ils avaient dansé joue contre joue au Clover Club. Il ne savait rien alors de cette fascinante inconnue. Tout ce qu'il avait appris d'elle depuis ne l'avait fait que l'aimer davantage, et pourtant, par sa faute, elle avait fui.

Bien que tenté par l'idée, il ne voulut pas l'embarrasser en s'installant sur ses marches toute la nuit. Il reprit sa voiture et descendit la colline jusqu'à Sunset Boulevard, en pointant le nez par la vitre, comme elle lui avait appris à le faire, dans l'attente que quelqu'un lui fasse signe.

À Noël, à titre de test, Zelda rentrerait seule à la maison, sans chaperon. Scottie était à Baltimore chez les Finney. Il n'avait nulle part où aller, pas d'argent, personne avec qui partager cette journée, mais il demanda à Frances de l'aider à trouver des cadeaux pour chacun, même Sheilah, pour laquelle il choisit une boîte à bijoux qui jouait la *Sonate au clair de lune*. Le soir de Noël, il la déposa devant sa porte. Le lendemain matin, Frances vint au rapport : le cadeau avait disparu.

Chère Miss Graham, dicta-t-il. *Monsieur Fitzgerald m'a souvent demandé de ne pas me mêler de trop près de ses affaires privées. Au risque d'outrepasser mes attributions, je pense devoir vous informer qu'il se sent très honteux de vous avoir aussi mal traitées, vous et son infirmière. Grâce à l'aide de Miss Steffen, il est aujourd'hui complètement remis, il regrette tout ce qui s'est passé et souhaite résolument s'amender. Je le crois sincère et peux personnellement attester sa bonne conduite ces derniers temps.*

À votre place, répondit Sheilah, *je me montrerais prudente. Mr Fitzgerald a la fâcheuse tendance de blesser ceux qui lui sont les plus proches. C'est un petit homme égoïste et coléreux qui se croit supérieur parce qu'il lit de la poésie et qu'il a été célèbre un jour, il y a vingt ans. Si jamais il vous traite aussi mal qu'il m'a traitée moi, j'espère que vous aurez le courage de partir et de ne plus jamais lui parler, parce que c'est exactement ce qu'il mérite.*

Il opina du chef en haussant les épaules. « C'est déjà ça. »

Sheilah avait oublié quelques objets personnels. Pendant plusieurs semaines, il se heurta aux souvenirs de sa présence : un étui à cigarettes, un carnet d'adresses, une chemise de nuit. Un beau jour, il en fit un paquet et ajouta un mot d'excuse rédigé à la main, déclarant que si c'était ce qu'elle souhaitait, il quitterait Hollywood pour de bon – un faux ultimatum, plutôt un appel à la clémence.

Il ne reçut aucune réponse avant plusieurs jours, comme si elle pesait le pour et le contre. La saison des pluies avaient commencé, le grand bassin de la Californie du Sud se remplissait pour l'hiver, redonnant espoir aux agriculteurs. Dans la chambre d'amis vacante, Frances et lui travaillaient d'arrache-pied à son roman, assemblant peu à peu les divers épisodes. Il avait plu à verse toute la matinée quand, juste avant le déjeuner, le tambourinage ralentit, s'arrêta, et le soleil revint, perçant entre les arbres. Il s'approcha de la fenêtre à guillotine près du bureau de Frances, mais, gonflée par la pluie, elle refusa de s'ouvrir. À force d'être alité, il s'était considérablement affaibli. Devant cette résistance, tel un haltérophile, il se saisit du bord supérieur du carreau en posant ses paumes bien à plat sur le châssis et il poussa de toutes ses forces. Une violente douleur à la poitrine lui fit comprendre qu'il avait commis une terrible erreur.

Le monde cette fois ne devint pas pourpre mais complètement obscur : la lumière disparut comme dans un fondu au noir, les arbres au-dehors s'évanouirent en une masse ténébreuse. Il tendit la main vers le mur, trouva un appui, mais avant d'avoir pu atteindre son médicament dans sa poche, il bascula sur le côté, sa jambe se prit dans le bureau et il tomba à la renverse contre Frances, pareil à un cadavre. La jeune fille hurla, mais il ne devait l'apprendre que plus tard, comme une sorte d'épisode comique destiné à alléger le récit.

La première personne que Frances appela fut son propre père. La seconde, Sheilah, qui les retrouva à l'hôpital, en larmes.

« Si tu mourais, je ne me le pardonnerais jamais », dit-elle, sa peur ayant remplacé sa logique coutumière.

À compter de ce jour, ils se remirent ensemble, et Frances devint la fidèle compagne de leurs réjouissances. Pour l'heure, il restait à Encino. À la fin de la journée, Frances le confiait à Erleen, qui à son tour cédait la place à Sheilah, comme des aides-soignantes prenant leur tour de garde. À aucun moment il n'était seul et il n'avait donc aucune occasion de rompre sa promesse.

Quand Sheilah emménagea dans un nouvel appartement, à deux pas du Jardin d'Allah, il crut qu'elle allait lui proposer de venir y vivre avec lui, mais elle n'en fit rien. Elle demeurait impénétrable, telle la nubile beauté qui avait refusé les avances du marquis. Il oubliait toujours combien elle était jeune et forte. Selon elle, Swanie se débrouillait mal, et elle trouva à Scott un nouvel agent qui l'aida à vendre « Retour à Babylone » à un producteur indépendant. Mille dollars pour les droits, et dix semaines à cinq cents, garanties, sans parler d'un bonus si un studio l'achetait. La nouvelle avait Paris pour décor et racontait l'épisode au cours duquel Rosalind, la sœur de Zelda, avait essayé de lui enlever Scottie, après la première hospitalisation de sa mère. Il allait rédiger ce scénario en pensant à Shirley Temple, qu'il trouvait hilarante. Son propre personnage serait joué par Cary Grant.

« Au moins, il a le menton qu'il faut, déclara Sheilah.

– J'aurais préféré Bogie. En plus, il réclame des cachets moins élevés. »

Au fil des semaines, il mit de plus en plus d'argent de côté. En avril, à la cérémonie des oscars, *Autant en emporte le vent* gagna le gros lot, et il considéra avec joie qu'une petite partie de la récompense attribuée à Sidney Howard lui revenait. Ce n'était pas seulement de la vanité. En moins de trois ans, Margaret Sullavan et aujourd'hui Vivian Leigh avaient reçu l'oscar de la meilleure actrice grâce à ses dialogues. Ne serait-ce que pour cette raison, il pouvait être fier de son travail à Hollywood. Cela l'amusa de constater combien il était plus facile de se montrer magnanime avec un compte en banque bien rempli.

À présent qu'il pouvait de nouveau payer le traitement de Zelda, le Dr Carroll prit le parti de Mrs Sayre et recommanda de la laisser sortir. Scott craignait que sans suivi médical elle ne rechute, et il arracha au médecin la promesse de l'admettre immédiatement à l'hôpital si cela se produisait. Peu après, alors qu'elle était en permission, une semaine avant sa sortie définitive, elle fut surprise devant un distributeur de boissons à Asheville en train de consommer un chocolat malté.

Le psychiatre envoya aussitôt à Scott un télégramme comme si elle venait de poignarder une aide-soignante. Sa sortie fut ajournée jusqu'à la prochaine réunion médicale.

Scott l'aurait compris si le Highland Hospital avait été un lieu de cure d'amaigrissement, mais il lui parut franchement dérisoire de la maintenir dans un hôpital psychiatrique pour avoir bu un milk-shake à l'heure où les Allemands envahissaient le Danemark. Il prit sa défense par télégramme, et ce même samedi elle fut libérée.

Je suis désolé que le monde dans lequel tu reviens soit si perturbé, lui écrivit-il. *Là-bas, au moins, tu peux compter sur ta mère et sur Sara, et bénéficier du confort d'une vraie maison. Dis-moi si trente dollars te semblent suffisants pour t'acheter des vêtements au cours de ces premiers mois, car j'imagine que tu vas avoir besoin d'une nouvelle garde-robe. J'ai bon espoir que Scottie puisse te rendre visite au mois de juin avant de rejoindre son université d'été. Désormais, ta mère va pouvoir annoncer à ses amies que nous avons une fille à Harvard.*

Comme il est doux, répondit Zelda, *d'imaginer Scottie dans ce sanctuaire puritain du savoir alors que partout la guerre éclate. Ici, le matin, le jardin s'emplit des chants impatients des oiseaux, Melinda s'affaire à grand bruit dans la cuisine, et les cloches pures et solennelles de St John sonnent l'heure. La ville si verdoyante accueille généreusement mon cœur prodigue, débordant d'une délicieuse nostalgie. Je pourrais avoir six ans, je me retrouve dans le tramway avec maman pour aller à la bibliothèque où on m'établit ma première carte. Mon bécasseau, je t'en prie, ne t'inquiète pas pour moi. Si j'ai une place dans ce monde, c'est bien ici. Je me sens pleine de gratitude et entends faire tous les efforts possibles avec la santé qui m'est redonnée pour atteindre cette paix sans laquelle il n'est pas de bonheur.*

Il aurait pu répondre qu'il en allait exactement de même pour lui. Tandis qu'elle s'acclimatait à Montgomery, afin d'échapper à un nouvel été dans la vallée il s'installa à Hollywood, avec l'aide de Sheilah, dans un appartement situé à quelques pas de chez elle. L'immeuble était autrefois un hôtel miteux, avec une cage en cuivre pour protéger la réception, et les meubles paraissaient droit sortis d'une brocante. Son divan était d'un sombre vert brocoli, et troué de brûlures de cigarette. Ses voisins étaient des machinistes et des starlettes qui attendaient leur chance. Dans l'appartement d'en face habitait une femme obèse qui gagnait sa vie en vendant ses cris à Hollywood, dont elle leur offrait des échantillons gratuits en répétant à toute heure. Dans celui d'à côté vivait une rousse aux jambes interminables qui portait le nom improbable de Lucille Ball, dont le petit ami cubain se produisait au Bamboo Room et ne rentrait jamais avant deux heures du matin. Après le silence de mort d'Encino, tous ces bruits de vie l'inspiraient, même s'ils ne favorisaient pas le sommeil.

Il aurait pu se permettre une adresse plus élégante, mais l'appartement était parfaitement placé, à proximité immédiate des studios et de ses vieux repaires, comme le Victor Hugo et le Troc. Sheilah et lui ne sortaient pratiquement jamais, un soir chez l'un, un soir chez l'autre. Ils se partageaient les services d'une cuisinière, Mildred, qui, comme Erleen et Flora avant elle, était une spécialiste des tourtes en tout genre. Parfois, cependant, quand ils avaient passé la journée entre quatre murs, ils lui donnaient congé et descendaient Sunset Boulevard pour se rendre chez Schwab's où, assis au comptoir, ils feuilletaient des magazines en dégustant des sandwiches à la viande accompagnés de pommes de terre sautées et des sundaes caramel, avant de rentrer main dans la main à la tombée du jour, tandis que les hirondelles survolaient la cime des arbres et que les voitures les aveuglaient de leurs phares.

Ils étaient prudents quand ils faisaient l'amour, procédant avec douceur. Comme n'importe quel muscle, à condition de lui donner le repos nécessaire, son cœur se remettait. À chaque visite, le médecin montrait à Scott son dernier électrocardiogramme pour qu'il mesure ses progrès. Tout comme Zelda, il devait respecter certaines restrictions. Plus de café, et absolument plus d'amphétamines. Il lui arrivait encore de fumer une cigarette de temps à autre, mais en nombre négligeable. Il avait fumé toute sa vie. Il ne pouvait pas espérer retrouver un souffle normal. Depuis qu'il avait arrêté, il avait grossi du ventre, ce dont il prenait amèrement conscience au lit. Il avait toujours été mince, un poids coq naturel. Mais aujourd'hui, un simple exercice d'abdominaux pouvait le tuer.

« Tout va bien ? » demanda-t-elle, s'apercevant qu'il était devenu silencieux alors qu'elle était sur lui. Parfois, il était si concentré qu'il en oubliait de respirer.

« Oui.

– Ça te plaît ?

– Beaucoup. »

Il aurait préféré qu'elle ne parle pas. Zelda parlait, elle aussi, et dans le noir, il s'imagina son visage, son sourire coquin. Il approcha la main de Sheilah, ses muscles intercostaux tendus.

« Fais attention.

– Oui », dit-il, et il prit garde. Il aurait voulu rester en elle à jamais.

Au milieu de la nuit, il entendit des sirènes, des cris, des bruits de verre qui se brise. La ville lui avait manqué et il resta éveillé, une main posée sur la peau douce des fesses de Sheilah, se représentant les rues qui descendaient jusqu'à la mer, les rares voitures sur la route côtière au-delà de Malibu. Où pouvait se trouver Stahr à pareille heure ? Et sa petite amie ? Il désirait leur offrir cet infini sentiment de chance pendant qu'il était encore vif, comme s'il avait pu les sauver. Ils savaient sans doute que c'était faux, mais l'important c'était d'y croire.

Le matin, les notes griffonnées durant la nuit se révélèrent illisibles, inutilisables. Il avait une nouvelle à finir pour *Esquire* avant l'arrivée de Frances, puis il passerait la journée à travailler sur le scénario, qui lui prenait trop de temps. Il se doucha et prépara du café pour Sheilah avant de lui dire au revoir avec un baiser, et fut déçu de constater qu'au-dehors, le monde était toujours le même.

« *Bonjour, Françoise**.

– *Bonjour, monsieur**. »

Elle aimait sa nouvelle maison, malgré le voisinage. Elle pouvait se lever plus tard maintenant qu'elle n'avait plus à faire le trajet en voiture. Avec Sheilah si proche, il n'y avait plus d'appels au milieu de la nuit, plus de messages à porter, tel un Cyrano, même si elle était trop polie pour le dire. Elle tira sur les pans de sa jupe, rapprocha sa chaise du bureau et remit de l'ordre dans ses pages. Les nouvelles destinées à *Esquire* étaient des comédies faciles dont l'intrigue se déroulait sur le site des studios, et tandis qu'elle tapait à la machine, il guetta son rire comme le soupir d'une maîtresse.

« *Comme toujours, Françoise, parfait**.

– *Bien sûr, monsieur**. »

La semaine était consacrée au travail. Le week-end, Sheilah et lui faisaient leurs bagages et remontaient la côte jusqu'à Santa Barbara ou Monterey, où ils prenaient une chambre avec vue sur mer, flirtant avec le scandale. À la réception, la scène qui se déroulait était un vrai cliché, le mari infidèle payait en liquide pendant que la *femme fatale** attendait dans la voiture. L'employé tournait vers lui le registre sur lequel il écrivait *Mr et Mrs F.S. Monroe.* Ou bien *Mr et Mrs L.B. Mayer.* Il pouvait danser maintenant, et quand l'orchestre de l'hôtel jouait sa sérénade aux dernières lueurs orangées du couchant, ils tanguaient sous les palmiers, le cou de la jeune femme embaumant Chanel et l'ambre solaire. En revanche, il lui était toujours interdit de la faire se pencher en arrière sur son bras, mais il ne pouvait pas résister, s'attirant des regards courroucés. Plus tard, au lit, ils prenaient des risques échevelés, pour lesquels ils s'excusaient au matin, chacun exonérant l'autre de sa faute, coupables mais heureux. Pareils à des fugitifs, ils devaient dérober chaque instant.

Comparé à la guerre, leurs problèmes semblaient dérisoires. Une molaire cassée, quelle importance alors que les Allemands traversaient les Ardennes ? Il alla chez le dentiste, et la Belgique capitula. Puis ce fut le tour du Luxembourg, des Pays-Bas. Il songea à la villa de Sara et Gerald, ainsi qu'au frère de Sheilah à Londres. Ernest était probablement là-bas quelque part, à récolter des informations brûlantes.

Ils étaient en route vers l'Exposition universelle de San Francisco, quand ils entendirent la nouvelle de l'évacuation de Dunkerque à la radio. C'était une victoire, il s'agissait de sauver l'armée britannique pour de futurs combats, mais plus rien ne pouvait désormais empêcher les Allemands d'envahir Paris. Tous les jours, il était là-bas, sur le quai du Louvre avec Scottie, incarné par Cary Grant au bar du Ritz. Égoïstement, il pensait que c'étaient sa ville, son passé qu'on lui enlevait – les rues grises et pluvieuses, les platanes galeux, et les douairières aux cheveux teints au henné qui promenaient leurs petits chiens au Jardin des Plantes. Ressentirait-il la même chose si les Japonais bombardaient Los Angeles ?

À l'Exposition, ils rencontrèrent par hasard Bogie et Mayo, franchement saouls et prêts à aller se battre contre les Allemands, ici même au Pavillon du progrès sponsorisé par Frigidaire.

« Fitzy ! s'exclama Bogart. Grâce à toi, je me sens de nouveau jeune, vieux frère. Tu as bien mauvaise mine.

– J'ai eu des petits problèmes cardiaques, dit Scott en refusant la bouteille qu'il lui tendait.

– Désolé.

– Désolé de quoi ? demanda Mayo parce que le pavillon déversait des annonces publicitaires à tue-tête.

– Il est condamné au régime sec, expliqua Bogie.

– Pas la peine de crier. J'entends très bien.

– Oui, mais tu n'écoutes rien. C'est ça ton problème.

– C'est parce que toi, tu parles sans arrêt. Et blablabla, et blablabla… »

« Tu crois qu'on leur ressemble ? demanda Scott à Sheilah quand ils furent de retour à l'hôtel.

– Oui, on est exactement comme eux », répondit-elle.

Il ne le confia à personne de peur de se faire traiter d'hypocrite, mais il était heureux de retravailler à Hollywood. Le matin avec Françoise, à siffloter *La Marseillaise*. Le soir avec Sheilah, à faire l'amour, la fenêtre ouverte. Il savait que cette vie idyllique n'était qu'une illusion. Chaque nuit, les nouvelles à la radio étaient pires que la veille. Des convois coulaient, des cathédrales brûlaient. La une du *Times* montrait des cartes désastreuses.

Le jour où Paris capitula, il reçut une lettre de Mrs Sayre. *Sara et moi sommes très inquiètes pour la santé de Zelda, ces derniers temps. Hier soir au dîner, elle a soudain souffert d'une crise aiguë, peut-être provoquée par quelque chose qu'elle aurait mangé. Elle s'est mise à tenir des propos insensés et quand je lui ai proposé de l'aide, elle nous a franchement insultées, Melinda et moi, puis elle a cassé plusieurs assiettes et plats, ainsi que l'horloge de la cheminée, dont vous vous souvenez sans doute. Depuis, elle a recouvré son calme et ses esprits, mais durant la plus grande partie de la soirée, elle a refusé de quitter sa chambre et a menacé de frapper Sara si elle s'obstinait à vouloir ouvrir sa porte. Nous avons suivi les instructions du médecin à la lettre, et je me demande par conséquent ce que nous pouvons faire d'autre. Peut-être, parce qu'elle n'était jamais revenue ici que pour de courtes périodes, ne me suis-je pas rendu compte de combien elle était malade en réalité.*

Scottie était censée arriver là-bas ce vendredi. Le matin même, Zelda lui envoya un télégramme : NE PEUX PLUS RESTER ICI DAVANTAGE. ENVOIE STP ARGENT BILLET DE CAR TOUT DE SUITE. VERRAI SCOTTIE À ASHVILLE. AI ESSAYÉ.

Puis, deux heures plus tard : OUBLIE MESSAGE PRÉCÉDENT. ME SENS BIEN MAINTENANT. PRESSÉE DE VOIR POUPÉE.

Parce qu'il la connaissait bien, rien de tout cela ne l'étonna. Il secoua la tête et se remit au travail.

Elle me semble telle qu'en elle-même, lui écrivit Scottie. *La plupart du temps, elle va bien, un peu flottante sur les bords, seulement. Quand elle s'excite et qu'elle se met à parler de Dieu et du cosmos, c'est évident, mais plutôt rare. C'est plutôt quand elle retombe dans le silence et qu'elle reste là sans rien faire qu'on le remarque, et ça, c'est assez fréquent. Je crois que grand-mère a peur d'elle depuis qu'elle a cassé la porte. Elle continue à marcher plus de sept kilomètres par jour et sillonne la ville à bicyclette. Tout le monde la connaît, ce qui est bien. Elle a l'église, la bibliothèque, je ne pense pas qu'elle se sente seule. Est-ce qu'elle va mieux ? Je ne crois pas. Mais elle est plus heureuse.*

Quelle sagesse chez sa poupée ! Elle n'avait jamais vraiment connu l'authentique Zelda et donc, elle ne s'accrochait pas à l'impossible. Une part de lui savait qu'elle était perdue depuis le début. Une autre part ne l'accepterait jamais, tout comme il reconnaissait et refusait à la fois d'admettre qu'il était au moins en partie responsable de son état. La vérité se tenait au milieu, inaccessible, sans doute trop semblable à ses propres échecs. Il l'avait aimée plus que toute autre, mais pas assez – moins en tout cas, lui soufflait obstinément sa conscience, qu'il ne s'aimait lui-même.

Entre la tragédie de l'Europe et les soubresauts de Zelda, il avait le sentiment décourageant que sa vie était régie par des forces échappant à son contrôle. Comme pour le lui confirmer, on lui vola une nouvelle fois sa voiture. Il l'utilisait si rarement qu'il ne s'en aperçut pas tout de suite. La police la retrouva au milieu de Hollywood Boulevard, le réservoir vide. Avec l'aide de Frances, il alla la récupérer, la gara à la même place numérotée derrière son immeuble et vérifia les serrures comme si cela pouvait la protéger.

« C'est précisément pour ça que nous sommes partis, dit Dottie. Le quartier est devenu complètement pourri. » Alan et elle s'étaient installés dans un château à Bel Air. Ils donnèrent une fête pour les anciens du Jardin d'Allah, avec Benchley et Don Stewart, Sid et Laura, Pep et sa femme Eileen. Ils lui témoignèrent presque trop de sollicitude, affirmant par exemple qu'il avait une mine superbe. Bogie avait dû leur parler. Ils virent qu'il ne buvait pas. « Je me sens un million de fois mieux », affirma-t-il comme un attaché de presse, sachant qu'ils ne manqueraient pas de répandre la nouvelle. Ils dansèrent, jouèrent aux charades en action, et à la fin de la nuit, à la lumière vacillante des torches hawaïennes sculptées, Dottie leur fit entonner *The Last Time I Saw Paris.* Tandis qu'ils chantaient, il se rendit compte que c'était exactement le morceau dont il avait besoin, et le lendemain matin, il l'intégra à son scénario.

Son producteur en envoya un exemplaire à Shirley Temple. « Elle va l'adorer », assura-t-il à Scott, mais sans conviction.

À leur plus grande surprise, elle se montra enthousiaste, et dans le but de décrocher son bonus, il eut le plaisir de déjeuner avec la star et sa mère sur leur patio. Alors que les célèbres boucles et les joues de l'enfant étaient les mêmes que celles qu'on voyait sur la couverture de milliers de magazines, elle était beaucoup plus âgée qu'il ne l'aurait cru, plus grande aussi ; elle devait avoir environ douze ans, avec déjà un soupçon de poitrine. La villa était cachée au fond d'une impasse derrière Pickfair, et bordée par les courts de tennis de Charlie Chaplin, où Paulette Godard jouait contre le grand homme en personne, affublé d'une casquette de cycliste blanche. De temps à autre, une balle volait par-dessus la clôture pour atterrir sur la pelouse parfaitement entretenue, et Shirley se précipitait pour la renvoyer comme DiMaggio. Pendant qu'elles picoraient leur salade de thon, la mère était la seule à parler, lui disant combien l'histoire était émouvante et magnifiquement écrite, et il finit par douter que Shirley l'ait effectivement lue. Mais alors qu'ils terminaient leur repas, elle tourna vers lui ses yeux au regard vif et demanda : « Où avez-vous été chercher ce prénom, Honoria ? On dirait un prénom anglais.

– C'est celui de la fille d'amis très chers.

– Ils sont anglais ?

– Américains.

– Nous en avons discuter avant votre arrivée, reprit la mère, et nous sommes d'accord. Puisque le père est américain, nous pensons que son prénom devrait l'être aussi. J'espère que cela vous convient.

– Bien entendu.

– La scène d'ouverture, souffla Shirley.

– Ah oui. La première fois où on la voit jouer dans les jardins, nous trouvons qu'elle devrait plutôt être seule qu'au milieu d'autres enfants. »

Il aurait dû s'y attendre. Ce n'était pas un déjeuner, mais une réunion de production. Elles lui donnaient leurs instructions. Il repartit avec trois pages de changements qu'il intégra docilement à son scénario, avant d'en recevoir un nouveau paquet, un mois plus tard. Même si le producteur affirmait qu'elles étaient toujours intéressées, à ce moment-là Cary Grant s'était déjà retiré, ainsi d'ailleurs que Joseph Cotten, et Scott assura à son agent que plus jamais il n'écrirait pour un film qui restait à confirmer.

Son projet suivant était pour Darryl Zanuck à la Fox, *La vie commence à huit heures trente*, un tire-larmes hollywoodien avec John Barrymore dans le rôle principal, qui devait jouer un père Noël alcoolique affligé d'une fille handicapée. Dix semaines à sept cents dollars la semaine. Si tout se passait bien, il gagnerait suffisamment d'argent pour achever *Le Dernier Nabab.* Le matin, il se levait tôt pour travailler sur la nouvelle promise à *Esquire*, puis il se rendait aux studios en voiture. Comme une vague de chaleur tardive frappait la ville et que les collines s'embrasaient, il fit apparaître le fantôme de son père dans Saint Paul enneigée et il prit froid. La fièvre l'empêchait de dormir et il réveillait Sheilah à des heures indues parce qu'il prenait sa température de façon obsessionnelle. Bogie avait raison : dans le miroir, son image était grise et il paraissait épuisé. Chaque semaine, une infirmière venait lui faire une piqûre de vitamine B, mais il continuait à se sentir fatigué. Au bout d'un mois, il se dit qu'il ne serait pas fâché de les voir abandonner le projet, mais jamais il ne renoncerait de lui-même, et il réagit donc avec colère quand Zanuck engagea Nunnally Johnson.

Il se vit outrageusement retirer le projet contre un dédommagement financier : un mois de salaire. On était en octobre, le temps commençait enfin à se rafraîchir. Il n'avait plus d'excuses.

Il avait devant lui ces jours qui lui avaient coûté si cher, des jours trop précieux pour être gâchés. Après tant de temps passé loin de son roman, et avec tout ce qu'il avait appris dans l'intervalle, il était insatisfait des pages qu'il avait écrites auparavant et pensait ne jamais réussir à les améliorer. La fille sonnait faux, l'accident d'avion était un cliché. Il allait devoir tout déchirer et recommencer. Depuis les profondeurs de la nuit, comme un fantôme qui appelle à l'aide, Stahr le réveilla. Il enfila son peignoir, tailla ses crayons et mit la bouilloire à chauffer. Il ouvrit son cahier et nota : *Stahr sait qu'il va mourir. La tragédie, ce n'est pas ça ; c'est Hollywood.*

Il épingla aux murs des cartes, des courbes et des graphiques, signes de son engagement. Les choses allaient se passer comme pour *Gatsby :* l'action jaillirait des humeurs et des situations. Il devait seulement s'efforcer de rester fidèle à ses personnages et à leur univers. Il les connaissait bien. Il aurait aimé se sentir plus fort, mais il ne doutait pas de lui-même. Il croyait déjà en son nabab.

C'est aux premières heures du matin qu'il était à son mieux. Au déjeuner, il buvait un Coca pour reprendre des forces, et aux environs de trois heures, il mangeait une petite tablette de chocolat. À cinq heures il s'arrêtait, la tête encore pleine de tout ce qu'il avait imaginé. À ce moment-là, il aurait bien voulu boire un verre pour apaiser ses nerfs. Parfois, il lui arrivait de céder, buvant une gorgée de gin à même la petite bouteille qu'il cachait dans le carton à chapeau où se trouvait l'invitation au mariage de Ginevra, appréciant chaque goutte avant de dissimuler l'odeur d'alcool en se gargarisant avec un peu de rince-bouche. Une seule, aurait pu dire Budd, jamais deux, et jamais après la tombée du jour. Il voulait être frais et en pleine forme pour le lendemain.

Frances se précipita à la bibliothèque et chez Stanley Rose's pour trouver des livres sur Griffith, Ince et les premières salles de projection, puis à l'aéroport pour se renseigner sur les horaires. Il aimait qu'elle lise à haute voix les parties dont Cecelia était la narratrice parce qu'elles étaient sensiblement du même âge. Chaque jour, il lui demandait de relire la première page pour se remettre dans l'ambiance.

« *Répétez s'il vous plaît**.

– “Même si je n'ai jamais été à l'écran, j'ai grandi non loin du monde du cinéma. Valentino était là, à l'anniversaire de mes cinq ans, du moins c'est ce qu'on m'a raconté.”

– *Dans* le monde du cinéma. *Répétez s'il vous plaît**. »

Comptable depuis toujours, elle ne s'ennuyait jamais. Parce qu'elle avait tapé ses notes, elle connaissait l'histoire par cœur, presque aussi bien que lui, et lui rappelait des détails oubliés avec toute la pédanterie de la jeunesse. Elle était très douée pour les dialogues, ne se débrouillait pas mal en matière d'intrigue, et rougissait comme la chouchoute du professeur quand il retenait une de ses suggestions. Il prenait la mesure de sa réussite en voyant l'impatience qu'elle avait à atteindre une scène, et quand il bâclait un passage ou empruntait un mauvais virage, il percevait de la déception dans sa voix. Le moment où Stahr rencontre Kathleen au bal des scénaristes devait être parfait, tout le reste en dépendait. Il observa le visage de Frances pendant qu'elle lisait, les sourcils d'abord froncés d'inquiétude, se relâchant vers la fin, ses lèvres s'entrouvrant pour libérer un souffle longtemps contenu. Elle leva les yeux vers lui, l'air plaintif, comme une petite fille qui attend d'être embrassée.

« C'est magnifique.

– Vous trouvez ?

– On dirait Cendrillon.

– Trop sentimental ?

– Non. » Puis, avec un haussement d'épaules : « Peut-être un soupçon. »

Françoise : l'honnêteté même, la fille du tailleur au coup d'œil si précis.

Au beau milieu de la recherche de ce délicat équilibre, Ernest lui envoya son dernier roman, *Pour qui sonne le glas*, avec une dédicace affectueuse. Cette histoire d'un Américain solitaire et héroïque qui tente en vain de sauver l'Espagne avait été élue Livre du mois en novembre, et vendue à la Paramount cent mille dollars. Aux yeux de Scott, le roman était naïf et léger, sans doute parce que Stahr désormais ne le quittait plus. Il le portait en lui quand il allait au Troc, chez Ciro's et au Hollywood Bowl, tel un troisième œil qui transformait entièrement son regard sur la ville. Au Coliseum et au Malibu Pier, il recueillit des détails pour agrémenter son récit, branché sur les pensées de Stahr, pillant le monde réel pour étoffer son univers. Allongé auprès de Sheilah, il raccompagnait Kathleen jusqu'à sa porte et lui donnait un chaste baiser de bonne nuit. Dans sa Rolls, les phares en veilleuse, son fidèle chauffeur l'attendait.

Félicitations pour le magnifique succès de ton gros livre, écrivit-il à Ernest. *Nul autre que toi n'aurait pu l'écrire.*

À FOND DESSUS, télégraphia-t-il à Max. AVANCE À PAS DE GÉANT. PREMIÈRE MOUTURE SANS DOUTE 15 JANV. STP PAS UN MOT À OBER.

Il se sentait mieux quand il écrivait bien, comme s'il avait rempli ses obligations. Pour s'aider à penser, il fumait plus que de raison et buvait tous les jours trois ou quatre Coca, mais son image pulmonaire était claire, et son médecin satisfait de ses électrocardiogrammes. Maintenant qu'il faisait un peu moins chaud, il marchait pour faire de l'exercice. Il prenait sa digoxine, et Sheilah et lui, pour l'essentiel, se montraient prudents. Après des mois de pâleur extrême, il avait retrouvé un peu de couleurs. De toute évidence, il était pratiquement remis, et il fut donc totalement pris au dépourvu quand, un soir après Thanksgiving, alors qu'il s'était rendu chez Schwab's pour s'acheter un paquet de Raleigh et attendait à la caisse, il ressentit une douleur familière à la poitrine.

Il n'avait fait aucun effort particulier, et pourtant il avait des élancements dans le bras. Il le frotta comme s'il espérait pouvoir faire disparaître la douleur, ouvrit et ferma le poing pour tenter d'effacer cette sensation. Un tiraillement sourd pareil à une brûlure d'estomac le fit grimacer et grincer des dents.

« Bon sang de bois », dit-il, et il s'accrocha au comptoir pour s'approcher d'un tabouret.

Les ténèbres cependant demeurèrent à distance. Au bout de quelques minutes, il se sentit mieux, rien qu'un peu moite, et il s'épongea le front avec son mouchoir. Il tenait debout, il pouvait même marcher.

« Monsieur, dit le vendeur. Vos cigarettes. »

Le médecin appela cela un spasme, pas vraiment une crise cardiaque. Il augmenta sa dose de médicaments jusqu'à la limite supérieure et lui rappela qu'il fallait qu'il cesse de fumer. Pas de relations sexuelles, pas d'escaliers. Le plus important, c'était le repos. Il ne devait pas travailler plus de quelques heures par jour.

Sheilah pensait qu'il ne fallait pas qu'il reste seul et elle l'installa dans sa chambre d'amis.

« Une crise cardiaque, voilà à quoi ça tenait », plaisanta-t-il.

Il ne se sentait pas affaibli, mais, tout comme Stahr, il n'avait plus confiance en son propre cœur, sachant que c'était cet organe qui fonctionnait mal. Il rangea sans l'ouvrir le paquet de cigarettes dans un tiroir et cessa de boire du Coca. Il ne pouvait pas envoyer Frances dénicher sa petite bouteille de gin, et pour la première fois de sa vie, il renonça complètement à l'alcool. Ses seuls vices désormais étaient les pâtisseries de Mildred et la relecture de ses pages de la veille quand il ne trouvait pas le sommeil.

Le ton était juste. Le roman, solide. Il aurait dû s'inquiéter de sa santé, mais il était follement heureux. Il ne s'était pas trompé. Trois heures par jour ne suffisaient pas. La chambre était trop petite. Il n'y avait pas de bureau, à peine la place pour une chaise. Frances s'asseyait à la tête de son lit, comme une infirmière, et prenait ce qu'il dictait en sténo. À midi, elle filait chez lui en emportant ses notes, et revenait avec les nouvelles pages dactylographiées. Il dut repousser la date de remise à février, puis à mars au plus tard. Max n'y voyait aucun inconvénient : Scott avait déjà trois ans de retard.

Ce n'était qu'une toute petite alerte, pas une vraie crise cardiaque, écrivit-il à Scottie. *Je souhaite que ta mère connaisse un Noël sans nuages, alors ne dis rien tant que tu es là-bas, s'il te plaît. Montre-toi particulièrement patiente avec elle et ta grand-mère. Elles ont traversé une année difficile.*

Pendant plusieurs semaines, il ne quitta pas l'appartement, puis le vendredi 13, Sheilah et lui se rendirent chez Pep et Eileen, à North Hollywood, pour une réception. Il faisait doux, et ils prirent place dans le jardin autour d'une table à tréteaux, tandis que dans un grand barbecue en pierre le maître de maison faisait rôtir des bécasses des bois qu'il avait rapportées de la chasse, en leur racontant que c'étaient des pigeons de Pershing Square. Les conversations tournaient autour de Londres où le Blitz avait commencé trois semaines plus tôt. Des quartiers entiers de l'East End étaient dévastés. Pour leur donner une idée de l'importance des dégâts, Sheilah utilisa Los Angeles comme étalon.

« Imaginez que tout Hollywood et la moitié de Beverly Hills aient disparu.

– Avec plaisir », ironisa Dottie.

Scott ne pouvait pas danser, et après dîner, il demeura assis à côté d'elle à observer Alan et Sheilah, Bogie et Mayo, qui chaloupaient sous le ciel de la nuit. Dottie buvait du scotch depuis leur arrivée et elle avait atteint le stade où elle regardait tout le monde de travers et se montrait grossière. Scott n'était guère habitué à être celui qui reste sobre et il avait envie de rentrer à la maison. Sur son bureau portatif, les pages du jour l'attendaient.

« Putain d'andouille ! s'exclama-t-elle.

– Tais-toi un peu.

– Alan, je veux dire. Est-ce que je t'ai raconté qu'on m'a tout enlevé à l'intérieur ? Clac clac clac.

– Je suis désolé pour toi.

– Tout ça était pourri de toute façon. Comme ça, ce connard n'a plus à s'inquiéter que je me retrouve enceinte. Et toi ?

– Quoi ?

– Tu ne veux pas d'enfants ? » Elle désigna Sheilah du doigt. « Elle a tout ce qu'il faut, elle.

– Oh, je ne sais pas trop.

– Vous devriez. Tout le monde doit avoir des enfants.

– Je ne suis pas sûr qu'elle en veuille.

– Elle est folle. Ils seraient très beaux. Toi, tu étais très beau autrefois.

– Merci. Toi aussi.

– On aurait dû faire des enfants ensemble. À nos beaux enfants ! » *Bôôô z'enfants…*

Elle trinqua avec lui, renversant du whisky sur la nappe. Elle tapota la tache mouillée et jeta quelques gouttes par-dessus son épaule pour se porter chance.

« Mais regarde-le un peu, reprit-elle. Si jamais je le tue, tu sauras pourquoi. »

Sur le chemin du retour, il fit à Sheilah un compte-rendu expurgé.

« Je crois que j'avais entendu parler de cette opération, dit-elle.

– Moi non.

– La rumeur circule aussi qu'il voit une autre femme.

– Une femme ?

– Je sais, ce n'est pas facile à croire.

– Ça ne m'étonne plus qu'elle soit aussi en colère. » Il regarda l'ombre des réverbères passer sur son visage. « Elle m'a demandé si nous comptions avoir des enfants.

– Vraiment ?

– Comme je te le dis.

– Qu'as-tu répondu ?

– Que je ne savais pas si tu en voudrais.

– J'en veux, répondit-elle, en le regardant furtivement, un sourire de défi aux lèvres.

– Voilà qui va lui faire plaisir.

– Je n'en suis pas si sûre. »

C'était une semaine avant Noël, et il fallait qu'elle achète son sapin. Il n'avait toujours pas le droit de porter quoi que ce soit de lourd, ce fut donc Frances qui aida Sheilah à le fixer dans son socle. Surmonté d'une étoile dorée fabriquée au Japon, l'arbre était un peu de guingois. Avec une paire de ciseaux à denteler, elle découpa les petites branches qui dépassaient, jusqu'à se déclarer satisfaite de sa forme. Elle avait bien écouté les histoires que Scott avait racontées de son enfance, et elle posa des bougies parfumées sur la cheminée dans des nids de rameaux qui sentaient bon le frais. Le soir venu, elle les allumait, et son appartement aurait pu être le salon de sa grand-mère McQuillan, alors que la neige tombait dru au-dehors.

Pour le cadeau de Scottie, voulant lui faire une belle surprise, il demanda au père de Frances de retailler un vieux manteau de fourrure de Sheilah, un renard argenté qu'elle ne portait plus. Il avait travaillé toute sa vie comme fourreur, c'était un vrai professionnel. Quand Sheilah jugea de l'effet sur Frances, elle voulut le reprendre.

Le vendredi, ils se risquèrent de nouveau à sortir, pour la première au Pantages de *La Mariée célibataire*, avec Melvyn Douglas et Rosalind Russell dans le rôle des jeunes époux. L'idée de départ était à la fois bizarre, potentiellement scandaleuse et complètement stupide. Pour s'assurer qu'ils peuvent s'entendre, la femme insiste pour qu'ils ne partagent pas le même lit durant leurs trois premiers mois de mariage. En dégustant sa tablette de chocolat gratuite, Scott observa le public comme l'aurait fait Stahr, inquiet du petit nombre de journalistes présents. Les attachés de presse auraient dû y penser, on était trop près de Noël. À chaque entracte, la lumière bondissait de l'écran, révélant les lustres imposants et les frises dorées du plafond. C'était peut-être en raison des fêtes toutes proches, mais avec leurs dimensions monumentales et le luxe de leur décoration, les cinémas ressemblaient quelque peu à des édifices religieux. Chaque jour, les fidèles s'y pressaient par millions pour entendre les nouvelles paraboles. Si les acteurs étaient leurs saints, alors que représentaient les producteurs ?

Dans le film, Melvyn Douglas fait tout pour parvenir à ses fins et il est sur le point de réussir, quand il a une réaction allergique violente après s'être frotté par accident à une branche de sumac vénéneux. C'est donc partie remise pour lui – et le public –, une échappatoire que Stahr n'aurait jamais laissé passer dans une réunion de production. Avec l'indifférence apathique de ceux qui viennent de se réveiller, les spectateurs rassemblèrent leurs manteaux et leurs sacs. Scott se leva et se faufila jusqu'au bout de la rangée ; alors qu'il remontait l'allée latérale derrière Sheilah, toutes les lumières de la salle se mirent soudain à vaciller et une décharge électrique lui parcourut le bras, pour se loger, toute fourmillante, au creux de son cou.

Il tituba, se rattrapa au bras d'un fauteuil pour ne pas tomber, et réussit à inspirer profondément. Sheilah ne s'était pas arrêtée.

« Sheilo. Attends-moi. »

Elle jeta un coup d'œil par-dessus son épaule, déconcertée, ne comprenant pas ce qui se passait, puis sembla mesurer la gravité de la situation et revint vers lui. Elle le prit par le coude, l'aida à recouvrer l'équilibre, tandis que la foule se dirigeait vers la sortie, indifférente.

« Ça va aller, je me sens déjà mieux.

– Tu ne veux pas t'asseoir ?

– Tout le monde croirait que je suis ivre.

– Ils n'ont rien à croire.

– Je peux marcher.

– Tu es sûr ? »

Il y réussit, grâce à son aide : il s'appuya sur son bras comme s'il avait une jambe paralysée. Dans le hall, ils trouvèrent un distributeur d'eau et il put prendre ses médicaments. Elle le regardait comme une mère, les lèvres pincées d'inquiétude.

Sur Hollywood Boulevard, l'air de la nuit le revivifia. L'épisode était passé. Il pouvait conduire – « Si personne n'a volé la voiture », plaisanta-t-il. Inutile d'appeler le médecin. Il devait venir le lendemain, de toute façon. Que pouvait-il bien faire pour lui, d'ailleurs ? Lui prescrire du repos ?

« Dès qu'on est à la maison, tu vas te coucher.

– Oui, Majesté. »

Il prit une cuillerée supplémentaire de chloral et dormit jusqu'à midi.

Il se sentait bien, rien qu'un peu fatigué, le dos moulu par l'excès de sommeil. Il aurait volontiers bu un café ou un peu de Coca. Il faisait un temps radieux, le soleil mouchetait le tapis et éclaboussait les décorations sur les branches basses du sapin. À Londres, il faisait nuit, et à la radio, les bombes s'abattaient autour du correspondant de guerre, Edward R. Murrow, au milieu du mugissement des sirènes. Les quais de la Tamise étaient en flammes. Tout Hollywood et la moitié de Beverly Hills, avait estimé Sheilah. Ils écoutèrent jusqu'au bout, incapables de s'éloigner du transistor.

Aux environs d'une heure, Frances arriva avec le courrier récupéré chez lui, et Sheilah l'informa de ce qui s'était passé.

« *Comment allez-vous, monsieur* ?*

– *Bien. Ce n'est pas grave. Merci, Françoise. Au revoir**.

– *Au revoir, monsieur**. »

Sheilah prépara des sandwiches au jambon pimenté, et quand elle eut fini la vaisselle, elle mit le dernier mouvement de la *Symphonie héroïque* de Beethoven. Elle lisait alors une volumineuse biographie du compositeur, et elle s'allongea sur le canapé pendant que Scott prenait place dans le gros fauteuil près de la cheminée pour feuilleter son *Alumni Weekly.* Le médecin devait venir à deux heures pratiquer un nouvel électrocardiogramme. Scott craignait une rechute et il mijotait dans son jus, tout en lisant un article qui s'interrogeait sur le plus grand joueur de tous les temps dans l'équipe de football américain des Tigers. Alors qu'il était encore à Newman, il avait vu Hobey Baker intercepter un ballon, traverser les lignes de défense et marquer à la dernière minute du match contre Yale, et il ne l'oublierait jamais. L'équipe de cette année-là était une légende vivante, elle n'avait jamais perdu. Trois joueurs devaient mourir dans les tranchées, Baker dans un accident d'avion. Lui les voyait comme des hommes, mais bien sûr, ils n'étaient que des enfants.

Pour tester sa mémoire, il prit un crayon et, dans la marge, il essaya de noter les onze noms de l'équipe. Prescott au centre, Holloway et Stanton en défense, Dietz et un autre comme attaquants. Se mordillant la lèvre, il compléta le tableau tandis que l'*Héroïque* montait en puissance jusqu'au final, Sheilah hochant le menton sur les accords solennels, un bombardement symphonique inspiré par une autre guerre. Pourquoi Beethoven idolâtrait-il Napoléon ? Il faudrait qu'il pose la question à Sheilah.

L'aiguille du pick-up se souleva, le bras recula, se remit en place avec un clic et le silence revint. Sheilah regarda dans sa direction et lui sourit. Il lui rendit son sourire pour la rassurer.

« Est-ce qu'on aurait quelque chose de sucré à manger ?

– J'ai une tablette de chocolat si tu veux. Je vais te la chercher, ne bouge pas. »

Elle la lui échangea contre un baiser avant de retourner sur le canapé. Il l'ouvrit, détacha une rangée qu'il partagea en trois morceaux. Le chocolat lui fondit sur la langue.

« Tu es sûre que tu n'en veux pas ?

– Sûre.

– C'est délicieux.

– Chut. »

Les arrières et les ailiers, c'était facile. Mais qui pouvait bien être l'autre attaquant aux côtés de Dietz ? Carroll ? Coffin ? Un nom qui commençait par le son « k ». Il voyait encore la photographie de l'équipe dans la vitrine où l'on rangeait les trophées à Old Nassau, avec les insignes militaires des disparus. Baker avait trouvé la mort dans son Spad, chutant en piqué à la suite d'une panne de moteur. Collins. Carrington.

Il eut tôt fait de terminer sa tablette, l'emballage ressemblait à la mue d'un serpent. Il se leva pour aller le jeter, et cette distraction suffit à lui rappeler le nom – Carpenter ! –, mais soudain un tremblement violent lui secoua le cœur.

C'était plus qu'un élancement. Une véritable décharge électrique parcourut son bras tout du long, et ses mâchoires se crispèrent violemment. Une bulle éclata dans son épaule, puis il ressentit un picotement brûlant dans le cou, une vague de sang lui monta dans la poitrine et lui coupa le souffle. Il tituba, chercha à tâtons le rebord de la cheminée et s'y accrocha, les doigts serrés, tentant d'adresser un signe à Sheilah dans le miroir, l'odeur de pin et le parfum des bougies lui faisant tourner la tête, le ramenant à Saint Paul, à la vue qu'il découvrait depuis la fenêtre du grenier, sa mère lui lissant de ses mains les cheveux, les favoris de son père. La pièce chancela et s'obscurcit. Stahr était auprès de lui, il se tenait à son côté comme un esprit tutélaire, son avion condamné à s'écraser, la fille qu'il aimait perdue quelque part dans cette immense ville tentaculaire. Il essaya de respirer, mais sa gorge se contracta et l'air lui manqua. Il perdit son appui et sentit qu'il tombait, battant frénétiquement l'air de ses bras. Avant que les ténèbres ne l'engloutissent, il eut une dernière pensée pour son roman et, impuissant, il protesta : *Mais je n'ai pas fini.*

Tout le monde s'est accordé à penser, écrivit Sheilah, *que ton père aurait été heureux des mots que tu as prononcés lors de ses obsèques. J'aurais aimé être là, mais il a fallu que je règle tous les détails ici. J'espère que nous pourrons nous retrouver à New York à la fin de la semaine prochaine. J'arriverai mardi en avion et j'apporterai plusieurs de ses objets personnels dont je sais qu'il aurait voulu qu'ils te reviennent, y compris plusieurs cahiers et albums de photos, ainsi que les cadeaux que tu lui avais offerts. Je ne sais pas s'il avait eu la possibilité de te dire qu'il était très fier de la publication de ta nouvelle dans le* New Yorker. *Il avait envoyé cette pauvre Frances aux quatre coins de la ville pour acheter des exemplaires à destination de ses amis. Elle t'adresse ses condoléances. Nous sommes encore sous le choc, comme toi, j'en suis sûre, et nous le serons longtemps encore. Toute cette année, il avait pris davantage soin de lui-même et était réellement heureux de travailler à son roman. Ses sifflotements dans la pièce d'à côté me manquent. La maison est trop silencieuse sans lui.*

J'ai peine à croire, écrivit Zelda, *que papa ne reviendra plus dans l'Est, les bras chargés de cadeaux et la tête pleine de nouvelles et d'audacieux projets d'avenir. Je suis obligée de rester ici pour l'instant après des difficultés liées à une tristesse bien réelle plutôt qu'imaginaire. Je préférerais être chez moi, mais je suis fort difficile à vivre, me dit-on, et je suis bien obligée de le reconnaître. Mes jours sont hantés par des souvenirs vagabonds en cette période de l'année, sacrée entre toutes, et même la perspective de l'année nouvelle ne me procure aucune joie.*

L'âme aspire à être comprise. La mienne ne le sera plus jamais si profondément, maintenant qu'il a disparu. Nous sommes des créatures à l'existence précaire. La mort nous rappelle les exigences du Temps et la nature éphémère de notre vie matérielle. Lors de moments comme celui-ci, il nous faut éprouver de la gratitude pour la chance que nous avons de connaître d'indestructibles liens familiaux et la grâce de la foi, sans lesquels la vie ne serait qu'une suite d'inévitables tragédies. Le Christ, Notre-Seigneur, le sait : ce n'est que dans l'amour que nous serons sauvés. Réjouis-toi. Dieu exauce toutes nos prières.

Table

Réalisation : Nord Compo à Villeneuve-d'Ascq
Achevé d'imprimer par CPI France
Dépôt légal : août 2016. N° 0528 (135352)
Imprimé en France